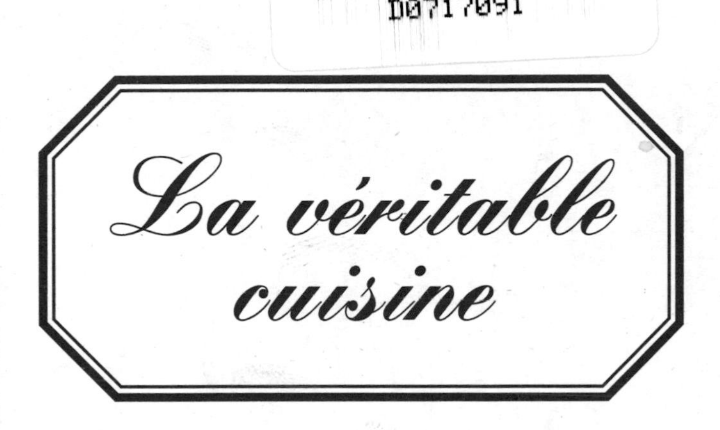

Edi Loire Reprints

Directeur de publication
Jacques Koehl

Edi Loire
49 Rue Parmentier
42100 Saint-Etienne

Dépôt légal septembre 1997

I.S.B.N. 2-84084-063-4

TABLE RÉSUMÉE DE CE LIVRE

TERMES DE CUISINE

SERVICE DE LA TABLE

SAUCES

TERMES DE CUISINE

NOTA. – Bien que, dans ce livre, nous ayons écarté systématiquement tous les mots qui peuvent embarrasser, et que nous les ayons remplacés par des expressions compréhensibles pour tout le monde, nous croyons cependant devoir donner ici une liste des termes fréquemment employés par les cuisiniers.

Bain-marie. – Faire cuire au bain-marie consiste à mettre dans l'eau bouillante un vase en terre, en fer blanc ou en porcelaine, contenant ce que l'on veut faire chauffer.

Tous les mets qui ont une liaison à l'œuf *(voy. liaison à l'œuf, page 13)* doivent être réchauffés au bain-marie pour éviter que la liaison tourne.

Barder. – C'est couper du lard en tranches minces (ou bardes) et en couvrir des morceaux de rôti ou le ventre des volailles ; on maintient les bardes au moyen d'un fil.

Blanchir. – C'est laisser bouillir pendant quelques minutes divers aliments.

On plonge dans l'eau bouillante les aliments qui ont de l'âcreté (par exemple l'oseille).

Bouquet. – Un bouquet comprend des branches de persil, une feuille de laurier et une ou deux branches de thym. On met le thym avec la feuille de laurier, on recouvre avec le persil et l'on attache le tout avec du fil.

Brider. – C'est passer une ficelle pour maintenir les membres d'une volaille.

Ciseler. – C'est faire des incisions plus ou moins grandes sur les poissons que l'on met sur le gril. On dit aussi ciseler un oignon ou le couper en tranches très minces et régulières.

Crever. – Terme employé pour la cuisson du riz ou de l'orge : le riz est crevé lorsqu'il est cuit sans être déformé.

Cuisson. – Ce mot est souvent employé pour *désigner le liquide* dans lequel on a fait cuire la viande ou le poisson.

Emincer. – C'est détailler les viandes en *tranches minces* ou en filets.

Emonder. – C'est laisser les amandes dans l'eau chaude quelques minutes, afin de pouvoir leur enlever la peau avec les doigts.

Entrées. – Les entrées suivent immédiatement les potages.

Entremets. – Les entremets de légumes se servent après les rôtis ; les entremets sucrés se servent avant le dessert.

Escalopes. – Petites tranches minces de viande que l'on superpose en couronne et dans un plat. La place laissée libre au milieu est destinée à recevoir la sauce.

Flamber. – Flamber une volaille ou un gibier à plumes, c'est passer l'animal à la flamme une fois plumé pour enlever le duvet ou les petits poils.

Si vous flambez au papier, prenez-en un gros morceau, et ne mettez la bête dessus que lorsque la flamme est très forte ; si vous négligiez ce soin, la volaille noircirait et aurait un goût de fumée.

Foncer une casserole. – C'est garnir le fond d'une casserole ou d'une terrine de couennes et de tranches de lard ou de veau.

Limoner. – C'est ôter le limon qui tient aux poissons dont la peau est visqueuse, comme la lotte et la lamproie.

On enlève ce limon avec un couteau après avoir plongé le poisson dans l'eau chaude.

Mariner. – C'est mettre un morceau de viande quelconque dans une marinade. *(V. marinade, p. 30).*

Mijoter. – C'est laisser cuire à petit feu et lentement.

Mouiller. – C'est ajouter pendant la cuisson des mets, de l'eau, du bouillon ou tout autre liquide.

Mouvette. – C'est une cuiller de bois qui sert à remuer les sauces.

Nouet. – Le nouet est un linge de mousseline dans lequel on met ce que l'on veut faire cuire, afin que ce ne soit pas mêlé au liquide dans lequel on le plonge.

Paner. – C'est saupoudrer de mie de pain très fine les viandes ou autres compositions que l'on fait cuire sur le gril ; au four, ou dans la friture.

Parer. – C'est enlever aux viandes les peaux, les nerfs ou la graisse, pour leur donner une meilleure forme.

Passer au beurre ou faire revenir. – C'est mettre les viandes dans le beurre, la graisse ou l'huile chauds, pour leur faire prendre couleur.

Piquer. – C'est tailler du lard plus ou moins gros

pour le mettre dans une lardoire, avec laquelle on l'introduit dans la viande.

Le foie de veau et le bœuf à la mode se piquent en traversant la viande dans toute sa longueur ; on met pour un morceau de trois livres huit ou dix lardons de la grosseur du petit doigt et de la longueur de la viande. Il faut même laisser passer un bout à chaque extrémité.

Pour les fricandeaux, les ris de veau, les filets, etc., on pique seulement la surface avec de petits lardons très fins, en ne prenant avec la lardoire qu'une petite partie de viande et en laissant passer le lardon également de chaque côté.

Présure. – La présure est une substance qui sert à faire cailler le lait. On l'achète chez les pharmaciens.

Réduire. – C'est laisser bouillir un liquide quelconque jusqu'à ce qu'il ait épaissi et diminué de quantité.

Relevés de potage. – On sert les relevés après que les hors-d'œuvre ont été passés aux convives.

Sauter. – C'est faire cuire à feu vif les viandes, les volailles ou les légumes, en ayant soin de les *sauter* de temps en temps dans la casserole ou dans la poêle.

Tourer. – C'est un terme de pâtisserie qui signifie donner un ou plusieurs tours à la pâte. On appelle *donner un tour,* plier la pâte en deux ou trois après l'avoir abaissée avec le rouleau. Si on répète cette opération deux fois, on donne *deux tours.*

Tourner des légumes. – C'est leur donner, avec un couteau, une jolie forme.

Tourner des olives. – C'est enlever le noyau en tournant tout autour avec un couteau de manière à laisser aux olives leur forme première.

SERVICE DE LA TABLE

DÉJEUNER SANS INVITÉS. – Dans les déjeuners de famille, on donne généralement deux hors-d'œuvre, un plat de viande, un de légumes, une salade et le dessert.

DÎNER SANS INVITÉS. – Dans les dîners de famille, on donne généralement le potage, un plat de viande, un de légumes, une salade ou un entremets et le dessert.

DÉJEUNER ET DÎNER D'AMIS. – Si l'on reçoit à dîner ou à déjeuner des amis intimes, on peut donner :

Pour le dîner : le potage, une entrée, un rôti, un plat de légumes, une salade, un entremets, un fromage et quatre desserts (fruits, gâteaux, petits fours, confitures, macarons, bonbons, etc.).

Pour le déjeuner : quatre hors-d'œuvre, deux entrées froides ou chaudes, un rôti, une salade, un entremets et le dessert.

REPAS DE CÉRÉMONIE. – Pour les repas de cérémonie, les plats seront augmentés en proportion ; il faut compter deux services au moins. Le premier service commence au potage et finit aux entrées. Le deuxième service commence au rôti et finit aux entremets. Dans le premier service, il faut compter deux relevés et deux entrées ; pour le second service, un rôti, une pièce froide quelconque et deux entremets. On peut augmenter le nombre des plats en raison de l'importance du dîner.

Dans les repas de grande réception, on met à côté de chaque invité un menu, et les plats ne font que paraître un moment sur la table ; puis on enlève, soit pour les servir de suite à chaque convive, soit pour les découper et les présenter ensuite. Dans ce dernier cas, le milieu de la table devra être occupé par une corbeille garnie de fleurs et de fruits, selon la saison. Quant aux vins, il suffit de consulter la notice qui est à la fin de ce volume *(page 403)* pour savoir à quel moment on doit les présenter.

Le jour où elle reçoit, la Maîtresse de maison doit s'occuper de bonne heure des achats concernant le dîner ou le déjeuner ; elle doit veiller à ce que la bonne, les domestiques aient une bonne tenue. Le couvert doit être mis de bonne heure, le linge de table bien blanc et la place de chaque convive doit être bien soignée. Les verres et l'argenterie ne laisseront rien à désirer, de manière qu'en arrivant les convives soient déjà mis en bonne humeur par l'aspect que présente la table. La salle à manger doit être bien éclairée ; il est fort désagréable de ne pas voir suffisamment clair en mangeant.

C'est le Maître de la maison qui doit s'occuper des vins et les faire placer d'avance dans la salle à manger pour qu'ils ne soient pas trop froids, surtout les vins de Bordeaux.

Pendant le repas, le Maître et la Maîtresse de maison veilleront à ce que chaque convive soit servi convenablement.

Après le dessert, on va prendre le café au salon ; dans les dîners simples, on peut le prendre à table, dans la salle à manger.

LUNCHS ET FIVE-O'CLOCK (mots anglais qui veulent dire *goûter* et *cinq heures)*. – Ce sont des repas entre le déjeuner et le dîner. On y sert toutes sortes de choses froides (jambon, volaille, sandwichs) et généralement le thé, le café ou le chocolat.

Dans les lunchs de cérémonie, comme ceux qui ont lieu après une messe de mariage, on donne du vin et surtout du champagne frappé.

SAUCES

Les sauces sont indispensables dans la cuisine ; plus on sait faire des sauces, plus on peut varier les mets.

Il n'est pas nécessaire, pour faire de bons mets, d'avoir recours à ce que l'on appelle dans certains livres de cuisine : l'Espagnole, l'Allemande ou le Velouté. Il faut, pour confectionner ces sauces, une quantité de préparations qui prennent d'abord beaucoup de temps et qui font dépenser souvent plus qu'on ne veut dans un intérieur modeste. Nous n'indiquerons donc dans ce livre que les sauces que l'on confectionne journellement dans tous les ménages et nous emploierons les termes les plus simples pour être parfaitement compris de nos lecteurs.

GÉNÉRALITÉS SUR LES LIAISONS. – Nous commencerons par expliquer comment on prépare les liaisons faisant partie des sauces.

Presque toutes les liaisons servent à rendre les sauces épaisses ou onctueuses, mais on doit y apporter beaucoup de soins pour éviter que les œufs ou la farine que l'on emploie ne gâtent la sauce au lieu de la rendre meilleure.

LIAISON A L'ŒUF. – Prenez un ou plusieurs œufs, selon que vous avez plus ou moins de sauce, cassez-les avec précaution et séparez le blanc du jaune en transvasant ce dernier d'une coquille dans l'autre, jusqu'à ce que le jaune soit tout à fait séparé du blanc. Quand vous avez préparé ainsi plusieurs jaunes, mêlez-les et battez-les bien ; délayez avec un peu d'eau et un peu de la sauce que vous voulez lier, puis versez dans votre sauce que vous éloignez d'abord du feu. Lorsque la liaison est incorporée à la sauce, remettez chauffer un moment et tournez bien jusqu'à ce qu'elle soit arrivée à la consistance voulue, en veillant surtout à ce qu'elle ne bouille pas, car la liaison tournerait.

Un œuf suffit pour un demi-litre de sauce.

LIAISON À L'ŒUF À LA CRÈME. – Se fait comme la liaison ci-dessus, seulement au lieu de délayer l'œuf avec de l'eau, on remplace l'eau par de la crème.

LIAISON AU BEURRE ET À LA FARINE. – Pétrissez un peu de beurre avec un peu de farine, faites-en une ou plusieurs petites boules, que vous glissez dans la sauce en ayant soin de remuer quelques minutes sans laisser bouillir.

LIAISON AU BEURRE ET À LA FÉCULE. – Procédez comme pour la liaison au beurre et à la farine *(voy. ci-dessus),* seulement remplacez la farine par de la fécule et laissez moins longtemps sur le feu.

LIAISON À LA FARINE SEULEMENT. – Prenez une cuillerée à café de farine, délayez-la avec un peu de la sauce que vous voulez lier ; faites attention qu'elle ne forme pas de grumeaux ; versez dans la sauce en tournant avec une cuiller de bois ou mouvette, laissez un moment sur le feu et servez.

LIAISON À LA FÉCULE SEULEMENT. – Se fait comme celle à la farine *(voy. ci-dessus)*, seulement on délaye la fécule avec un peu d'eau et on laisse moins longtemps sur le feu.

LIAISON AU SANG. – La liaison au sang se fait surtout pour le gibier ; on prend le sang des animaux que l'on va cuire et l'on y ajoute le foie écrasé, puis on incorpore ce mélange dans la sauce, en ayant soin de tourner jusqu'à ce que le tout soit bien chaud.

VERT D'ÉPINARDS POUR DONNER COULEUR AUX SAUCES ET AUX PURÉES VERTES. – Prenez deux bonnes poignées d'épinards, pilez-les fortement et, lorsqu'ils sont en purée, pressez-les pour en extraire le jus que vous mettez dans une casserole sur le feu. Laissez chauffer sans bouillir et ajoutez-en un peu aux sauces et aux purées que vous voulez rendre vertes. Vous pouvez conserver ce jus en le sucrant un peu.

CROUTONS. – Mettez du beurre dans la poêle, taillez dans la mie de pain de petits croûtons en carrés ou en losanges et faites-les frire dans le beurre bien chaud ; lorsqu'ils sont dorés et assez secs, retirez-les et servez-vous-en pour garnitures ou pour potages. Pour ces derniers, faites-les carrés et pas plus gros que des dés à jouer que vous ne mettez que lorsque le potage est dans la soupière. Vous servez de suite, autrement ils s'amolliraient.

BOUQUET POUR METTRE DANS LES SAUCES. – Trois branches de persil, une petite feuille de laurier et une petite branche de thym. Le thym doit être enveloppé par du persil pour que les petites feuilles ne se détachent pas et ne se dispersent pas dans la sauce.

Sauce béchamel. – Faites fondre un morceau de beurre gros comme deux noix ; mêlez-y une cuillerée de farine que vous délayez, et que vous faites légèrement roussir, puis ajoutez un verre de lait tiède et tournez jusqu'à ce que votre sauce épaississe. Salez, poivrez avec du poivre blanc.

On se sert de cette sauce pour la volaille ou le poisson et les légumes.

Sauce à la crème. – Mettez un morceau de beurre gros comme la moitié d'un œuf dans une casserole ; laissez fondre à feu doux ; ajoutez une cuillerée de farine, et remuez pour que le beurre et la farine soient bien mélangés. Ajoutez ensuite un verre de crème, sel, poivre, persil et ciboule hachés ; mettez sur le feu et tournez jusqu'à ce que la sauce soit assez épaisse.

Cette sauce sert pour pommes de terre, œufs durs et poisson.

Sauce blanche. – Pour faire une bonne sauce blanche, il faut employer de très bon beurre.

Prenez un morceau de beurre gros comme la moitié d'un œuf ; mettez-le dans une casserole avec une cuillerée de farine ; laissez un moment sur le feu, en ayant soin de remuer ; ajoutez un verre d'eau chaude, sel et poivre.

Lorsque votre sauce est assez épaisse, retirez-la du feu et ajoutez un jaune d'œuf délayé d'avance dans un peu de vinaigre, en ayant la précaution de remuer et de laisser la sauce sur le coin du fourneau afin qu'elle ne bouille pas. On peut remplacer l'œuf et l'eau par du lait. Dans ce cas la sauce peut bouillir.

Sauce blanche aux câpres. – Se fait comme ci-dessus et on ajoute quelques câpres, mais seulement au moment de servir ; dans ce cas, on ne met pas de vinaigre.

Roux brun. – On fait fondre un morceau de beurre, gros comme deux noix, auquel on ajoute une cuillerée de farine ou plus, selon la quantité de sauce que l'on veut faire. Lorsque le beurre et la farine prennent une couleur brune pas trop foncée, on ajoute de l'eau ou du bouillon ; pour une cuillerée de farine, un verre d'eau suffit ; si cependant on trouvait la sauce trop épaisse, on pourrait ajouter un peu d'eau ; si au contraire la sauce se trouvait trop claire, on la lierait avec un peu de farine ou de fécule, ou bien on la ferait réduire par l'ébullition. *(Voy. liaison à la farine ou à la fécule, page 14).*

Roux blanc. – Se fait comme le roux brun *(voy. page 16),* seulement on ne laisse pas le beurre et la farine prendre couleur ; dès que la farine est bien mélangée au beurre, on met l'eau de suite et on tourne un moment avec la cuiller de bois pour que la sauce se lie bien, puis on la sale et on poivre.

Sauce blanquette. – Procédez comme pour la sauce à la crème *(voy. sauce à la crème, page 15),* mais au lieu de crème, mettez un verre d'eau, sel, poivre, persil et ciboule hachés. Cette sauce peut servir pour veau et volailles.

Sauce poulette. – Se fait comme la sauce blanquette ci-dessus ; mais avant de servir on ajoute du persil haché et une liaison à l'œuf. *(Voy. liaison à l'œuf, page 13).*

Sauce blonde. – Procédez comme pour la sauce blanche *(voy. sauce blanche page 16),* mais faites légèrement roussir la farine et mouillez avec du bouillon au lieu d'eau chaude ; vous pouvez y ajouter un peu de bon jus. *(Voy. ci-dessous).*

Jus. – Il est nécessaire, pour certaines préparations culinaires, d'employer du jus ; souvent on l'achète chez les marchands de comestibles ou les charcutiers, mais cela ne vaut pas celui que l'on peut faire chez soi de la manière suivante.

Prenez 125 grammes de jarret de bœuf, 125 grammes de jarret de veau, un demi-pied de veau.

Coupez en morceaux les jarrets de bœuf et de veau et mettez, dans une casserole, deux oignons et deux carottes coupés en ronds, un petit bouquet de persil, thym et laurier, un clou de girofle, sel et poivre. Placez sur les morceaux de jarret un petit morceau de couenne et un peu de lard. Si vous avez quelques parures de filet *(voy. le mot Parer, page 9)* et des débris de volaille, ajoutez-les, mouillez avec un demi-verre d'eau et mettez la casserole couverte sur le feu vif. Lorsque vous voyez que le jus s'attache à la casserole et que les viandes et les légumes commencent à jaunir, diminuez le feu, ajoutez un demi-litre d'eau et mettez seulement à ce moment le pied de veau. Laissez bouillir ensuite doucement et pendant trois heures, puis enlevez les morceaux de jarret et le pied de veau et passez le jus dans une fine passoire. Ne vous en servez que lorsqu'il sera froid et après avoir enlevé une partie de la graisse qui s'est formée à la surface.

Vous pouvez accommoder le pied de veau qui a servi à faire le jus à la sauce italienne. *(Voy. sauce italienne, page 25).*

Aspic. – Prenez quelques filets de volaille, des filets de lapereaux, des morceaux de ris de veau, de cervelles, des crêtes et des rognons de coq. Faites cuire dans du bouillon, puis égouttez et laissez refroidir.

Préparez alors un demi-litre de jus *(voy. jus, page 17),* et, lorsqu'il est tiède, versez-en dans un moule à gelée, de manière à ce qu'il y en ait une couche d'un centimètre au moins. Laissez prendre le jus en mettant dans un endroit frais.

Lorsque le jus est bien en gelée, rangez dessus avec goût une partie des viandes que vous avez préparées, mêlez-y quelques tranches de truffes cuites d'avance et quelques cornichons coupés en petits ronds. Ne mettez pas les filets de viande trop épais, car la gelée se briserait lorsqu'on la démoulerait.

Versez ensuite une nouvelle couche de jus, mais plus épaisse que la première. (Cette nouvelle couche sera moins liquide et par conséquent moins chaude pour éviter de faire fondre la première couche). Continuez de même en plaçant les filets puis la gelée et ainsi de suite jusqu'à ce que vous ayez rempli le moule. Il faut faire attention à ce que les filets ne touchent pas au moule ; ils doivent être enveloppés de gelée. Enfin mettez le moule dans un endroit frais et, au moment de servir, trempez-le une seconde dans l'eau bien chaude et renversez sur un plat.

Entre chaque couche de gelée, on laissera refroidir avant de mettre les filets de viande.

Aspic au poisson. – On peut faire un aspic au poisson en ne prenant que des filets de poissons au lieu de filets de volailles et autres viandes.

Sauce maître d'hôtel. – Mettez dans un plat un morceau de beurre, persil et ciboule hachés, poivre, sel ; laissez chauffer le plat, de manière à ce que le beurre puisse fondre sans bouillir, et ajoutez un jus de citron ou un filet de vinaigre.

Sauce hollandaise au beurre. – Prenez un

quart de bon beurre ; ajoutez pas mal de sel blanc ; faites fondre à feu doux et battez avec une fourchette ; servez aussi chaud que possible dans une saucière. On emploie cette sauce pour poisson préparé à l'eau et on ajoute quelques pommes de terre que l'on fait cuire dans le court-bouillon *(voy. court-bouillon, page 151)* qui a servi à la cuisson du poisson.

Sauce hollandaise aux œufs. – Mettez dans un bol un quart de bon beurre, deux jaunes d'œufs, du sel blanc et une demi-cuillerée de vinaigre. Ayez une casserole avec de l'eau bouillante et mettez le bol dedans, en faisant attention que l'eau ne pénètre pas dans le bol. Tournez la sauce jusqu'à ce qu'elle ait l'épaisseur d'une bouillie et servez dans une saucière avec un poisson (turbot, barbue, etc.) cuit au court-bouillon. *(Voy. court-bouillon, page 151).*

Sauce piquante. – Mettez dans une casserole trois cuillerées de vinaigre, poivre, échalotes et persil hachés, puis un morceau de beurre gros comme une noix. Laissez fondre à feu doux et ajoutez à cette sauce un petit roux brun *(voy. roux brun, page 16)* pas trop foncé, que vous avez préparé d'avance. Hachez trois ou quatre cornichons que vous ajoutez au moment de servir.

Cette sauce peut être employée pour du bœuf ou du porc frais de desserte.

Sauce Madère. – Préparez un roux brun *(voy. roux brun, page 16)* et mouillez-le avec du bouillon au lieu d'eau ; salez, poivrez et ajoutez un bouquet de persil, thym et laurier ; laissez cuire à feu doux 25 à 30 minutes. Au moment de servir vous ajoutez deux cuillerées de bon Madère.

Les rognons de bœuf et les biftecks sont très bons avec cette sauce.

Beurre noir. – Mettez dans une poêle à peu près 125 grammes de beurre ; laissez-le fondre et noircir et veillez à ce qu'il ne brûle pas ; jetez dedans deux ou trois branches de persil que vous laissez frire, puis versez sur le mets que vous avez préparé.

Ensuite, pendant que la poêle est chaude, versez-y une cuillerée de vinaigre et dès que ce dernier est chaud, ajoutez-le au beurre noir.

Le beurre noir convient aux poissons, aux cervelles et aux œufs.

Friture. – Pour faire la friture, mettez dans la poêle, soit du saindoux, soit de l'huile, soit de la graisse de rognon de bœuf ou de veau. Laissez bien chauffer, mais sans arriver à produire de fumée, puis mettez dedans ce que vous voulez faire frire. La même friture peut servir plusieurs fois.

Sauce au pauvre homme. – Prenez cinq ou six échalotes que vous hachez avec du persil ; mettez dans une casserole deux verres de bouillon ou d'eau, sel, poivre, le persil et les échalotes hachés, puis laissez bouillir sur feu doux jusqu'à ce que les échalotes soient cuites.

Cette sauce est bonne pour des restes de bœuf bouilli ou des restes de rôti.

Sauce Robert. – Mettez dans une casserole un

morceau de beurre gros comme deux noix et ajoutez-y, lorsqu'il est chaud, deux oignons hachés. Lorsque ces derniers seront jaunes, saupoudrez-les d'une cuillerée de farine, tournez un moment et ajoutez un verre de bouillon, sel et poivre ; laissez cuire un quart d'heure ou vingt minutes et, au moment de servir, ajoutez une cuillerée de moutarde et un peu de vinaigre.

Cette sauce convient très bien aux restes de porc frais rôti que l'on coupe en tranches, aux restes de volaille ou même pour accompagner les côtelettes de mouton. On décore le plat avec des cornichons coupés en ronds.

Sauce mayonnaise. – Mettez dans un bol un jaune d'œuf très frais avec sel, poivre et une cuillerée à café de vinaigre ou citron, ce qui est plus fin. Prenez ensuite une fourchette ou une cuiller d'argent et tournez l'œuf doucement pour que sel, poivre et vinaigre (ou citron) se trouvent bien mêlés, puis ajoutez toujours en tournant l'huile d'olive que vous faites tomber goutte à goutte. Lorsque votre sauce est prise, ajoutez vinaigre ou citron, si elle l'exige, et servez dans une saucière.

Cette sauce est bonne pour volailles froides et poissons. L'été, il est difficile de la faire prendre ; il faut la préparer dans un endroit frais ou placer le bol sur de la glace.

Sauce mayonnaise verte. – On fait la mayonnaise comme ci-dessus et on ajoute cerfeuil et civette hachés.

Sauce poivrade. – Faites un roux brun *(voy. roux brun, page 16),* ajoutez, lorsque le beurre et la farine sont d'une belle couleur marron, une cuillerée de vinaigre, échalotes, persil et ciboule hachés, une petite branche de thym et un peu de laurier, une bonne pincée de poivre et un peu de sel. Laissez cuire vingt minutes et servez avec des restes de porc frais.

Sauce tartare. – Mettez dans un bol trois échalotes, cerfeuil, estragon, le tout haché bien fin ; ajoutez moutarde, sel, poivre et une petite cuillerée de vinaigre. Laissez tomber goutte à goutte de la bonne huile d'olive, jusqu'à ce que vous ayez la quantité de sauce voulue.

Vous pouvez faire aussi une mayonnaise *(voy. page 22)*, à laquelle vous ajouterez de la moutarde, ce qui vous donnera une sauce tartare plus douce que celle ci-dessus.

Cette sauce sert pour l'anguille.

Sauce anglaise aux groseilles à maquereaux. – Prenez un demi-litre de groseilles à maquereaux à moitié mûres ; mettez-les dans l'eau bouillante jusqu'à ce qu'elles s'écrasent sous le doigt ; retirez-les et mettez-les dans une casserole avec un demi-verre de bouillon et un peu de jus ; liez avec une petite cuillerée de fécule et, au moment de servir, ajoutez un peu de vert d'épinards. *(Voy. vert d'épinards, page 14).*

Cette sauce sert pour le maquereau cuit au court bouillon.

Sauce tomate. – Coupez par morceaux sept ou huit tomates, mettez-les dans une casserole avec une feuille de laurier, une branche de thym, un oignon coupé en ronds et une gousse d'ail ; mettez à feu doux sans eau. Laissez bien cuire vos tomates, mais faites attention à ce qu'elles n'attachent pas au fond de la casserole ; lorsque vous voyez qu'elles rendent leur eau, passez-les dans la passoire avec le pilon. Mettez ensuite cette purée dans une casserole avec un morceau de beurre gros comme une noix, manié avec une petite cuillerée de fécule, sel et poivre, et laissez cuire doucement pendant quinze à vingt minutes. Servez dans une saucière.

Ne mettez pas de farine, cela dénature la sauce et lui ôte son goût acidulé. La sauce tomate de conserves se fait de la même manière.

Sauce ravigote. – Prenez quelques feuilles d'estragon, cresson alénois, civette, pimprenelle, cerfeuil et une petite gousse d'ail. Pilez tout cela dans un bol de manière à faire une pâte, ajoutez un jaune d'œuf cru que vous délayez en tournant avec une petite cuiller de bois et ajoutez de l'huile d'olive que vous laissez tomber goutte à goutte, en tournant toujours jusqu'à ce que votre sauce épaississe. Lorsque vous aurez fait la quantité de sauce nécessaire, mettez-y un peu de vinaigre et un peu de moutarde.

Les personnes qui n'aiment pas la ravigote trop forte peuvent supprimer la moutarde.

Sauce rémoulade. – Faites comme ci-dessus *(voy. sauce ravigote)* ; seulement remplacez le jaune d'œuf par la moutarde que vous mélangez de suite aux fines herbes.

Cette sauce est bonne pour accompagner les viandes froides.

Sauce au kari. – La poudre de kari s'achète chez les grands épiciers. Mêlez dans une casserole un morceau de beurre gros comme deux noix, une cuillerée à café de kari et une bonne cuillerée de farine. N'attendez pas que la farine brunisse ; mettez de suite deux cuillerées à pot de bouillon et laissez un moment sur le feu ; passez à la passoire fine et servez.

Cette sauce est bonne pour le gibier.

Sauce italienne. – Mettez dans une casserole persil, échalotes, ail et champignons, le tout haché fin. Faites cuire à feu doux avec un verre de vin blanc. Au bout de vingt minutes, ajoutez sel, poivre et une petite cuillerée d'huile ; au moment de servir, liez la sauce avec un petit morceau de beurre manié avec un peu de fécule.

Sauce Périgueux. – Prenez une belle truffe, cinq ou six champignons, la moitié d'une gousse d'ail, persil et ciboules ; hachez le tout très fin et mettez-le dans une casserole avec un peu d'huile, saupoudrez ensuite d'un peu de farine. Laissez un moment sur feu pas trop vif et ajoutez un peu d'eau et un demi-verre de vin blanc, sel et poivre. Laissez cuire, et au moment de vous servir de la sauce, dégraissez-la.

Salmis. – Le salmis ne s'emploie qu'avec le gibier ; les perdreaux, bécasses, cailles, faisans, s'accommodent parfaitement de ce genre de sauce. Le canard peut aussi se faire en salmis.

Enlevez les membres des gibiers que vous avez

fait rôtir. Les restes de chair attachés à la carcasse doivent être enlevés et pilés au mortier avec le foie ; mouillez avec un peu de bouillon au fur et à mesure que vous pilez, puis passez à la passoire. Mettez cette purée dans une casserole avec un morceau de beurre gros comme une noix, un verre de bon vin rouge ou blanc et une cuillerée d'huile d'olive, sel, poivre, et un peu de zeste de citron. Laissez cuire doucement pendant une heure et mettez chauffer dans cette sauce les morceaux de gibier.

Préparez alors de petites tranches de pain ; donnez-leur la forme que vous désirez et faites-les frire dans le beurre, puis mettez-les dans le plat qui doit être présenté à table et disposez les membres sur chaque tranche de pain. Enfin liez le salmis avec un petit morceau de beurre manié avec un peu de fécule *(voy. liaison à la fécule, page 14)*, versez sur le gibier et servez.

Salmis froid. – Ce salmis se prépare à table même et ne se fait que pour l'oie ou le canard, une fois la volaille cuite à la broche et découpée. On prend le foie que l'on écrase dans une saucière, on y ajoute le jus de la volaille, une cuillerée d'huile d'olive et un jus de citron, sel et poivre. Mêlez bien cette sauce et présentez-la avec le rôti.

Chaud-froid. – Le chaud-froid est un salmis de membres de volaille ou de gibier rôtis, que l'on dresse en pyramide sur un plat que l'on couvre d'une gelée préparée comme pour l'aspic *(voy. aspic, page 18)*. La différence du chaud-froid et de l'aspic est que ce dernier se fait dans un moule tandis que le chaud-froid est préparé sur un plat.

Blanc. – Mettez deux litres d'eau dans une marmite avec sel et versez-y, en remuant, une eau blanche que vous faites avec deux cuillerées de farine délayée avec un demi-verre d'eau et une cuillerée de vinaigre. Ajoutez un bouquet de thym, laurier et persil, oignons coupés en ronds, un clou de girofle et deux gousses d'ail.

On se sert de ce blanc pour cuire des pieds de mouton, têtes de veau et pieds de veau.

Beurre d'anchois. – Prenez les chairs de six anchois et pilez-les avec un morceau de beurre gros comme deux noix.

Financière. – Prenez crêtes, rognons et foies de volailles, mettez-les dégorger dans l'eau froide trois ou quatre heures, puis faites-les cuire dans un peu de bouillon auquel vous avez ajouté un jus de citron et un peu de beurre.

Lorsque le tout est aux trois quarts cuit, retirez-le du bouillon et mettez-le dans un roux pas trop foncé *(voy. roux, page 16)*, puis ajoutez un bouquet de persil, thym et laurier, des champignons, des truffes coupées en tranches, quelques quenelles *(voy. quenelles, page 28)* et six ou sept petits morceaux de ris de veau cuits en même temps que les crêtes. Servez-vous de ce ragoût pour garnir des vol-au-vent, des volailles cuites en fricassée ou des timbales de macaroni.

Sauce béarnaise. – Mettez dans une casserole trois jaunes d'œufs et un bon morceau de beurre ; placez votre casserole dans l'eau bouillante, de façon qu'elle n'y trempe qu'aux trois quarts. Remuez le beurre et les jaunes d'œufs, jusqu'à ce que votre sauce épaississe, puis ajoutez autant de jus que vous avez de sauce *(voy. jus, page 17).* Si vous n'avez pas de jus, mettez un peu de bouillon et, avant de servir, ajoutez la moitié d'un jus de citron. Il faut faire surtout attention que la sauce ne bouille pas parce qu'elle tournerait.

On sert la sauce béarnaise avec poissons et biftecks.

Godiveau. – Prenez 250 grammes de rouelle de veau ou de chair de volaille ; hachez fin et pilez de manière à faire une pâte. Ajoutez ensuite 150 grammes de mie de pain que vous avez fait tremper dans du lait, puis égouttez cette mie de pain et pressez-la dans un torchon pour qu'elle ne soit pas trop humide. Mettez ce pain avec la viande pilée et ajoutez un quart de beurre que vous maniez avec le tout ; salez, poivrez et finissez avec deux jaunes d'œufs et les blancs battus en neige.

Vous faites, avec le godiveau, des quenelles (petites boulettes longues) qui servent pour garnitures de vol-au-vent, tourtes d'entrées, pâtés au jus, etc.

Quenelles. – Après avoir préparé du godiveau *(voy. ci-dessus),* faites-en des boulettes longues comme le petit doigt. Mettez de l'eau dans une casserole, et lorsque cette eau bout, jetez-y vos boulettes que vous avez roulées dans la farine ; laissez-les cuire un quart d'heure à feu doux ; égouttez et servez-vous-en comme garniture.

Quenelles maigres. – Se font comme ci-dessus, mais au lieu de volaille, on prend de la chair de poisson.

Croquettes. – On prend soit du bœuf, soit du veau, soit de la volaille, du lapin ou du ris de veau, cuits, bien entendu. Vous désossez, enlevez les peaux et hachez ces différentes viandes en ajoutant du persil, sel et poivre.

Mettez alors dans une casserole un morceau de beurre gros comme un œuf, laissez-le fondre et ajoutez une cuillerée de farine. Lorsque le beurre et la farine sont mélangés, mouillez avec un demi-verre d'eau et ajoutez la viande hachée et quelques champignons hachés aussi ; laissez cuire une demi-heure sans couvrir, pour que la sauce s'évapore, car il faut que la viande soit presque sèche.

Laissez ensuite refroidir et ajoutez à votre farce un jaune d'œuf. Faites alors de petites boulettes que vous farinez, puis prenez un œuf entier, battez-le comme pour une omelette et ajoutez une cuillerée d'huile ; trempez-y vos boulettes et roulez-les dans de la mie de pain émiettée ; faites-les frire à friture chaude et servez-les garnies de persil frit.

On peut, au lieu de viande, employer du poisson pour les plats maigres et faire frire les boulettes dans le beurre ou dans l'huile.

Sauce vinaigrette. – Mettez dans un bol du persil, échalotes, oignons hachés fins ; ajoutez poivre, sel, une cuillerée de vinaigre et une cuillerée d'huile ; remuez pour mélanger le tout et versez dans une saucière.

Marinade. – Mettez dans un plat creux : thym, laurier, persil, ail, deux ou trois cuillerées d'huile et une de vinaigre. Mettez dans ce plat les viandes que vous voulez mariner et arrosez-les tous les jours. On peut laisser mariner de deux à six jours.

Soubise. – Prenez sept ou huit gros oignons ; épluchez-les et coupez-les en tranches minces ; mettez-les dans la poêle avec un bon morceau de beurre ou de saindoux ; laissez-les jusqu'à ce qu'ils jaunissent, puis saupoudrez-les de farine ; remuez avec la cuiller de bois pour lier farine et oignons et ajoutez un verre d'eau, sel et poivre ; laissez cuire 15 à 20 minutes et garnissez avec cette sauce des côtelettes de mouton et de porc frais, saucisses, entrecôtes, etc.

Sauce rouge au piment *(mets espagnol)*. – Prenez quatre gousses d'ail, pilez-les avec deux piments rouges que vous avez trempés d'abord dans l'eau bouillante. L'ail et les piments doivent former une pâte que vous délayez avec de l'huile que vous avez d'abord fait chauffer ; remuez pour que le tout ait un peu de consistance ; salez et poivrez.

Cette sauce peut accompagner toute sorte de gros poissons.

Sauce méridionale *(ayoli)*. – Prenez deux gousses d'ail, pilez-les et, lorsqu'elles sont en pâte, ajoutez-y un jaune d'œuf cru et un petit morceau de mie de pain trempée dans du lait, puis sel et poivre ; mêlez le tout ensemble en ajoutant de l'huile, goutte à goutte, comme pour la sauce mayonnaise *(voy. page 22)*. Cette sauce, bien faite, est excellente avec les restes de mouton, de bœuf ou de volaille.

POTAGES

ET

HORS-D'ŒUVRE

POTAGES

POT-AU-FEU

Pot-au-feu. – Généralement, lorsqu'on fait le pot-au-feu, on s'arrange de manière à avoir du bouillon pour deux jours ; en été, il vaut mieux en faire moins, parce que, par les grandes chaleurs, le bouillon peut surir ; donc, deux livres de viande suffisent. Les morceaux que l'on prend sont : la *culotte,* le *gîte à la noix,* la *tranche,* les *plates-côtes* et même le *paleron,* qui coûte moins cher et qui fait d'excellent bouillon. Si l'on a des invités, le gîte à la noix ou la tranche sont plus présentables. *(Voir fig. page 58 pour les noms que portent les différentes parties du bœuf).*

Vous mettez vos deux livres de viande bien ficelée dans une marmite soit en terre, soit en fonte émaillée, ou, ce qui est préférable, en émail belge, puis vous ajoutez six litres d'eau froide et une bonne poignée de sel gris ou gros sel. Vous pouvez aussi mettre avec votre bœuf un petit morceau de poitrine de mouton ou une rate de cochon, ce qui donne au bouillon un excellent goût.

Vous placez votre marmite sur un feu un peu vif et, lorsque vous voyez une écume blanchâtre se former sur le bouillon, vous l'enlevez au fur et à mesure jusqu'à ce qu'il n'y en ait plus. Ceci fait, vous ajoutez vos légumes, c'est-à-dire : trois poireaux coupés en morceaux de la longueur du doigt, que vous ficelez pour qu'ils ne soient pas dispersés dans le bouillon, puis deux carottes, un morceau de panais et un navet ou deux, une petite branche de thym et de persil, une feuille de laurier et un oignon dans lequel vous piquez trois clous de girofle. Lorsque tous vos légumes sont dans la marmite, faites repartir votre feu pour que votre bouillon recommence à bouillir.

Pour faire un bon pot-au-feu, il faut au moins quatre heures et, pendant ce temps, il doit bouillir à petit feu.

Pour colorer votre bouillon, prenez du colorant qui se vend en bouteilles chez tous les épiciers et qui remplace très bien les oignons brûlés que l'on employait autrefois. Vous ne colorez que ce que vous voulez employer de bouillon.

Ayez soin de dégraisser et de passer ensuite votre bouillon dans une fine passoire au-dessus de votre pain, que vous avez taillé en lames minces et placé dans la soupière.

Pour le pot-au-feu, on prend de préférence la flûte à soupe, parce que ce pain a peu de levain et ne donne pas un mauvais goût au bouillon ; si vous ne pouvez pas vous en procurer, prenez de la croûte de pain ordinaire que vous faites sécher dans le four ou bien faites griller quelques tranches de pain.

Quelques personnes aiment le chou dans le pot-au-feu,

mais cela dénature le goût du bouillon et l'empêche de se bien conserver ; cependant, si l'on en voulait mettre, il faudrait que ce fût plus tard que les autres légumes, parce qu'il est moins long à cuire.

Les légumes se servent à part sur une assiette, soit avec le potage, soit avec le bœuf, mais ceci ne se fait qu'en petit comité ; lorsqu'on a des invités, les légumes ne se servent pas.

On appelle *consommé* un bouillon très fort qu'on obtient par une cuisson prolongée au moins six heures.

POTAGES GRAS ET MAIGRES

Riz au gras. – Pour trois ou quatre personnes, vous prenez un litre de bouillon et trois cuillerées à bouche de riz. Lorsque votre bouillon bout, vous y jetez votre riz que vous avez d'abord lavé à l'eau tiède et vous le laissez cuire pendant une heure à peu près ; ce temps suffit pour que le riz soit crevé.

S'il vous reste des carottes de votre pot-au-feu, vous pouvez les écraser et les mêler au bouillon ; c'est joli à l'œil et dans ce cas l'on peut donner à ce potage le nom de *Crécy.*

Vermicelle au gras. – Comme pour le riz au gras *(voyez ci-dessus),* vous mettez trois ou quatre cuillerées de vermicelle, lorsque le bouillon bout ; mais vous remuez avec une mouvette ou cuiller de bois pendant que vous versez le vermicelle en *pluie* dans le bouillon pour éviter qu'il ne se mette en boule. Il faut aussi avoir soin de briser le vermicelle, qui serait beaucoup trop long une fois cuit. Laissez cuire pendant un quart d'heure, enlevez l'écume qui s'est formée et servez.

Pâtes d'Italie au gras. – On procède de la même manière que pour le vermicelle au gras. *(Voy. page 35).*

Potage à la semoule. – Pour trois ou quatre personnes, un litre de bouillon et quatre cuillerées de semoule. Faites comme pour le vermicelle *(voy. page 35)* et laissez cuire pendant une demi-heure.

Potage au tapioca. – Pour trois ou quatre personnes, prenez un litre de bouillon et trois cuillerées de tapioca. Il ne faut que dix minutes de cuisson. Ce potage ne doit pas être très épais ; il faut avoir soin aussi, afin d'éviter les grumeaux, de verser le tapioca en pluie d'une main et de remuer de l'autre.

Potage au sagou. – Se fait de la même manière que le tapioca *(voir ci-dessus) ;* seulement, il lui faut une demi-heure de cuisson.

Potage à la fécule. – Pour trois ou quatre personnes, un litre de bouillon et une cuillerée et demie de fécule.

Lorsque votre bouillon bout, versez-y votre fécule que vous avez d'abord délayée avec un peu de bouillon froid ; laissez bouillir une minute ou deux en ayant bien soin de remuer. Lorsque votre potage est cuit, ne le laissez pas sur le feu, il s'éclaircirait.

Vermicelle au lait ; pâtes d'Italie au lait ; semoule au lait ; tapioca au lait ; fécule au lait ; sagou au lait ; riz au lait. – Se font absolument comme au gras ; on emploie les mêmes quantités. *(Voyez ces potages au gras).*

Tous ces potages peuvent être salés ou sucrés.

Riz au maigre. – Pour trois ou quatre personnes, un litre d'eau et trois cuillerées de riz.

Procédez comme pour le riz au gras *(voy. page 35) ;* ajoutez du sel et, au moment de servir, mettez, gros comme deux doigts, du beurre. Liez ensuite avec un jaune d'œuf, c'est-à-dire mettez un jaune d'œuf dans la soupière et délayez-le avec deux ou trois cuillerées de potage que vous avez fait refroidir. Une fois votre jaune bien délayé, versez votre potage, en ayant soin de remuer avec une cuiller pour éviter que le jaune ne se solidifie.

Bouillie. – Pour quatre personnes, un litre et demi de lait et trois cuillerées de farine.

Comme pour le potage à la fécule *(voy. page 36),* vous délayez la farine avec du lait froid et vous la versez dans le lait *bouillant, en ayant bien soin de remuer,* pour éviter qu'elle s'attache à la casserole ; vingt minutes de cuisson suffisent. Versez dans la soupière sur quelques tranches de pain légèrement grillé ou sur des croûtons frits dans le beurre. Sucrez ou salez à votre goût.

Soupe aux choux. – Mettez dans votre marmite trois litres d'eau, une demi-livre de lard maigre, une demi-livre d'épaule ou de poitrine de mouton, un ou deux cervelas. Laissez bouillir et écumez comme pour le pot-au-feu ; mettez ensuite des légumes : carottes, oignon avec clous de girofle, navets, un morceau de panais et deux ou trois poireaux. (Vous pouvez aussi rendre votre soupe meilleure en ajoutant un peu de graisse de volaille ou de rôti).

Laissez cuire pendant deux heures, puis ajoutez un chou coupé en quatre et lavé et quelques pommes de terre que vous laisserez jusqu'à parfaite cuisson.

Généralement pour qu'une soupe aux choux soit suffisamment cuite, il faut compter quatre heures. En été, on peut ajouter des pois et des haricots verts.

Soupe maigre aux choux. – Mettez dans un litre et demi d'eau bouillante, du sel en suffisante quantité, un chou que vous avez coupé en quatre et lavé ; laissez cuire pendant une heure et demie.

Lorsque votre chou sera cuit, ajoutez un morceau de beurre de la grosseur d'un œuf et, quand le tout commence à bouillir, versez sur des tranches de pain coupées bien minces. On peut ajouter à ce potage un demi-litre de lait, ce qui le rend plus onctueux.

Soupe aux poireaux et aux pommes de terre. – Prenez cinq ou six poireaux, épluchez-les, lavez-les et coupez-les en petits dés. Mettez dans la casserole, gros comme un œuf, du beurre et, lorsque votre beurre est chaud, placez-y vos poireaux. Lorsque ces derniers seront suffisamment jaunes, vous ajouterez un litre et demi d'eau que vous salerez, puis vous y mettrez cinq ou six pommes de terre que vous écraserez lorsqu'elles seront cuites.

Il faut à peu près une heure de cuisson. Versez votre potage bouillant sur des croûtons frits dans le beurre.

Soupe à l'oseille. – Prenez une bonne poignée d'oseille que vous avez lavée ; hachez-la un peu et mettez-la dans la casserole sur un feu doux pour qu'elle fonde. Lorsqu'elle sera suffisamment cuite, ajoutez, gros comme un œuf, du beurre et, lorsque ce dernier sera fondu, mettez un litre et demi d'eau et du sel.

Quand votre potage bouillira, vous le verserez sur de petites tranches de pain que vous aurez taillées bien minces et que vous aurez placées dans la soupière.

Vous pouvez lier votre potage avec un jaune d'œuf, que vous aurez délayé avec un peu de bouillon d'oseille froid, et que vous verserez dans votre soupe en ayant soin de remuer. Dans le cas où l'on voudrait se servir du blanc d'œuf, on peut le mettre dans le bouillon lorsqu'il bout et le laisser cuire 5 minutes sans remuer.

Potage au riz à l'oseille. – Vermicelle à l'oseille. – Vous préparez votre oseille comme dans la soupe à l'oseille *(voy. ci-dessus),* et vous faites cuire votre riz ou votre vermicelle en le versant dans le bouillon lorsqu'il bout ; il faut trois quarts d'heure pour que le riz soit cuit et 15 à 20 minutes pour le vermicelle. Liez ce potage avec un jaune d'œuf comme pour la soupe à l'oseille.

Lorsque vous avez fait cuire des haricots verts ou blancs, des lentilles ou des choux-fleurs, vous pouvez employer l'eau de la cuisson pour faire les soupes et les potages à l'oseille, ce qui leur donne un excellent goût.

Panade. – Pour trois ou quatre personnes, un litre et demi d'eau et à peu près une demi-livre de pain que vous coupez en tranches minces et que vous mettez dans l'eau avec un peu de sel.

Mettez votre casserole sur le feu, en ayant soin de remuer de temps en temps ; ajoutez, gros comme un œuf, du beurre, lorsque votre pain est bien cuit ; et servez dès que le beurre est fondu.

On peut ajouter une liaison *(voyez liaison à l'œuf, page 13),* ce qui rend la soupe meilleure. En ne la faisant pas trop épaisse et très cuite, cette soupe est excellente ; pour les jeunes enfants, on ajoute alors un petit morceau de sucre.

Potage à la purée de pois. – Pour trois ou quatre personnes, prenez un demi-litre de pois que vous mettez dans une casserole sur le feu, avec assez d'eau froide pour qu'ils soient complètement couverts ; ils doivent être cuits au bout d'une heure et demie. Ecrasez-les et passez-les dans une passoire ; si vous trouvez la purée trop épaisse, ajoutez-y un peu d'eau, mettez du sel, faites chauffer de nouveau et servez bouillant sur des croûtons frits dans le beurre.

On peut faire cuire du riz ou du vermicelle dans cette purée en la faisant plus claire.

Potage à la Conti. – Ce potage se fait avec de la purée de lentilles. Pour faire la purée de lentilles, on procède absolument comme pour la purée de pois *(voyez ci-dessus potage à la purée de pois).* Lorsque votre purée est faite, versez-la sur des croûtons frits ou sur des tranches de pain coupées minces.

Potage à la purée de pommes de terre (ou *Parmentier).* – Pour trois ou quatre personnes, épluchez et lavez cinq ou six pommes de terre, mettez-les dans une marmite ou casserole avec un litre d'eau ; lorsque vos pommes de terre sont cuites passez-les dans une passoire avec un pilon. Si votre potage était trop épais, vous ajouteriez un peu d'eau.

Remettez ensuite votre purée sur le feu avec un morceau de beurre de la grosseur d'un œuf ; ajoutez un peu de sel et, lorsque le beurre est fondu, versez dans la soupière sur des tranches de pain très minces ou sur des croûtons frits.

On peut préparer ce potage avec du lait ; dans ce cas on met un peu moins d'eau et de beurre et on ajoute un demi-litre de lait. Quand la purée est faite, on remet sur le feu et on laisse bouillir un moment avant de servir.

Potage à la purée de haricots blancs. – Pour trois ou quatre personnes, mettez un demi-litre de haricots sur le feu, avec assez d'eau pour que celle-ci les couvre complètement. Au bout de deux heures, vos haricots doivent être assez cuits, passez-les alors dans la passoire avec un pilon. Lorsque la purée est passée, si elle est trop épaisse, ajoutez un peu d'eau. Remettez sur le feu avec un morceau de beurre et du sel et laissez cuire un moment ; servez chaud sur des tranches de pain ou des croûtons.

Potage à la purée de haricots rouges (ou *Condé).* – Se fait de même que le potage à la purée de haricots blancs. *(Voyez ci-dessus).*

Potage au potiron. – Prenez deux bonnes tranches de potiron auxquelles vous enlevez la peau dure. Vous couperez ensuite le potiron en petits morceaux carrés et mettrez ceux-ci dans la casserole, avec deux verres d'eau et un peu de sel. Laissez cuire une heure à feu doux et passez le potiron dans la passoire avec le pilon, puis ajoutez un litre de lait que vous avez fait bouillir, un morceau de beurre de la grosseur d'un œuf, du sel ou du sucre à volonté. Tournez de temps en temps et versez sur des tranches de pain très minces ou sur des croûtons frits dans le beurre.

Soupe à l'oignon. – Pour trois ou quatre personnes, mettez dans la casserole, gros comme deux noix, du beurre. Ayez aussi deux gros oignons que vous coupez en lames minces ; quand votre beurre est bien chaud, mettez-y vos oignons et laissez-les bien jaunir. Lorsqu'ils ont une jolie couleur, ajoutez un litre d'eau et un peu de sel ; au premier bouillon versez sur des tranches de pain.

On peut, avec ce potage, faire passer à chaque convive une assiette de fromage de gruyère ou de parmesan râpé.

Soupe à l'oignon et au lait. – Se fait de même que le potage ci-dessus ; on ajoute un litre de lait au lieu d'eau. Avec la soupe à l'oignon et au lait on ne sert pas de fromage.

Autre potage à l'oignon. – Après avoir fait frire l'oignon comme il est dit ci-dessus *(voyez soupe à l'oignon),* on ajoute une demi-cuillerée de farine et on laisse roussir. Lorsque vous voyez que votre farine a une couleur brune, vous ajoutez lait ou eau et vous mettez de suite le pain que vous laissez bouillir dix minutes. Servez très chaud.

Vermicelle, semoule, riz et tapioca à l'oignon. – Vous procédez comme il est dit à vermicelle au gras *(page 35) ;* seulement, au lieu de verser le vermicelle dans le bouillon gras et bouillant, vous le mettez dans le bouillon d'oignons, préparé comme il est dit ci-dessus pour la soupe à l'oignon.

Julienne. – Pour trois ou quatre personnes, prenez une ou deux carottes, deux navets, deux pommes de terre, deux poireaux et trois ou quatre feuilles de choux.

Après avoir épluché vos légumes, lavez-les et coupez-les en petites bandes très minces ; mettez, gros comme un œuf, du beurre dans la casserole et jetez-y vos légumes ; laissez-les jaunir et ajoutez du bouillon en suffisante quantité. Il faut que vos légumes soient bien cuits.

On peut employer des pois, des haricots verts et des flageolets, mais ces derniers légumes ne se mettent qu'après avoir ajouté le bouillon ; on ne les fait pas jaunir dans le beurre. On met du pain à volonté. Ce potage peut se faire au maigre en mettant de l'eau au lieu de bouillon et un peu de beurre.

Potage purée de légumes. – Se fait de même que le potage julienne ci-dessus, mais en mettant moins de bouillon ou d'eau, par exemple un demi-litre au lieu d'un litre ; lorsque les légumes sont cuits, on les passe à la passoire avec le pilon.

Il ne faut pas que ce potage soit trop épais ; on peut l'éclaircir, en ajoutant du bouillon et de l'eau lorsque les légumes sont passés.

Potage printanier (ou *paysanne).* – Faites cuire, dans un peu de bouillon gras, deux carottes moyennes, deux pommes de terre, un navet, le tout coupé en petits dés. Lorsque vos légumes sont cuits, ajoutez la quantité de bouillon que vous jugerez nécessaire pour compléter votre potage ; laissez bouillir quelques minutes et servez sur quelques tranches de pain.

Potage à la bisque d'écrevisses. – Pour huit personnes.

Ce mets étant assez coûteux, on ne le fait généralement que lorsque l'on a des invités ; nous allons donc donner des proportions plus grandes que pour les autres potages.

Ayez une vingtaine d'écrevisses de moyenne

grosseur, lavez-les à plusieurs eaux et enlevez la nageoire du milieu de la queue.

Mettez dans votre casserole un litre d'eau, avec sel, poivre, un oignon coupé en rouelles (en ronds), une carotte, persil, thym et laurier ; poivrez fortement. Quand votre eau bout à gros bouillons, jetez-y les écrevisses.

Au bout de 15 minutes d'ébullition, retirez les écrevisses, épluchez-les, mettez la chair des queues de côté et gardez les coquilles (têtes et pattes) pour les piler dans un mortier. Lorsque le tout est en pâte, mettez-le dans la casserole en ajoutant un ou deux verres de la cuisson des écrevisses ; laissez cuire un moment et passez de nouveau.

Remettez encore sur le feu et ajoutez une demi-livre de croûte de pain, un litre et demi de bouillon gras et la moitié d'un verre de Madère ou de vin blanc. Laissez sur le feu pendant trois quarts d'heure et passez à la passoire fine.

Remettez une dernière fois sur le feu en ayant soin de tourner avec une mouvette (cuiller de bois) et, un peu avant de servir, mettez les queues d'écrevisses et du beurre gros comme deux noix ; dès que celui-ci est fondu, servez dans la soupière.

Ce potage ne peut attendre, il doit être mangé très chaud.

Bouillabaisse. – Pour huit ou dix personnes, on prendra un kilogramme de poisson : sole, merlan, carpe, anguille de mer, vidés, lavés, écaillés et coupés en morceaux, 6 oignons divisés en quatre, 2 feuilles de laurier, 3 clous de girofle.

Mettez le tout dans un nouet (linge de mousseline) bien attaché ; il faut que le poisson ne soit pas trop serré. Mettez votre nouet dans une casserole avec un demi-litre de vin blanc, sel, poivre, persil haché et un peu de safran ; ajoutez quatre cuillerées d'huile fine et de l'eau en suffisante quantité pour que le tout soit couvert. Mettez votre casserole sur un feu vif et laissez cuire pendant trois quarts d'heure. Au bout de ce temps, enlevez le nouet et versez votre bouillon sur des tranches de pain coupées minces.

Le poisson se sert sur un plat comme relevé de potage.

Potage aux tomates. – Mettez dans une casserole 4 ou 5 tomates divisées en quatre, une petite feuille de laurier, une branche de thym, un oignon coupé en rouelles (en ronds) ; placez votre casserole sur un feu pas trop vif et laissez cuire une demi-heure au moins. Lorsque vos tomates sont cuites, passez-les dans une passoire fine ; remettez cette purée sur le feu et ajoutez un litre et demi d'eau ; mettez du sel et, gros comme un œuf, du beurre ; servez sur des croûtons frits.

Potage au tapioca à la tomate. – Versez dans une casserole un litre et demi d'eau avec un peu de sel ; quand votre eau bout, mettez-y trois cuillerées de tapioca que vous versez en pluie, en ayant soin de remuer en même temps pour que le tapioca ne forme pas de boules.

Cinq ou six minutes suffisent pour que votre tapioca soit cuit ; ajoutez alors votre purée de tomates que vous avez préparée comme ci-dessus *(voy. potage aux tomates)* et, lorsque le tout recommence à bouillir, mettez-y, gros comme un œuf, du beurre ; goûtez pour savoir si c'est salé à point et servez.

Ne faites pas ce potage avec de la conserve de tomates ; il n'est bon qu'avec les tomates fraîches.

Potage à la crème d'orge. – Faites fondre à feu doux dans une casserole un morceau de beurre de la grosseur d'un œuf ; lorsqu'il est fondu, ajoutez-y une cuillerée de farine ; mêlez bien la farine au beurre, puis mettez un litre d'eau chaude. Lorsque l'eau commence à blanchir à la surface, ajoutez-y un quart d'orge perlé, laissez bouillir et, à mesure que l'eau est absorbée, ajoutez-en un peu de chaude. Lorsque l'orge est cuite suffisamment, passez-la à la fine passoire, en ajoutant du bouillon de poulet pour l'éclaircir ou du bouillon gras.

Enfin mettez de nouveau le potage sur le feu ; laissez-le bouillir dix minutes ; retirez du feu et liez-le avec un jaune d'œuf délayé avec un peu de bouillon froid. Dès que la liaison est mêlée au potage, versez dans la soupière et accompagnez ce potage de croûtons frits dans le beurre.

Julienne languedocienne. – Préparez vos légumes comme pour une julienne ordinaire *(voy. page 43)* ; faites-les cuire à moitié dans un poêlon avec un quart d'huile d'olive, sel et poivre ; égouttez-les et mêlez-les à de la purée de pois ; couvrez avec de l'eau ou du bouillon, laissez cuire deux heures et versez sur des tranches de pain coupées très minces.

Julienne aux champignons *(potage russe).* – Préparez une julienne *(voy. julienne, page 43)* et, une demi-heure avant de servir, ajoutez des champignons épluchés et coupés en filets comme la julienne ; lorsque les champignons sont cuits, versez le potage sur des croûtons frits dans le beurre.

Potage livonien *(mets russe).* – Faites blanchir, après les avoir émincés comme pour la julienne *(voy. page 43),* carottes, navets, céleri, persil, poireaux et oignons.

On entend par blanchir, faire cuire à l'eau avec du sel pendant une demi-heure.

En sortant les légumes de l'eau, faites-les égoutter et passez-les dans du beurre chaud ; ajoutez-y deux cuillerées à bouche de riz déjà cuit à l'eau et couvrez le tout de bouillon ou d'eau. Laissez cuire et passez à la fine passoire ; ajoutez une tasse de bonne crème ; assaisonnez d'un peu de sel et d'un ou deux morceaux de sucre. Chauffez ce potage au bain-marie *(voy. bain-marie, page 7) ;* liez avec deux jaunes d'œufs *(voy. liaison à l'œuf, page 13)* et servez sur des croûtons frits.

Potage finlandais *(mets russe).* – Faites une omelette de huit œufs avec sel, poivre et persil haché, un peu de parmesan râpé et une cuillerée de bonne crème. Lorsque votre omelette est bien cuite des deux côtés, taillez dedans des morceaux avec un coupe-pâte rond et uni ; puis préparez des croûtons de pain de la même grandeur, passez-les dans le beurre et placez dessus les morceaux d'omelette.

Saupoudrez ensuite de parmesan râpé, humectez le dessus avec du beurre fondu et mettez à four chaud quelques minutes avant de servir. Servez ces croûtons garnis sur un plat recouvert d'une serviette et envoyez-les à table avec un bon consommé. *(Voy. page 35)*.

Bouillon de champignons *(potage russe)*. – Mettez tremper à l'eau tiède pendant trois heures une demi-livre de champigons secs ; lorsqu'ils sont amollis, lavez-les avec soin et mettez-les ensuite dans une casserole avec carottes et poireaux coupés en morceaux, ajoutez un bouquet de persil, thym et laurier, sel et poivre, et laissez bouillir doucement jusqu'à cuisson des champignons ; passcz alors le bouillon à la fine passoire et servez-vous-en pour des potages maigres.

Les champignons sont coupés en lames et on les ajoute au potage un peu avant de servir.

Potage aux choux, riz et fromage *(mets italien)*. – Faites cuire pendant une heure un quart de riz dans un litre et demi d'eau chaude avec un petit chou et du sel. Lorsque le riz et le chou sont cuits, faites égoutter et mettez dans une casserole avec de la bonne graisse, un oignon haché fin, sel et poivre et la quantité de bouillon nécessaire pour six personnes (un litre et demi à peu près). Au moment de servir, ajoutez du fromage de gruyère ou du parmesan râpé.

Risotto à la milanaise *(potage italien)*. – Prenez un oignon que vous coupez en lames minces et que vous faites jaunir dans du beurre bien chaud ; lorsqu'il a une belle nuance dorée, ajoutez un litre de bouillon et faites cuire dans ce bouillon un quart de riz ; il faut qu'étant cuit, le potage soit plus épais que le potage ordinaire. Remuez souvent pour qu'il ne brûle pas et ajoutez un peu de safran.

Une fois le riz cuit (le grain doit conserver sa forme), ajoutez-y du beurre et du fromage de parmesan râpé. Retirez du feu lorsque le beurre est fondu, remuez bien et mettez un peu de muscade, une ou deux pincées de poivre blanc.

Ravioli *(potage italien)*. – Prenez deux œufs frais, battez-les en omelette, salez et poivrez, et ajoutez autant de farine que les œufs en pourront boire. Travaillez la pâte avec la main ou avec une cuiller en bois jusqu'à ce qu'elle ne tienne plus aux doigts. Mettez cette pâte, qui ne doit pas être trop ferme, sur une planche saupoudrée de farine et aplatissez-la en longueur avec le rouleau à pâte jusqu'à ce qu'elle n'ait plus que l'épaisseur d'une pièce de deux francs et la largeur de quatre doigts. Préparez ensuite une farce de viandes, de poissons ou de volailles ; faites-en des petits tas que vous placez de distance en distance sur la pâte que vous avez mouillée entièrement ; la viande ne doit pas dépasser la largeur d'un doigt et demi, parce que l'autre partie de la pâte non garnie doit servir à recouvrir cette viande. On appuie avec les doigts entre chaque petit tas de viande pour que la pâte se soude bien, puis on coupe au milieu pour séparer chaque ravioli et on les place sur des tôles. Lorsque les raviolis sont tous coupés, faites-les cuire dans du bouillon, laissez-les bouillir cinq minutes et mettez-les en couches dans une soupière ; entre chaque couche, placez du fromage de parmesan râpé et versez votre bouillon dessus. Servez de suite.

Soupe d'amande *(potage espagnol).* – Prenez 70 grammes d'amandes douces, passez-les un moment dans l'eau chaude afin de pouvoir enlever la peau, pilez-les dans un mortier en ajoutant peu à peu trois verres d'eau tiède, sucre et cannelle en poudre ; mettez la quantité de sucre que vous jugerez convenable, cela dépend du goût des personnes.

Passez ensuite à la fine passoire ; mettez, dans le fond d'un plat creux qui aille au feu, des tartines de pain très minces et frites dans le beurre ; versez votre eau d'amandes sur ces tartines, saupoudrez de cannelle et mettez à four chaud pendant dix à quinze minutes.

Cette soupe, qui est plutôt un entremets, se sert toujours au souper de Noël.

Soupe à la farine. – Mettez dans une casserole un morceau de beurre gros comme la moitié d'un œuf ; faites-le fondre à feu doux et, lorsqu'il est fondu, ajoutez deux bonnes cuillerées de farine ; tournez sur le feu jusqu'à ce que votre farine devienne bien brune, puis ajoutez un litre d'eau tiède mais peu à peu et en tournant toujours ; salez et poivrez.

Préparez alors de petits croûtons frits dans le beurre, placez-les dans le fond de la soupière et versez le bouillon brun dessus. Servez de suite pour que les croûtons ne s'amollissent pas.

Soupe aux abricots. – Prenez quinze ou vingt abricots ; ouvrez-les pour enlever les noyaux que vous cassez ; mettez abricots et noyaux dans une casserole sur feu doux et laissez cuire jusqu'à ce que les abricots soient en marmelade. Passez cette marmelade dans une passoire que vous placez au-dessus de la soupière ; vous devez presser la marmelade jusqu'à ce qu'il n'y ait plus que les peaux et les noyaux.

Faites chauffer un litre de bon vin rouge, sucrez-le et versez-le sur la marmelade qui est dans la soupière ; ajoutez quelques croûtons frits dans le beurre, un peu de cannelle en poudre et servez.

Cette soupe peut être prise comme entremets.

Soupe aux cerises. – Prenez une livre de belles cerises, auxquelles vous ôtez les queues et les noyaux ; mettez vos cerises dans une casserole avec un demi-litre de vin, un demi-litre d'eau et du sucre en suffisante quantité. Laissez cuire à feu doux.

Lorsque les cerises sont suffisamment cuites,

retirez la casserole du feu ; prenez ensuite une autre petite casserole dans laquelle vous laissez chauffer un morceau de beurre gros comme la moitié d'un œuf et ajoutez une cuillerée de farine que vous mélangez au beurre ; lorsque la farine est de couleur blonde, ajoutez le bouillon dans lequel ont cuit les cerises ; laissez un moment sur le feu pour que ce bouillon soit lié avec la farine ; mettez-y les cerises qui doivent un peu chauffer et versez dans une soupière sur les croûtons frits dans le beurre.

Ce plat est délicieux et peut à la rigueur remplacer un entremets.

Potage aux quenelles. – Faites fondre à feu doux un quart de beurre jusqu'à ce qu'il soit en pommade ; ajoutez-y en battant vivement 4 jaunes d'œufs un à un et 5 cuillerées à bouche de belle farine, sel, poivre et muscade râpée ; ajoutez trois blancs battus en neige et 2 verres de lait. Votre pâte doit avoir assez de consistance ; si elle est trop claire, ajoutez de la farine.

Prenez alors avec une petite cuiller, gros comme une noisette, de cette pâte et laissez-la tomber dans de l'eau bouillante ou du bouillon gras. Vos boulettes doivent gonfler ; laissez-les 10 à 15 minutes et servez avec le bouillon dans une soupière.

Potage aux nouilles. – Faites cuire des nouilles une demi-heure dans du bouillon gras bouillant ; lorsqu'elles sont cuites, mettez-les dans une soupière en les disposant par lits et en plaçant entre chaque lit du fromage de gruyère râpé. Trois lits de nouilles suffisent ; couvrez avec le bouillon et servez. *(Voy. pâte à nouilles, page 318)*.

Pot-au-feu à l'anglaise. – Préparez un bouillon comme le pot-au-feu ordinaire *(voy. pot-au-feu, page 33)*, mais sans y mettre de viande. Vous pouvez toutefois ajouter aux légumes un abatis de poulet ou de dinde et une rate de cochon. Salez et laissez la marmite sur feu doux pour que l'eau ne cesse pas de bouillir. Trois heures avant de servir, mettez dans le bouillon un morceau de pointe de culotte de deux livres, enveloppé à l'avance dans un morceau de toile fine que vous cousez pour qu'il ne se défasse pas dans la marmite. Avant de servir, enlevez le linge de toile et coupez le bœuf en tranches minces ; il doit être saignant comme un morceau de rosbif à la broche.

Ne servez pas les légumes avec ce pot-au-feu.

HORS-D'ŒUVRE

Les hors-d'œuvre sont de petits mets légers, qui ont le double avantage de garnir la table et de faire patienter les convives jusqu'au moment où l'on sert les autres plats.

Les radis, le beurre, les anchois, les sardines, le raifort, le caviar, les cornichons, les crevettes, le thon, le saucisson, les olives longues se servent en hors-d'œuvre dans ce qu'on appelle des *raviers*. Si vous avez un dîner simple, deux hors-d'œuvre suffisent ; si, au contraire, le dîner est à trois services, il faut quatre hors-d'œuvre au moins.

Radis. – Les radis sont épluchés avec soin ; on enlève le petit bout de la racine, puis on ôte toutes les grandes feuilles ; on en laisse seulement deux ou trois petites frisées. On les lave à une ou deux eaux, on les fait égoutter et on les place aussi bien que possible dans le ravier.

Beurre. – Pour le beurre, on fait des coquilles ou bien l'on en met un morceau pas trop gros dans le beurrier.

Anchois. – Les anchois se vendent en bocaux chez les marchands de comestibles ; on les place dans le beurrier en les séparant avec des œufs durs et du persil haché fin.

Sardines. – Les sardines à l'huile conservées en boîtes se mettent dans le ravier, sans huile.

Raifort. – Le raifort se râpe ; on l'arrose d'un peu de vinaigre et on le sert avec le bœuf bouilli.

Caviar. – Le caviar (œufs d'esturgeon) est un hors-d'œuvre fort cher que l'on sert sur les tables russes. Bien des personnes en France apprécient ce mets que l'on mange avec du beurre et des ronds de citron.

Cornichons. – Les cornichons se servent dans le ravier avec des petits oignons confits dans le vinaigre.

Crevettes. – Les crevettes se servent garnies de persil en branches.

Thon. – Le thon se sert avec un peu d'huile. On l'achète chez les marchands de comestibles.

Saucisson. – Le saucisson ordinaire ou de Lyon se sert coupé en tranches très minces.

Olives. – Les olives sont servies dans un ravier. Avoir soin de prendre des olives *longues,* les seules que l'on donne comme hors-d'œuvre.

Les olives rondes sont employées comme garniture dans les sauces ; dans ce cas, on enlève les noyaux.

BŒUF – VEAU
MOUTON – PORC

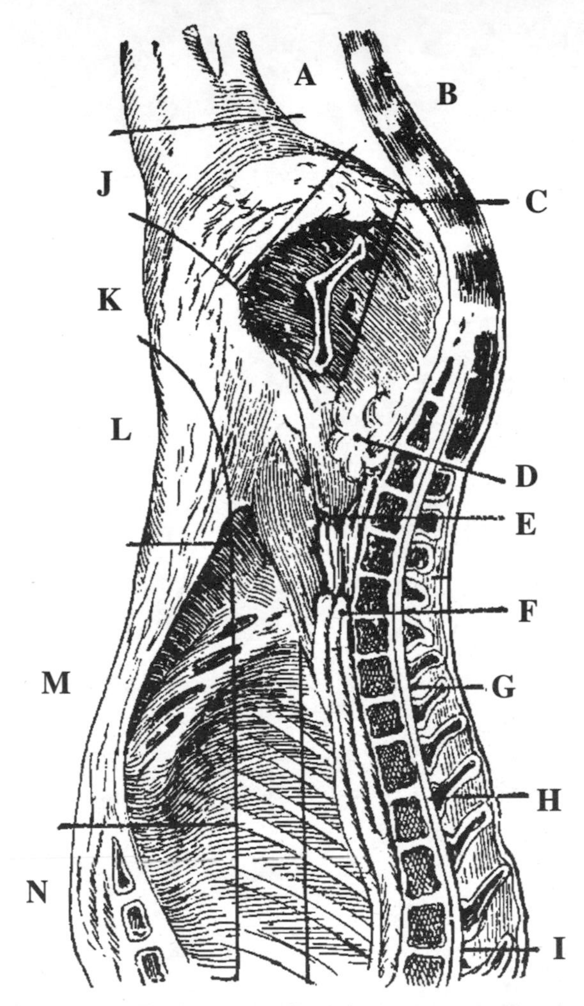

A. Jarret. – **B.** Queue. – **C.** Noix. – Entre le **C** et le **D.** culotte. – **D.** Rognon. – Entre **D** et **E** aloyau ou rosbif ou rumsteck. – **E.** Filet. – **F.** Faux-filet. – **G. H. I.** Entrecôtes. – **J.** Talon. – **K.** Gîte à la noix. – **L.** Bavette. – **M.** Plates-côtes. – **N.** Poitrine.

BŒUF

La chair du bœuf est considérée comme bonne lorsqu'elle est d'un rouge vif et légèrement marbrée de veines blanches, il faut que la graisse soit d'un blanc jaunâtre ; cela indique que la bête est jeune et par conséquent de meilleure qualité.

Pour les rôtis on prend également l'*aloyau* (ou rosbif) et le *filet* ; on peut aussi avoir un très bon rôti en prenant du premier *talon de collier ;* ce morceau, mariné pendant un jour ou deux, remplace très bien le filet et coûte beaucoup moins cher. *(Voy. figure, page 58).*

Bœuf bouilli. – Le morceau de bœuf qui a servi à faire le pot-au-feu, après avoir été débarrassé de la ficelle qui l'attachait, doit être posé sur un plat et entouré de quelques branches de persil ou de légumes du pot-au-feu. On peut aussi le servir avec une des sauces suivantes : *piquante,* p. 20 ; *Robert,* p. 21 ; *tomate,* p. 23 ; *Soubise,* p. 30, etc.

Dans les dîners de cérémonie, le bouilli ne se sert pas.

Bœuf en miroton. – Mettez dans une casserole un morceau de beurre de la grosseur de deux noix ; lorsqu'il est fondu, versez une bonne cuillerée de farine et laissez roussir ; ajoutez ensuite un verre ou deux d'eau ou de bouillon, sel et poivre ; mettez quelques oignons et trois ou quatre pommes de terre, un bouquet de thym et de persil. Lorsque le tout est cuit, ajoutez votre bœuf et laissez-le chauffer pendant 15 minutes.

Bœuf en hachis. – Débarrassez votre bœuf des os, de la graisse et des peaux qui s'y trouvent ; hachez-le avec un ou deux oignons, un peu de persil et de ciboule. Lorsque votre bœuf est haché, mettez dans la casserole, gros comme un œuf, du beurre ; dès que celui-ci est fondu, placez-y le hachis auquel vous ajoutez un peu de chair à saucisse, que vous faites jaunir dans le beurre et que vous saupoudrez avec une cuillerée de farine.

Quand la farine est bien liée au hachis, ajoutez une ou deux cuillerées de bouillon, sel et poivre, et servez avec des croûtes autour du plat.

Pour rendre le hachis plus délicat, on peut y ajouter un morceau de mie de pain trempée dans du lait. On peut servir sur le hachis des œufs durs coupés en deux ou en quatre.

Bœuf bouilli au gratin. – Faites revenir, dans la casserole, du lard de poitrine coupé en morceaux ; quand il est revenu, mettez-le dans un plat qui aille au four ; ajoutez des champignons, oignons, persil et ail hachés, sel et poivre. Placez dessus vos tranches de bœuf ; remettez oignons, champignons, ail, persil, sel et poivre, un peu de chapelure et un verre de vin blanc. Mettez à four un peu vif ou sur le fourneau avec le four de campagne.

Bœuf en vinaigrette. – Coupez le bœuf en tranches minces ; mettez-les dans un saladier avec œufs durs, cerfeuil et ciboule hachés, cornichons coupés en lames, sel, poivre, huile et vinaigre.

Ce plat est bon pour les déjeuners.

Boulettes de hachis de bœuf frites. – Préparez votre hachis comme il est dit pour le bœuf en hachis *(voy. page 60)*, seulement ajoutez-y un œuf (blanc et jaune) et formez avec ce hachis des boulettes rondes ou en forme d'œuf ; roulez-les dans la farine et ensuite dans un œuf battu en omelette, puis tournez-les dans de la mie de pain émiettée.

Ayez aussi de la friture bien chaude ; placez-y vos boulettes, retournez-les de temps en temps et faites en sorte qu'elles baignent bien, car, sans ce soin, elles pomperaient la friture et ne seraient pas croustillantes. Servez-les sur un plat avec du persil frit autour.

Boulettes de hachis de bœuf à la sauce. – Procédez de même que ci-dessus, seulement, au lieu de les frire, vous faites une sauce composée de la manière suivante :

Mettez dans la casserole, gros comme deux noix, du beurre et laissez celui-ci fondre ; lorsqu'il est fondu, ajoutez-y une bonne cuillerée de farine et laissez-la roussir en ayant soin de tourner de temps en temps pour qu'elle ne brûle pas. Lorsque votre farine est d'une belle nuance brune, ajoutez-y un verre d'eau ou de bouillon, un bouquet de persil, thym et laurier, sel et poivre et, un quart d'heure avant de servir, placez vos boulettes avec précaution pour ne pas les déformer.

Ce plat est très bon pour les déjeuners en petit comité.

Hachis de bœuf à la purée de pommes de terre. – Faites votre hachis comme il est dit plus haut *(voy. bœuf en hachis, page 60).* Ayez ensuite de belles pommes de terre, que vous faites cuire à l'eau avec un peu de sel après les avoir lavées et épluchées ; ne mettez d'eau que juste assez pour les couvrir. Lorsque les pommes de terre sont cuites, passez-les à la passoire avec un pilon et servez-vous de cette purée pour composer vos mets. Mettez alors dans un plat qui aille au four, un lit de hachis, un lit de purée de pommes de terre, et ainsi de suite, jusqu'à ce que vous ayez tout employé ; mettez au four un peu vif et laissez bien prendre couleur. Lorsque vous voyez que le tout est d'un beau jaune, servez.

Filet de bœuf et faux-filet à la broche. – Deux livres de filet ou de faux-filet suffisent pour faire un rôti pour trois ou quatre personnes. Afin que le morceau soit plus présentable, on peut le piquer de petits lardons, mais, comme dans un ménage bourgeois on n'a pas toujours le temps de faire beaucoup de façons pour la cuisine, on peut remplacer les lardons en assujettissant avec une ficelle une petite tranche de lard gras sur le rôti. Mettez ce morceau à la broche ou au four, si vous n'avez pas de rôtissoire ; que le feu soit vif pour que votre viande conserve son jus. Une demi-heure suffit ; trois quarts d'heure au plus pour un morceau de deux livres.

Aloyau rôti ou rosbif (le mot rosbif est une corruption des mots anglais *roast-beef* qui veulent dire *bœuf rôti)*. – Prenez un morceau d'aloyau de deux ou trois livres, embrochez-le ou mettez-le dans la cuisinière avec un feu assez vif. Pour que le rôti soit suffisamment cuit, il faut un quart d'heure à peu près par livre ; donc pour trois livres, trois quarts d'heure (une heure au plus) suffisent. Pour être cuit à point, votre rôti doit, lorsqu'on le coupe, avoir une couleur rose ; trop rouge, il ne serait pas cuit. Vous servirez votre aloyau sur un plat long et, après avoir dégraissé le jus qui se trouve dans la lèchefrite, vous le verserez dans une saucière.

Vous pouvez entourer votre rôti de cresson ou de champignons farcis. *(Voy. champigons farcis, page 243).*

Premier talon de collier. – Ce morceau est très bon pour un rôti à la condition de le faire mariner *(voy. marinade, p. 30).* Après qu'il a été mariné, procédez comme pour le filet ou l'aloyau. *(Voyez ci-dessus).*

Bifteck (Mot qui vient de l'anglais : *beef-steak,* tranche de bœuf)**.** – Prenez pour trois ou quatre personnes trois beaux biftecks que vous placez sur le gril à feu vif et sans mettre de sel, car ce dernier ferait sortir le jus de la viande pendant la cuisson. Retournez une fois seulement et laissez cuire vos biftecks vingt à vingt-cinq minutes, au plus, suivant l'épaisseur. Servez avec du beurre et du persil haché, sel, poivre et un jus de citron, ou quelques gouttes de vinaigre. Vous pouvez les garnir avec du cresson ou des pommes de terre frites.

Pour que le cresson soit bon, il faut l'assaisonner de sel et d'un peu de vinaigre.

Pour les biftecks on peut prendre du filet, du faux-filet ou même de la bavette. – On donne le nom de *châteaubriant* à un bifteck très épais.

Filets sautés aux champignons. – Prenez deux ou trois biftecks dans le filet, assaisonnez-les de sel et de poivre et mettez-les dans un plat avec un morceau de beurre gros comme un œuf ; faites-les revenir à feu un peu vif, et lorsqu'ils ont une jolie couleur, retirez-les du plat. Préparez ensuite un roux pas trop foncé, dans lequel vous ajoutez des champignons, du sel et du poivre. Un peu avant de servir, mettez vos biftecks dans la sauce et laissez-les chauffer sans bouillir ; servez-les dans un plat creux et mettez des champignons autour.

Filets sautés aux olives. – Les préparer comme les filets sautés aux champignons *(voy. ci-dessus),* seulement on met des olives au lieu de champignons.

Entrecôte de bœuf. – Prenez une entrecôte d'une livre, saupoudrez cette entrecôte de sel et poivre, mettez-la sur le gril, à feu vif, et, lorsqu'elle sera cuite, servez avec beurre, persil haché et pommes de terre frites, sauce piquante, méridionale *(voy. pages 20 et 30)* ou cresson.

Entrecôte braisée. – Faites-la jaunir dans la casserole avec du lard de poitrine coupé par morceaux ; lorsqu'il est d'une belle couleur brune, retirez-la ainsi que le lard et faites un roux pas trop foncé *(voy. roux, page 16),* puis remettez l'entrecôte, le lard, du sel, poivre et épices, un bouquet de thym, persil et laurier, un petit verre d'eau-de-vie et laissez cuire trois heures à petit feu.

Avant de servir, voyez si votre sauce doit être dégraissée.

Bœuf à la mode. – Prenez à peu près deux livres de tranche ou de culotte et piquez de gros lards dans le sens de la viande ; mettez votre morceau dans la casserole, soit avec un morceau de beurre, soit avec de la bonne graisse de rôti ou de volaille et chauffez pour qu'il prenne couleur. Lorsque votre viande est assez colorée, mettez trois verres d'eau, un verre de vin blanc et une cuillerée d'eau-de-vie ; salez et poivrez, ajoutez un morceau de couenne de lard, un petit morceau de pied de veau, un bouquet de persil, thym et laurier, un clou de girofle, quelques carottes coupées en morceaux et une dizaine d'oignons moyens. Laissez cuire à feu doux pendant cinq heures : dégraissez, enlevez le bouquet et servez.

Pendant la cuisson, tenez toujours votre casserole couverte : votre bœuf à la mode sera meilleur.

Rognon de bœuf sauté. – Fendez le rognon en deux, enlevez la graisse qui se trouve au milieu et qui donnerait mauvais goût ; coupez-le en petits carrés minces que vous mettez dans la poêle avec un bon morceau de beurre ; laissez prendre couleur et retournez ; saupoudrez d'une cuillerée de farine, remuez et ajoutez un verre de vin blanc ou de Madère, un peu d'eau, sel et poivre.

Ne laissez pas bouillir afin que le rognon ne soit pas dur, mais faites en sorte qu'il soit très chaud lorsque vous le servez.

Rognon de bœuf aux champignons. – Procédez de même que ci-dessus et mettez des champignons coupés par morceaux ; lorsque ces derniers sont cuits, servez et ajoutez du persil haché.

Langue de bœuf à la sauce piquante ou à la sauce tomate. – Mettez cuire dans votre pot-au-feu une langue ou un morceau de langue après l'avoir lavée et grattée. Au bout de trois heures, elle doit être cuite ; enlevez-la, ôtez la grosse peau dure, fendez la langue dans toute sa longueur et placez-la en couronne sur un plat. Versez dessus une sauce piquante ou une sauce tomate. *(Voyez ces sauces, pages 20 et 23).*

Langue de bœuf au gratin. – Coupez en tranches très minces une tranche de bœuf cuite dans le pot-au-feu ; mettez, dans un plat présentable et qui puisse aller au four, quelques petits morceaux de beurre gros comme des noisettes, un demi-verre de bouillon ou de vin blanc, cornichons, échalotes, ciboules et persil, le tout haché bien fin, poivre et sel et un peu de chapelure ; mettez dessus des tranches de langue et assaisonnez le dessus comme le dessous ; mettez au four ou sous le four de campagne avec un petit feu dessous.

Cervelle de bœuf. – La cervelle de bœuf est moins délicate que celle du veau, mais, bien apprêtée, elle peut la remplacer. Il faut d'abord la mettre dans l'eau froide pendant une heure ou deux, puis enlever la petite peau et les filaments sanguins qui l'entourent. Lorsqu'elle est bien épluchée, mettez-la dans une casserole avec assez d'eau pour qu'elle baigne complètement ; ajoutez une ou deux cuillerées de vinaigre, sel, poivre, un bouquet de thym, laurier et persil, et une petite gousse d'ail. Quand la cervelle est cuite (ce qui a lieu au bout de trois quarts d'heure), fendez-la en deux, mettez-la sur un plat et versez dessus une sauce au beurre noir que vous préparez ainsi :

Mettez dans la poêle un morceau de beurre gros comme un œuf, laissez-le jusqu'à ce qu'il noircisse, jetez-y quelques branches de persil et servez sur les cervelles ; mettez une cuillerée de vinaigre dans la poêle encore chaude et versez aussi sur les cervelles.

Cervelle de bœuf en matelote. – Vous la faites cuire comme ci-dessus et la retirez de l'eau. Mettez ensuite dans la casserole un morceau de beurre de la grosseur d'une noix ; lorsqu'il est fondu, ajoutez une cuillerée dc farine ; laissez roussir, puis versez un verre d'eau et un demi-verre de vin rouge.

Tournez pendant un moment avec la cuiller de bois afin de bien lier votre sauce ; mettez sel, poivrc, un bouquet de thym, laurier et persil et quelques petits oignons et champignons. Lorsque vos oignons sont cuits, remettez dans la sauce la cervelle et laissez bouillir tout doucement pendant un quart d'heure ; servez très chaud et mettez autour de votre plat quelques petits croûtons frits dans le beurre et taillés en losanges.

Cervelle de bœuf frite. – Après avoir nettoyé la cervelle comme ci-dessus, faites-la cuire dans un bon verre d'eau et un quart de verre de vinaigre, coupez-la en dix ou douze morceaux et mettez ces morceaux dans une pâte à frire assez épaisse. *(Voy. pâte à frire, page 319).*

Ayez de la friture bien chaude *(voy. friture, page 21)*, et mettez-y vos morceaux l'un après l'autre ; voyez qu'ils soient d'une belle couleur et servez-les sur un plat avec du persil frit.

Pour que votre persil soit bien frit, jetez-le dans la friture très chaude, après l'avoir lavé, puis retirez-le avec l'écumoire.

Gras-double. – Le gras-double se vend généralement cuit, mais dans les campagnes, il faut le préparer soi-même. Pour cela, on prend des tripes de bœuf que l'on nettoie bien soigneusement ; on les met dégorger dans l'eau fraîche pendant une heure au moins, puis on les fait cuire à l'eau avec oignons coupés en ronds, ail, clous de girofle, thym et laurier. Ainsi cuites, vous pouvez les accommoder de différentes façons. *(Voir ci-dessous gras-double à la lyonnaise et tripes à la mode de Caen).*

Gras-double à la lyonnaise. – Vous coupez une demi-livre de gras-double *(voy. ci-dessus)* en petits morceaux carrés. Mettez dans la poêle un morceau de beurre ou deux cuillerées d'huile, laissez bien chauffer et jetez-y quatre ou cinq gros oignons coupés en lames minces. Laissez jaunir vos oignons et mettez ensuite votre gras-double pour qu'il prenne couleur ; ajoutez sel, poivre, épices et faites cuire vingt minutes.

Avant de servir, ajoutez une cuillerée de vinaigre. Servez *très chaud,* car ce plat n'est réellement bon qu'à cette condition.

Tripes à la mode de Caen. – Prenez une livre de tripes de bœuf que vous coupez en morceaux grands comme la moitié de la main. Ayez la moitié d'un pied de bœuf que vous coupez aussi par morceaux. Prenez une coquille ou cocotte en fonte étamée ou non ; mettez dans le fond une ou deux carottes coupées en ronds, un bouquet de persil, thym et laurier, deux clous de girofle, une ou deux gousses d'ail et quelques petits morceaux de lard.

Placez dessus un lit de tripes et remettez encore carottes, girofle, ail, etc. et ainsi de suite, jusqu'à ce que vous ayez employé toutes les tripes. Remplissez avec un peu de bouillon et de vin blanc : il faut que le tout soit couvert ; finissez par une ou deux bardes minces de lard gras, pour couvrir le tout. Fermez soigneusement avec le couvercle et mettez au four pendant cinq ou six heures. Si les tripes étaient cuites d'avance, vous ne les laisseriez que quatre heures au four ; servez-les dans un plat et laissez réduire un peu votre sauce ou liez-la avec une cuillerée à bouche de fécule.

Délayez d'abord votre fécule avec un peu d'eau et versez-la ensuite dans votre sauce sans cesser de remuer, pour que la fécule ne fasse pas de grumeaux. Il faut autant que possible que ce plat soit servi sur un réchaud, car, lorsque les tripes sont froides, elles sont non seulement indigestes, mais perdent la moitié de leur bon goût.

Ce plat est très bon pour les déjeuners.

Bœuf salé à l'anglaise. – Prenez un morceau de tranche ; frottez-le tous les jours de sel et de salpêtre pendant au moins une semaine ; retournez-le chaque fois et mettez-le dans un pot bien couvert.

Au bout de huit jours, ne frottez plus avec le sel, mais laissez encore reposer huit jours en retournant le morceau de viande tous les deux jours. Après ce temps, accrochez-le dans une cheminée où l'on ne brûle que du bois. Laissez-le dans cet endroit une dizaine de jours, puis enveloppez-le de papier et suspendez-le dans un endroit sec.

On peut aussi conserver ce bœuf dans la saumure *(voy. jambon, page 97)* sans le mettre dans la cheminée.

Bitokes à la russe. – Prenez une livre de filet de bœuf que vous hachez fin et pilez avec un quart de beurre fin, puis salez et poivrez. Prenez alors de cette farce par parties, pour en former avec la lame du couteau mouillée de petites côtelettes que vous passerez d'abord dans la farine, puis dans un œuf battu ; faites prendre ensuite couleur dans du beurre chaud ; retournez de temps en temps et lorsque les bitokes (côtelettes) sont presque cuites, rangez-les sur un plat et entourez-les de petites pommes de terre frites dans le beurre.

Faites après un petit roux blanc *(voy. roux blanc, page 17)* et au lieu d'eau, ajoutez-y un verre de crème aigre.

Enfin versez cette sauce sur les bitokes et mettez dessus quelques tranches d'oignon frites dans le beurre ; en outre, servez à part dans une saucière ce qui reste de sauce.

Restes de bœuf bouilli, à la sauce tomate ou à la sauce piquante. – Lorsque vous avez du bouilli de reste, coupez-le en tranches que vous faites chauffer dans une sauce piquante ou une sauce tomate pas trop épaisse. *(Voy. sauce piquante, page 20 et sauce tomate, page 23).*

Restes de bœuf bouilli, à la sauce poulette. – Coupez le bœuf qui reste du pot-au-feu en morceaux épais d'un doigt ou en carrés, si vous le préférez, et mettez chauffer ces morceaux dans une sauce poulette. *(Voy. cette sauce, page 17).*

Restes de bœuf aux choux. – Prenez un quart de lard maigre, coupez-le en petits morceaux de l'épaisseur et de la longueur du petit doigt ; faites jaunir ces morceaux de lard dans du beurre chaud et, lorsqu'ils ont une belle couleur, retirez-les et ajoutez une bonne cuillerée de farine que vous remuez et laissez roussir avec le beurre. Lorsque la farine a pris une teinte brune pas trop foncée, ajoutez un verre d'eau, sel, poivre, un bouquet de persil, thym et laurier, un oignon coupé en lames minces, le morceau de bœuf qui vous reste et que vous laissez entier, puis un chou nettoyé, lavé et coupé en quatre (chou de Milan ou chou blanc).

Laissez une heure et demie sur le feu jusqu'à ce que le chou soit bien cuit. Servez alors le bœuf sur un plat creux ; entourez-le de lard et de choux et arrosez-le avec la sauce en ayant le soin d'ôter le bouquet. Si la sauce était un peu claire, il faudrait l'épaissir avec un peu de fécule *(voy. liaison à la fécule, page 14)* ou la laisser bouillir un instant ; si au contraire elle était trop épaisse, il faudrait l'éclaircir avec un peu de bouillon ou d'eau.

Restes de bœuf bouilli aux navets. – Faites un roux *(voy. roux, page 16) ;* mouillez-le de bouillon ou d'eau, sel, poivre, bouquet de persil, thym et laurier et faites cuire dedans sept ou huit navets coupés en morceaux ; lorsque ces derniers sont à moitié cuits, ajoutez votre bouilli (le morceau entier ou coupé en tranches).

Enlevez le bouquet lorsque les navets sont cuits et servez bien chaud.

Restes de bœuf bouilli haché pour pâtés. – Hachez fin le bœuf qui vous reste ; ajoutez-y un quart de chair à saucisse et un peu de mie de pain trempée dans de l'eau ou du bouillon. Mélangez le tout : faites prendre couleur sur le feu avec un peu de beurre ; saupoudrez d'une cuillerée de farine ; ajoutez, lorsque la farine est liée, deux cuillerées d'eau et servez-vous de ce hachis pour garnir de gros ou petits pâtés.

Restes de rôti de bœuf. – Tous les restes de rôti de bœuf peuvent être accommodés aux sauces suivantes : Soubise, tomate, piquante, Robert, mayonnaise, rémoulade, ravigote, provençale, Périgueux, et en général toutes les sauces brunes. *(Voy. ces sauces, de la page 20 à la page 30).*

MOUTON

Le mouton, pour être bon, doit avoir la chair rouge foncé et la graisse fine et blanche ; il faut autant que possible qu'il soit rassis, car le mouton trop frais est dur et le goût n'est pas aussi bon.

Gigot rôti. – Prenez un rouleau à pâtisserie et battez votre gigot pendant deux ou trois minutes, ceci l'attendrit beaucoup. Choisissez trois ou quatre gousses d'ail pas trop grosses et piquez votre gigot avec un couteau, à trois ou quatre places différentes et introduisez une gousse d'ail dans chaque entaille. Embrochez-le et placez-le devant un feu vif, puis mettez dans la lèchefrite un peu d'eau et de sel et, gros comme une noix, du beurre.

Il faut un quart d'heure de cuisson par livre dc viande ; par conséquent, pour un gigot de quatre livres une heure suffit. Après ce temps, débrochez le gigot, servez-le sur un plat long avec la sauce dégraissée, dans une saucière.

Le gigot, comme le rosbif (aloyau) doit être rose à l'intérieur, et le jus qui en découle, pendant qu'on le découpe, est la mcilleure sauce des rôtis de mouton.

Gigot de mouton mariné *(pouvant remplacer le chevreuil)*. – Ayez un gigot de quatre livres, battez-le avec le rouleau à pâtisserie pour qu'il soit bien tendre, enlevez toute la peau et piquez avec du lard gras coupé pas trop fin. Mettez-le après dans une terrine, avec une marinade que vous préparerez de la façon suivante : un verre de vin rouge, un demi-verre de vinaigre, sel, poivre, quelques grains de genièvre, persil, thym, laurier, gousse d'ail, épices, deux oignons coupés en rouelles (en ronds) et quatre cuillerées d'huile.

Laissez votre gigot dans la marinade pendant quatre jours et ayez le soin de l'arroser deux ou trois fois par jour. Otez-le de la marinade, embrochez-le et donnez-lui une forme un peu ronde en le maintenant à la broche. Mettez dans la lèchefrite deux ou trois cuillerées de marinade pour arroser le gigot durant la cuisson.

Le gigot mariné exige plus de temps pour la cuisson, parce qu'il ne doit pas être rose à l'intérieur ; ainsi pour quatre livres il faut bien une heure trois quarts. On peut l'accompagner d'une sauce piquante ou d'une sauce tomate. *(Voyez sauce piquante, page 20 et sauce tomate, page 23).*

Gigot de mouton braisé. – Faites désosser un petit gigot par le boucher et piquez-le de travers en travers avec de gros lardons ; saupoudrez-le de sel et poivre ; mettez-le en boule et ficelez-le.

Mettez, gros comme un œuf, du beurre dans la casserole et placez-y votre gigot pour lui faire prendre couleur ; tournez-le de tous côtés et mettez un verre et demi d'eau et deux cuillerées d'eau-de-vie.

Salez, poivrez et ajoutez un bouquet de persil, thym et laurier, quatre ou cinq carottes divisées en ronds, la moitié d'un pied de veau coupé en morceaux, et couvrez.

Laissez bouillir doucement pendant quatre

heures. Enlevez le bouquet et servez votre gigot entouré de carottes.

Os de gigot. – On peut utiliser l'os de gigot dans la cuisson des haricots secs qu'il rend plus savoureux. On le fait cuire dans un peu d'eau avec les haricots préalablement trempés. On ajoute sel, poivre, un bouquet garni et une tomate ou un peu de purée de tomates.

On peut aussi le mettre dans la soupe aux choux.

Epaule de mouton à la broche. – Après l'avoir fait désosser et ficeler, on la met à cuire à la broche comme le gigot *(voy. page 73)*. Servez avec le jus.

Epaule de mouton aux navets. – Faites désosser une épaule, arrangez-la en rond, ficelez-la bien et mettez-la dans une casserole avec un morceau de beurre ou de la bonne graisse ; faites-lui prendre couleur et retirez-la. Ajoutez au beurre qui est dans la casserole deux cuillerées de farine et laissez bien roussir, puis mettez trois verres d'eau ou de bouillon, sel, poivre, un bouquet de thym, laurier et persil, épices. Remettez l'épaule et laissez cuire pendant deux heures et demie.

Pendant ce temps, vous avez épluché huit ou dix navets, que vous avez coupés en morceaux pas trop petits et auxquels vous avez fait prendre couleur dans la poêle, avec un peu de bonne graisse de rôti ou de volaille. Quand ils sont bien jaunes, retirez-les mais ne les faites cuire avec l'épaule qu'une heure avant de servir. Dégraissez et servez sur un plat rond l'épaule entourée de navets ; couvrez avec la sauce.

Epaule de mouton farcie. – Faites désosser une épaule de mouton ; garnissez l'intérieur avec une farce de chair à saucisse, persil et échalotes hachés ; sel et poivre ; repliez l'épaule de manière à ce que la farce soit enveloppée, ficelez votre viande et faites-lui prendre couleur dans du beurre chaud ; ajoutez de temps en temps un peu d'eau. Lorsque l'épaule est de belle couleur, couvrez et faites cuire deux heures et demie à feu doux.

Côtelettes de mouton. – Prenez de jolies côtelettes dans le carré, parez-les en enlevant la graisse qui tient au manche jusqu'à la noix, de manière à ce que les côtelettes soient bien rondes. Roulez-les dans de la mie de pain très fine et mettez-les sur le gril à feu pas trop vif ; retournez-les et mettez sel et poivre. Dix minutes suffisent.

On peut servir les côtelettes, soit au naturel, soit avec une purée de pommes de terre *(voy. page 203)*, soit avec sauce piquante, sauce tomate, sauce jardinière, sauce Soubise. *(Voyez ces différentes sauces, pages 15 à 30).*

Ragoût de mouton *(navarin)*. – Prenez pour trois ou quatre personnes une livre d'épaule de mouton ou de poitrine que vous faites couper en morceaux. Mettez du beurre dans la casserole, gros comme la moitié d'un œuf, ou de la bonne graisse de rôti, de pot-au-feu ou de volaille. Laissez fondre ; mettez vos morceaux de ragoût pour qu'ils prennent couleur ; retirez-les, ajoutez deux cuillerées de farine et remuez jusqu'à ce que celle-ci soit brune, puis deux ou trois verres d'eau, sel, poivre, bouquet de persil, thym et laurier, quelques pommes de terre et quelques oignons. On peut, si on les aime, ajouter quelques carottes. Le temps nécessaire à la cuisson est de deux heures, excepté pour les pommes de terre, qui ne se mettent qu'une heure avant de servir.

Rognons de mouton à la brochette. – Placez vos rognons sur le gril à feu vif pendant 7 à 8 minutes, en mettant le côté creux le premier ; retournez, salez et poivrez et servez sur du beurre, auquel vous avez mêlé du persil haché. La chaleur des rognons suffit à faire fondre le beurre.

Les rognons sont couverts d'une petite peau mince qu'il faut enlever. Pour que ce soit plus facile, trempez votre rognon dans l'eau, retirez-le de suite, enlevez la peau, fendez-le dans la longueur du côté rond sans le couper complètement. Ouvrez-le et piquez-le avec une brochette en le traversant des deux côtés pour qu'il reste ouvert. *(Voir les dessins, page 78).*

Rognons de mouton à la tartare. – Préparez-les comme ceux à la brochette *(voy. ci-dessus)*, faites-les mariner deux heures dans trois ou quatre cuillerées d'huile, persil en branches, un peu de poivre et sel. Au bout de deux heures, faites-les égoutter et trempez-les dans du beurre fondu. Roulez-les ensuite dans de la mie de pain très fine et enfilez-les dans une brochette de bois. Au bout de dix minutes, servez-les sur une sauce tartare. *(Voy. cette sauce, page 23).*

Rognons de mouton sautés. – Les rognons de mouton se font de même que le rognon de bœuf sauté. *(Voy. page 65).*

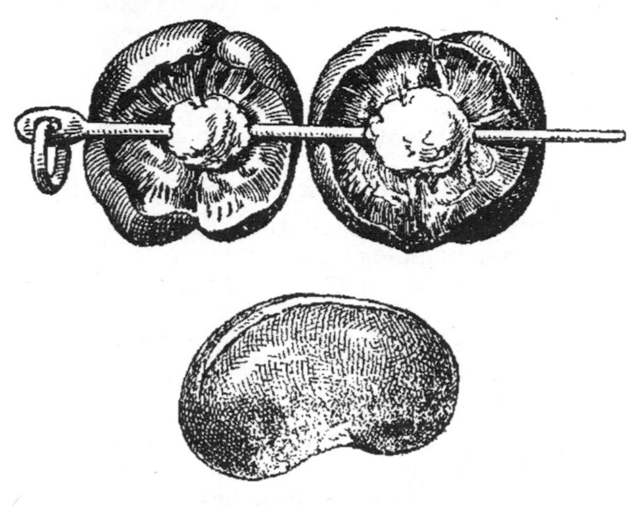

Rognons brochette.

Cervelles de mouton. – Se préparent comme celles de bœuf *(page 66)* et de veau *(page 90).*

Pieds de mouton à la poulette. – Mettez-les dans l'eau chaude et grattez fortement tous les poils avec un couteau. Enlevez aussi une petite touffe de poils qui se trouve dans la séparation du pied, puis le grand os et mettez les pieds cuire quatre à cinq heures dans une eau blanche comme pour la tête de veau. *(Voy. tête de veau, page 88).*

Mettez dans la casserole un morceau de beurre gros comme la moitié d'un œuf et une cuillerée de farine ; lorsque le beurre et la farine sont bien fondus, mouillez avec un ou deux verres d'eau ; ajoutez sel, poivre, bouquet de persil, thym et laurier, épices, champignons et oignons que vous laissez cuire une demi-heure. Mettez alors les morceaux de pieds et laissez mijoter doucement pendant 35 à 40 minutes. Au moment de servir, liez votre sauce avec un jaune d'œuf. Pour cela, vous prenez un jaune d'œuf que vous mettez dans un bol puis que vous délayez en ajoutant un peu de votre sauce que vous employez tiède (trop chaude l'œuf tournerait). Mettez aussi un filet de vinaigre.

Lorsque tout est bien mélangé, versez dans votre ragoût que vous avez ôté du feu et que vous servez de suite. *Ayez soin de remuer en versant la liaison dans la sauce.*

Poitrine de mouton sur le gril. – Lorsque, dans la soupe aux choux, vous avez mis un morceau de poitrine de mouton, gardez-le pour le lendemain. Mettez-le alors sur le gril, faites-le rissoler des deux côtés et servez-le avec une sauce piquante, poivrade ou tomate, que vous mettez dans une saucière. *(Voy. ces sauces, pages 20, 22, 23).*

Côtelettes à la milanaise *(mets italien)*. – Faites tiédir du beurre dans une casserole, trempez-y des côtelettes de mouton, retirez-les et panez-les avec de la mie de pain émiettée et du fromage de parmesan râpé. Battez ensuite un œuf (blanc et jaune) en omelette ; trempez les côtelettes dedans ; panez-les de nouveau avec la mie de pain et le fromage ; trempez-les encore une fois dans le beurre et faites-les cuire sur le gril à feu doux ; enfin servez vos côtelettes sur une sauce tomate. *(Voyez sauce tomate, page 23).*

Restes de mouton. – Les restes de mouton peuvent se préparer comme les restes de bœuf rôti. Les restes de gigot se mangent souvent froids avec une sauce mayonnaise *(voy. sauce mayonnaise, page 22)* ; on peut aussi les accommoder à la Brissac, de la manière suivante :

Restes de gigot à la Brissac. – Coupez le gigot en tranches ou morceaux pas trop épais ; faites prendre un peu de couleur dans du beurre chaud, puis ajoutez-y des échalotes et du persil hachés fin. Laissez le tout cinq minutes sur feu pas trop vif : saupoudrez d'une cuillerée de farine et lorsque la farine est mêlée aux morceaux de viande, mouillez d'un demi-verre d'eau et d'un verre de vin. Salez, poivrez et laissez cuire pendant une heure. Dix minutes avant de servir, ajoutez une cuillerée d'huile d'olive.

Cette manière d'accommoder les restes de gigot est excellente, car loin de durcir la viande, elle l'attendrit.

AGNEAU ET CHEVREAU

L'agneau et le chevreau se ressemblent comme goût et les indications données pour le mouton peuvent servir pour l'un et l'autre. *(Voir pages 73 à 80).*

VEAU

Pour que le veau soit de bonne qualité, il faut qu'il soit d'un gris rosé très pâle. Le veau dont la chair est rougeâtre est inférieur comme qualité.

Les parties qui se servent à la broche sont *la longe* (l'échine) et le *quasi* (haut de la cuisse) ; on peut encore prendre le *premier talon* (cuisse) qui est très avantageux. – Pour les fricandeaux, on emploie *la rouelle* (cuisse) et la *noix* (cuisse). – Pour les escalopes, on choisit la noix, la rouelle et le talon (cuisse). – Le jarret de veau (cuisse) se prend pour faire les jus et les gelées de viande, la poitrine pour les ragoûts.

Veau à la bourgeoise. – Mettez dans la casserole un peu de bonne graisse de rôti ou de volaille ; lorsque cette graisse est chaude, placez-y votre morceau de veau ; laissez-le prendre couleur en ayant soin de le retourner de tous côtés, puis finissez comme pour le foie de veau à la bourgeoise *(page 86).*

Veau rôti. – Pour trois ou quatre personnes, prenez un morceau de *quasi* (haut de la cuisse) d'une livre et demie, ou le morceau après le rognon ; embroyez-le et mettez dans la cuisinière ou lèchefrite un morceau de beurre gros comme une noix, un demi-verre d'eau et un peu de sel ; ne placez pas la viande à feu trop vif. Pour une livre et demie, il faut au moins une bonne heure ; ayez soin de bien l'arroser pendant tout le temps de sa cuisson. Servez votre rôti sur un plat et votre jus à part après l'avoir dégraissé, si vous le trouvez par trop gras.

Veau à la casserole. – Mettez dans la casserole un morceau de beurre ou de bonne graisse ; lorsqu'il est fondu et même un peu chaud, placez-y un morceau de talon de veau d'une livre et demie et laissez-le bien jaunir de tous côtés. Lorsque vous le voyez d'une belle couleur, ajoutez quelques gouttes d'eau ; laissez jaunir encore et mettez, en *plusieurs fois,* la valeur d'un bon verre d'eau. Salez et poivrez, et ajoutez un ou deux oignons et une petite feuille de laurier. Laissez cuire pendant deux heures au moins à feu doux ; retournez la viande de temps en temps et servez dans un plat creux avec le jus dessus.

Ragoût de veau. – Prenez pour trois ou quatre personnes une livre et demie de petite poitrine de veau que vous faites couper en morceaux. Mettez dans la casserole un morceau de beurre gros comme la moitié d'un œuf ou une cuillerée de bonne graisse ; laissez fondre et placez-y vos morceaux de veau que vous laissez assez longtemps pour qu'ils prennent couleur ; retournez-les de temps en temps, et lorsque vous les voyez assez bruns, saupoudrez-les de deux cuillerées de farine.

Lorsque votre farine est bien mêlée au veau et qu'elle commence à brunir, ajoutez deux verres d'eau, sel et poivre, un bouquet de thym, persil et laurier, une dizaine de petits oignons, et, si vous les aimez, quelques petits champignons. Quand le tout est cuit, dégraissez et servez.

Ragoût de veau aux pois. – Procédez exactement comme pour le ragoût de veau *(voy. ci-dessus),* seulement ajoutez les pois aussitôt que vous avez versé de l'eau et ne mettez que cinq ou six oignons et pas de champignons.

Veau en matelote. – Prenez une livre de poitrine de veau ; mettez un morceau de beurre dans la casserole et, lorsqu'il est fondu, faites jaunir votre veau. Lorsque ce dernier est jaune, faites un roux avec deux cuillerées de farine et, quand vous voyez qu'il a une couleur brune pas trop foncée, ajoutez un verre d'eau et autant de vin rouge, sel, poivre et épices, un bouquet de persil, thym et laurier, et quelques petits oignons et champignons.

Quand le tout est cuit, retirez le bouquet, dégraissez et servez.

Côtelettes de veau sur le gril. – Prenez quatre *petites* côtelettes de veau ; mettez-les sur le gril à feu doux ; retournez-les et saupoudrez de sel et de poivre.

Faites fondre un morceau de beurre dans la casserole, jetez-y du persil haché et ajoutez un jus de citron. Mettez vos côtelettes sur un plat et versez votre sauce dessus.

Côtelettes de veau aux fines herbes. – Placez vos côtelettes dans un plat, dans lequel vous avez d'abord fait fondre du beurre, laissez-les bien jaunir ; mettez sel et poivre. Lorsque vos côtelettes sont bien jaunes, ajoutez un demi-verre de vin blanc et un peu d'eau. Laissez cuire à feu doux ; et un peu avant de servir, ajoutez persil et échalotes hachés, puis un jus de citron et servez.

Côtelettes de veau en papillotes. – Ayez de petites côtelettes de veau, faites-les mariner un jour dans une cuillerée et demie d'huile pour deux côtelettes, puis ajoutez persil, ciboules, échalotes, champignons, le tout haché bien fin, sel et poivre. Prenez un papier deux fois grand comme votre côtelette, beurrez-le et placez des fines herbes dessus, mettez par-dessus votre côtelette, puis des fines herbes et pliez votre papier tout autour. Mettez alors sur le gril ; trois quarts d'heure suffisent. Servez avec le papier.

Fricandeau. – Prenez un morceau de rouelle de veau que vous piquez à la surface de petits lardons très fins. Mettez, dans une casserole, une ou deux carottes coupées en morceaux, puis des oignons, un bouquet de persil, thym et laurier, un ou deux clous de girofle. Placez-y votre fricandeau et mettez un demi-verre de bouillon, sel et poivre. Pendant la cuisson, arrosez souvent votre morceau de viande qui doit prendre une jolie couleur.

Au bout de deux heures et demie, votre fricandeau sera cuit ; versez votre sauce dans une petite casserole et laissez-la réduire, puis arrosez votre fricandeau, que vous placez ensuite sur une farce d'oseille ou sur de la chicorée au jus. *(Voyez farce d'oseille et chicorée au jus, pages 246 et 254).*

Escalopes de veau. – Coupez dans la rouelle de veau quelques tranches, larges comme la moitié de la main et épaisses comme le doigt. Faites fondre du beurre dans un plat ; lorsqu'il est bien chaud, placez-y vos escalopes que vous laissez jaunir ; retournez-les de manière à ce qu'elles prennent couleur des deux côtés ; ajoutez un peu de bouillon, puis du persil et des échalotes hachés, du sel et du poivre.

Une demi-heure suffit pour la cuisson. Placez les escalopes en couronne sur un plat et mettez au milieu l'assaisonnement ou une sauce tomate. *(Voy. sauce tomate, page 23).*

Blanquette de veau. – Prenez une livre de petite poitrine de veau que vous faites couper en morceaux ; mettez ces morceaux dans un vase quelconque et versez dessus de l'eau bouillante, de manière à ce que le tout soit couvert ; ajoutez du sel. Au bout de vingt minutes, retirez vos morceaux de l'eau, laissez-les égoutter et faites une blanquette de la façon suivante :

Mettez dans la casserole un morceau de beurre gros comme la moitié d'un œuf ; lorsqu'il est fondu, ajoutez deux cuillerées de farine ; mêlez bien avec une cuiller de bois sans laisser roussir ; ajoutez deux verres d'eau, sel, poivre et bouquet de laurier, persil et thym. Lorsque votre sauce est bien liée, ajoutez vos morceaux de veau et quelques petits oignons et champignons ; seulement ces derniers ne doivent être mis que trois quarts d'heure avant de servir. Lorsque votre blanquette est cuite, placez vos morceaux de veau dans un plat creux et servez la sauce autour ; vous pouvez ajouter quelques croûtons frits dans le beurre. *(Voyez croûtons pour garnitures, page 15).*

Foie de veau à la broche. – Prenez un morceau de foie de veau de deux livres et demie, piquez-le, dans l'épaisseur, de lardons gros comme le petit doigt, enveloppez-le d'une toilette ou crépine de porc et embrochez-le. Ne l'exposez pas à feu trop vif. Mettez dans la lèchefrite un demi-verre d'eau, du sel et un petit morceau de beurre. Il faut que le foie de veau soit bien cuit ; un morceau de deux livres et demie doit rester sur le feu au moins deux heures. Servez le jus à part dans la saucière.

Foie de veau à la bourgeoise. – Prenez un morceau de deux livres et piquez-le de gros lardons dans l'épaisseur.

Mettez dans la casserole un morceau de beurre ou un peu de bonne graisse de rôti ou de volaille. Lorsque le beurre est fondu, mettez-y le foie et faites-lui prendre couleur en le tournant de tous côtés. Lorsqu'il a une belle nuance dorée, ôtez-le et faites un roux avec le beurre. Quand votre roux est préparé, mettez assez d'eau pour que le foie trempe à moitié ; ajoutez sel, poivre, épices, bouquet de thym, laurier et persil, sept ou huit carottes coupées en morceaux, une douzaine d'oignons et le morceau de foie.

Il faut à peu près deux heures et demie pour que le tout soit cuit ; au bout de ce temps, dégraissez et servez le foie sur un plat creux, les carottes et les oignons autour ; couvrez avec la sauce que vous pouvez lier avec un peu de fécule, si vous pensez qu'elle est trop claire.

Foie de veau à la poêle. – Pour trois ou quatre personnes, ayez une livre de foie de veau que vous coupez en tranches, puis mettez dans la poêle un morceau de beurre gros comme un œuf et laissez-le fondre. Lorsqu'il est chaud, placez-y vos tranches de foie et laissez-les jaunir 15 minutes, en ayant soin de les retourner ; quand vous pouvez les piquer avec la fourchette sans que le sang s'échappe, votre foie est cuit ; mettez alors les tranches dans un plat et versez dessus une sauce maître d'hôtel, à laquelle vous ajouterez un jus de citron. *(Voyez sauce maître d'hôtel, page 19).*

Foie de veau en papillotes. – Faites jaunir quatre ou cinq tranches de foie de veau dans la poêle comme pour le foie de veau à la poêle *(voy. ci-dessus).* Lorsque vos tranches sont presque cuites, prenez du papier assez fort que vous huilez, puis mettez une petite tranche mince de lard gras, du persil et de la ciboule ou des échalotes, le tout haché ; placez dessus une tranche de foie ; remettez des fines herbes et une petite tranche mince de lard gras ; enveloppez votre foie avec le papier que vous plissez tout autour et mettez sur le gril ou dans le four, à feu doux ; servez avec le papier.

Rognon de veau. – S'accommode de même que le rognon de bœuf. *(Voy. rognon de bœuf, page 65).* On peut aussi le couper en filets minces et l'employer dans une omelette.

Ris de veau. – Prenez un ris de veau, que vous laissez pendant une heure dans l'eau tiède ; mettez-le ensuite à l'eau bouillante sur le feu et laissez-le blanchir jusqu'à ce que vous puissiez passer une lardoire sans le déchirer.

Otez-le de l'eau, piquez-le de petits lardons très fins *(voy. figure ci-dessous)* et faites cuire une heure

Ris de veau piqué de lardons.

comme le fricandeau. *(Voyez fricandeau, page 84).* Servez sur une farce d'oseille ou sur une sauce tomate. *(Voy. farce d'oseille, page 246, et sauce tomate page 23).*

Tête de veau au naturel. – Prenez une petite tête de veau que vous faites dégorger à l'eau froide, pendant 24 heures en hiver ou 6 heures en été, en ayant soin de changer l'eau. Désossez-la en entier, retirez la langue et la cervelle. Mettez sur le feu une casserole avec de l'eau ; lorsque cette eau bout, placez-y la tête de veau coupée en quatre morceaux ;

laissez bouillir pendant vingt minutes, retirez les morceaux de l'eau et laissez-les égoutter. Prenez 125 grammes de farine que vous délayez avec 5 ou 6 litres d'eau ; ajoutez sel, poivre, bouquet de persil, thym et laurier, un oignon coupé en rouelles (ronds) et un quart de verre de vinaigre ; mettez tout cela dans une casserole sur le feu et lorsque l'eau commence à bouillir, placez-y la tête, la langue et la cervelle.

Faites cuire doucement pendant deux heures, excepté la cervelle que vous pouvez retirer au bout de 25 à 30 minutes. Lorsque la tête est cuite, servez-la sur un plat entourée de persil en branches et servez avec unc sauce vinaigrette dans une saucière. *(Voy. cette sauce, page 29).*

Fraise de veau. – Procédez comme pour la tête de veau. *(Voy. page 88).*

Mou de veau en matelote. – Prenez la moitié d'un mou de veau que vous faites dégorger à l'eau tiède ; au bout d'une heure, mettez-le dans l'eau froide, comme pour la tête de veau. Lorsque le mou est à moitié cuit, vous faites un roux dans une casserole avec un morceau de beurrc ou un peu de saindoux ; lorsque le beurre est chaud, vous ajoutez une bonne cuillerée de farine que vous laissez roussir. Une fois que votre roux est fait, ajoutez un verre de vin et autant d'eau, un bouquet de persil, thym et laurier, quelques petits oignons, du sel, du poivre, des épices et le mou de veau ; au bout d'une heure, il doit être cuit. Dégraissez et servez.

Cervelles de veau. – On les prépare comme les cervelles de bœuf, c'est-à-dire au beurre noir, en matelote ou frites. On peut encore les faire à la *poulette.*

Pour cela, vous faites cuire les cervelles comme il est dit plus haut *(cervelle de bœuf, page 66)*, puis vous mettez dans la casserole un morceau de beurre gros comme la moitié d'un œuf ; aussitôt que ce dernier est fondu, vous ajoutez une cuillerée de farine que vous délayez bien avec le beurre et de suite vous mettez un bon verre d'eau, du sel, du poivre, des oignons et des champignons ; laissez cuire le tout pendant une heure et ajoutez les cervelles que vous laissez cuire un quart d'heure. Préparez une liaison d'un ou deux jaunes d'œufs qui ont été délayés avec un peu de sauce que vous avez d'abord fait refroidir ; lorsque vos jaunes sont bien délayés, mêlez-les à la sauce qui ne doit plus être sur le feu ; mettez les cervelles dans un plat creux et versez dessus votre sauce poulette ; ajoutez le jus de la moitié d'un citron.

Pieds de veau. – Il faut fendre les pieds dans la longueur, ôter les gros os, puis les faire cuire dans une eau blanche comme pour la tête de veau *(voy. tête de veau, page 88) ;* servez-les avec une vinaigrette. *(Voy. page 29).*

On peut aussi les couper en morceaux et les tremper dans de l'œuf battu comme pour une omelette, puis les rouler dans la mie de pain et les faire frire dans le saindoux. Servez avec persil frit.

Généralement, on vend les pieds de veau nettoyés et échaudés, mais dans les campagnes on les débite sans aucun apprêt ; il faut alors les mettre un moment dans l'eau chaude, puis les retirer et les gratter avec un couteau pour enlever tous les poils et la corne qui se trouvent sur les doigts ; on les laisse ensuite, pendant deux heures, dans l'eau froide. Après tous ces préparatifs, on peut se servir des pieds, comme il est dit ci-dessus.

Veau roulé. – Prenez cinq ou six tranches de veau comme pour les escalopes *(voy. escalopes, page 84),* et préparez-les toutes égales. Ayez un hachis de viande tel que bœuf, veau ou volaille. Mettez-en une petite partie sur chacune de vos tranches que vous roulez et attachez avec du fil de manière à ce que le hachis ne sorte pas. Faites prendre couleur à tous vos morceaux dans le beurre bien chaud, puis retirez-les, enlevez le fil et faites un petit roux pas trop foncé avec une cuillerée de farine et un peu d'eau, sel et poivre, persil et échalotes hachés. Remettez les rouleaux dans la sauce et laissez chauffer.

Restes de veau, sauce mayonnaise ou rémoulade. – On peut manger froid les restes de rôti de veau. On les accompagne le plus souvent d'une mayonnaise et d'une sauce rémoulade. *(Voy. sauce mayonnaise et sauce rémoulade, pages 22 et 24).*

Restes de veau à l'estragon. – Mettez dans une casserole un morceau de beurre gros comme la moitié d'un œuf, laissez-le fondre, ajoutez une bonne cuillerée de farine et faites roussir. Lorsque votre roux est d'une belle couleur blonde, ajoutez un verre d'eau et tournez un moment pour que votre sauce soit bien liée ; mettez sel et poivre.

Prenez ensuite une bonne quantité d'estragon que vous hachez bien fin et que vous jetez dans la sauce ; placez-y vos morceaux de veau que vous avez coupés en tranches et laissez-les chauffer sans bouillir.

Restes de veau en blanquette. – Coupez la viande par tranches que vous faites chauffer dans une sauce blanquette *(voy. sauce blanquette, page 17),* à laquelle vous ajoutez, d'abord des champignons que vous avez fait cuire un peu dans l'eau et du sel, puis quelques petits oignons, sel, poivre, et un bouquet de persil, thym et laurier que vous enlevez au moment de servir.

Restes de veau à la poulette. – Se préparent comme pour la blanquette *(voy. ci-dessus),* mais on ajoute, au moment de servir, une liaison à l'œuf et à la crème. *(Voy. liaison à l'œuf et à la crème, page 14).*

Restes de veau en rissoles. – *(Voy. rissoles, page 337).*

Restes de veau en capilotade. – Si vous avez pris du rôti de veau et qu'il vous en reste la moitié le lendemain, vous pouvez l'accommoder de la manière suivante :

Prenez un morceau de beurre gros comme un œuf de pigeon, faites-le fondre à feu doux ; ajoutez-y une petite cuillerée de farine, des fines herbes hachées fin (persil, ciboule, échalotes) ; remuez jusqu'à ce que le tout ait pris couleur, puis mouillez avec un demi-verre d'eau et une cuillerée d'eau-de-vie ; laissez chauffer doucement pendant un quart d'heure, après quoi vous ajoutez votre veau coupé en tranches.

Laissez ensuite chauffer de nouveau sans bouillir et, au moment de servir, ajoutez une cuillerée d'huile d'olive. Remuez bien et servez entouré de croûtons frits dans le beurre.

Restes de rognon de veau. – Coupez en petits morceaux ce qui vous reste d'un rognon de veau et faites-en une omelette. *(Voy. omelette au rognon de veau, page 269).*

Restes de tête de veau. – On peut les faire réchauffer et les servir avec une sauce poulette, piquante, tomate. *(Voy. ces sauces, pages 17 à 23).*

Boulettes de tête de veau. – On peut aussi avec des restes de tête de veau faire des boulettes. Pour cela, hachez les restes un peu gros, mettez-les dans une casserole avec un petit morceau de beurre ; faites chauffer à feu doux ; saupoudrez d'une cuillerée de farine lorsque le beurre est fondu ; mouillez ensuite avec deux cuillerées d'eau ; salez et poivrez. Retirez du feu et ajoutez un ou deux jaunes d'œufs délayés avec un peu de crème.

Il faut que votre hachis soit un peu épais ; faites alors de petites boulettes que vous posez sur un plat et laissez refroidir. Lorsqu'elles sont froides, roulez-les dans la farine, puis dans un œuf battu, et, pour finir, dans la mie de pain. Faites frire à friture chaude *(voy. friture, page 21)* et servez les boulettes garnies de persil frit.

Restes de ris de veau. – Coupez en petits morceaux du ris de veau de desserte, mêlez-y des champignons et mettez le tout dans une béchamel épaisse *(voy. béchamel, page 15) ;* salez, poivrez et laissez sur le feu jusqu'à ce que les champignons soient cuits. Retirez du feu et laissez refroidir ; formez des boulettes que vous trempez dans l'œuf battu, puis dans la mie de pain et faites frire à friture chaude *(voy. friture, page 21).* Servez-les garnies de persil frit.

Restes de veau en salade. – Prenez du rôti de veau de desserte, coupez-en des tranches minces, arrosez-les avec de l'huile et du vinaigre ; laissez-les mariner deux heures au moins, puis dressez-les sur un plat que vous garnissez d'œufs durs et de cornichons hachés.

Mettez ensuite, dans une saucière, une cuillerée de moutarde, deux ou trois anchois hachés, une cuillerée de vinaigre et trois cuillerées d'huile, sel et poivre. Remuez bien le tout et servez avec le veau.

Vous pouvez y ajouter quelques câpres et des graines de capucines.

Restes de foie de veau. – Coupez par petites tranches le foie de veau qui vous reste ; prenez du lard gras, coupez-le également en petites tranches. Ayez une brochette comme celle que l'on emploie pour les rognons et enfilez par le milieu chacun de vos morceaux de foie et de lard, en ayant soin de les alterner. Une fois votre brochette prête, roulez vos morceaux dans l'huile, puis dans la mie de pain et faites griller à feu vif.

PORC

Pour que le cochon soit bon, il faut que sa chair soit ferme et d'un gris-rose pâle ; si vous voyez des taches rondes blanches ou roses, ne l'employez pas, il est ce qu'on appelle *ladre* et peut communiquer deux maladies très graves : le ténia et la trichinose. Le cochon jeune est préférable, le vieux est dur et coriace. *Pour mettre à la broche, on prend de préférence le carré et le filet.*

Porc frais à la broche. – Prenez, pour trois ou quatre personnes, deux livres et demie de filet ou de carré, embrochez votre morceau de viande et mettez dans la lèchefrite un peu d'eau et un peu de sel ; placez devant un feu assez vif, et arrosez souvent avec l'eau salée que vous avez préparée dans la lèchefrite. Vous pouvez laisser au feu le porc frais une heure et demie, car il demande à être très cuit. Avant de servir, dégraissez votre jus qui se trouve dans la lèchefrite et gardez cette graisse pour faire des ragoûts.

On peut avec ce rôti servir une purée de pommes de terre. *(Voyez purée de pommes de terre, page 293).*

Si vous le préférez, vous pouvez faire cuire votre porc frais au four, en le mettant dans un plat creux en terre, dans lequel vous ajoutez quelques pommes de terre. Ayez bien le soin d'arroser votre rôti qui sans cela sécherait trop.

Côtelettes de porc frais grillées. – Pour trois ou quatre personnes, prenez deux belles côtelettes que vous mettez sur le gril ; saupoudrez de sel et poivre et laissez cuire un quart d'heure d'un côté et dix minutes de l'autre. Ne mettez pas à feu trop vif ; servez, soit avec une sauce piquante, soit avec une sauce tomate ou Robert ou Soubise. *(Voyez ces sauces, pages 20 à 30).*

Filets mignons de porc frais panés et grillés. – Prenez un filet de porc frais d'une livre et taillez dedans quatre ou cinq filets de l'épaisseur du doigt ; ayez un œuf battu en omelette, trempez vos filets dedans et roulez-les dans de la mie de pain émiettée très fin ; saupoudrez de sel et persil haché fin ; mettez sur le gril à feu pas trop vif pendant 15 minutes. Servez soit avec du beurre d'anchois *(voy. page 27),* soit avec une sauce tartare ou Soubise. *(Voy. sauce tartare, page 23, et sauce Soubise, page 30)*

Fromage de cochon. – Trempez une tête de cochon dans l'eau chaude ; laissez-la un moment et enlevez tout le poil avec un couteau ; mettez-la ensuite dans une marmite, avec assez d'eau pour qu'elle baigne entièrement. Ajoutez sel, poivre, oignons et carottes coupés en rouelles (en ronds), bouquet de persil, thym et laurier ; laissez cuire pendant cinq heures.

Lorsque la tête de cochon est cuite, désossez-la. Coupez, en petites lanières, la couenne, la chair et la langue, assaisonnez fortement de sel, poivre et épices, persil haché fin ; voyez si l'assaisonnement est suffisant, mettez dans un moule que vous chargez de poids pour bien presser, puis laisser jusqu'au lendemain. Démoulez alors et servez.

Ce mets est excellent pour les déjeuners.

Foie de cochon. – S'accommode de toutes les manières indiquées pour le foie de veau *(voy. pages 86 et 87),* seulement on le laisse cuire plus longtemps.

Rognons de cochon. – Se font comme les rognons de bœuf *(page 65)* ou de mouton *(page 77),* seulement on les laisse cuire plus longtemps.

Pieds de cochon grillés. – Si vous ne pouvez pas trouver chez un charcutier des pieds tout préparés, trempez-les dans l'eau chaude pour leur ôter le poil et bien les nettoyer ; fendez-les ensuite en long et enveloppez chaque morceau séparément dans un linge de toile que vous serrez bien et que vous attachez à chaque bout. Mettez-les dans une marmite et fixez-les au fond en mettant une petite planchette en travers ; remplissez d'eau et ajoutez sel, poivre, épices, trois gousses d'ail et un gros bouquet de persil, thym et laurier ; laissez cuire quatre ou cinq heures.

Retirez les pieds de cochon de l'eau, laissez-les un peu refroidir et défaites le linge qui les entoure ; trempez-les après dans l'huile et roulez-les dans la chapelure. Mettez sur le gril à feu vif ; 15 minutes suffisent.

Jambon. – Ce sont les cuisses du cochon que l'on emploie d'ordinaire pour faire les jambons.

Enlevez le pied et frottez la cuisse de tous les côtés avec du gros sel écrasé fin. Mettez votre jambon dans une terrine et couvrez de sel ; laissez-le cinq jours et frottez de nouveau en ajoutant une once de salpêtre, puis laissez encore cinq jours dans la saumure qui s'est formée.

Après ce temps, retirez le jambon de la saumure et suspendez-le assez haut dans une cheminée où l'on brûle du bois. Au bout de deux mois, le jambon doit être assez fumé ; décrochez-le alors et enduisez-le de lie de vin et de vinaigre pour empêcher que les mouches s'y attachent. Suspendez au plafond dans un endroit sec. On peut aussi fumer de cette façon des morceaux de poitrine de porc.

Jambon au naturel. – Mettez un jambon dans une grande marmite avec assez d'eau pour qu'il baigne complètement ; ajoutez un gros bouquet de persil, thym et laurier, oignons, carottes et ail, et laissez cuire à petits bouillons, *autant d'heures* que le jambon *pèse* de livres. Enlevez de l'eau et laissez refroidir tout à fait avant de servir.

Jambon aux épinards ou à la chicorée. – Faites comme pour le jambon au naturel *(voy. ci-dessus)* et servez avec des épinards ou de la chicorée, entourés de croûtons *(voy. épinards, page 247, chicorée, page 253 et croûtons, page 15)*, mais dans ce cas il faut que le jambon soit chaud.

Jambon à la poêle. – Prenez une demi-livre de jambon cru, que vous coupez en tranches minces et, pour dessaler ces dernières, déposez-les une minute dans l'eau. Mettez, dans la poêle, du beurre gros comme la moitié d'un œuf ; lorsqu'il est chaud, placez les tranches de jambon, que vous faites cuire à feu vif pendant cinq minutes en ayant soin de les retourner ; mettez-les ensuite dans un plat creux et versez dessus une sauce préparée de la manière suivante :

Mettez une cuillerée de farine avec le beurre qui est resté dans la poêle et ajoutez, quand la farine est bien mêlée au beurre, un bon verre de vin blanc ; laissez cuire un moment pour que la sauce épaississe et versez sur les tranches de jambon.

Si vous le préférez, vous pouvez servir les tranches de jambon (cuites comme c'est indiqué ci-dessus) avec des œufs cuits dans la poêle.

Boudin noir. – On trouve du boudin noir chez tous les charcutiers, mais à la campagne on peut le faire soi-même. Voici la recette la plus simple.

Prenez un litre d'oignons, épluchez-les et faites-les bouillir dix minutes dans l'eau. Retirez-les ensuite, hachez-les fin et mettez-les cuire avec 125 grammes de saindoux. Dès qu'ils sont cuits, ajoutez 375 grammes de panne de lard (graisse qui tient à la peau de cochon), dont vous enlevez toutes les peaux et tous les filaments et que vous coupez en petits dés ; ajoutez aussi un litre et demi de sang de porc. (Dès que le sang a été recueilli, il faut y verser deux cuillerées de vinaigre), bien le remuer et l'employer immédiatement).

En même temps que la panne et le sang, mettez persil et ciboule hachés fin, poivre, sel et épices ;

mêlez le tout sur le feu et, avec un grand entonnoir, emplissez les boyaux.

Dès que vous avez rempli les boyaux avec le mélange de panne de lard et de sang, ficelez bien l'extrémité de chaque boyau et piquez-les de distance en distance avec une épingle pour les empêcher de crever pendant la cuisson. Ayez de l'eau dans une grande chaudière sur le feu et, lorsque *vous voyez qu'elle va bouillir,* mettez vos boudins qui doivent *cuire sans que l'eau bouille.*

Quand vous pourrez les piquer sans qu'il sorte de sang, les boudins seront cuits ; ôtez-les alors de l'eau, laissez-les égoutter sur un linge et frottez-les doucement avec du gras de lard pour leur donner un beau brillant. Laissez refroidir, on coupe le boudin en morceaux de 20 à 25 centimètres et on fait des incisions avec un couteau, avant de les mettre sur le gril ; cinq minutes suffisent pour les griller. On mange habituellement le boudin avec de la moutarde.

Les boyaux du porc servent à la confection du boudin, mais ils doivent être nettoyés avec beaucoup de soin. Pour cela, lavez-les à l'eau tiède et changez l'eau jusqu'à ce qu'elle soit très claire. Pour retourner les boyaux, prenez une tringle en fer recourbée au bout et, lorsqu'ils sont bien propres, soufflez dedans pour vous assurer qu'ils ne sont pas crevés.

Andouilles. – Dédoublez de la panse et prenez les boyaux les plus charnus du cochon, puis mettez-les à l'eau fraîche pour qu'ils dégorgent (il faut les laisser 12 heures en été et 24 en hiver). Sortez ensuite les boyaux de l'eau et égouttez-les. Prenez les plus gros boyaux pour fourrer les andouilles, cinq ou six par exemple ; les autres, ainsi que la panse, sont coupés par filets de 20 à 25 centimètres de long. Ajoutez des filets de lard de poitrine de même longueur, auxquels vous enlevez la couenne ; mettez les boyaux, la panse et le lard dans un vase quelconque avec sel, poivre, épices, échalotes et persil hachés pas trop fin. Laissez mariner le tout 6 heures.

Prenez ensuite une aiguille à brider, enfilez un bout de ficelle à laquelle vous faites un nœud ; passez ce bout de ficelle dans l'extrémité d'un morceau de boyau, prenez un de panse, un de lard ; mettez-en autant qu'il en faut pour remplir un des boyaux que vous avez conservés à cet effet, mais il ne faut pas que lc remplissage soit trop serré. Liez le boyau à chaque extrémité et continuez de la sorte pour les autres.

Lorsque tous les boyaux sont rcmplis, laissez-les cuire quatre heures à petit feu, dans une marmite, avec moitié eau et moitié lait, deux ou trois carottes coupées en rouelles (en ronds), deux oignons divisés de même, un bouquet de persil, thym et laurier, dcux ou trois clous de girofle, puis mettez un peu de sel. En piquant les boyaux avec une fourchette, vous pouvez vous assurer de leur degré de cuisson. Laissez-les presque refroidir dans leur cuisson, retirez-les, égouttez-les et, lorsque vous voulez les apprêter pour le repas, faites quelques incisions avec un couteau et mettez sur le gril à feu doux ; cinq ou six minutes suffisent. Servez très chaud avec moutarde.

Saucisses crépinettes. – Prenez une demi-livre de chair de porc et autant de lard, hachez très fin, salez et poivrez. Divisez cette chair en petits tas, enfermez chacun de ces petits tas dans un morceau de toilette de porc et donnez-leur une forme plate oblongue. Mettez 20 minutes sur le gril et tournez au milieu de la cuisson.

Saucisses aux choux. – Prenez une demi-livre de saucisses appelées *chipolata,* piquez-les avec la fourchette pour qu'elles ne crèvent pas. Mettez, dans la poêle, gros comme un œuf, de saindoux ou de beurre ou de bonne graisse ; laissez bien chauffer et placez-y les saucisses que vous laissez jaunir. Retirez-les ; ajoutez deux cuillerées de farine et laissez roussir ; lorsque votre farine a une couleur marron foncé, ajoutez deux verres d'eau, sel, poivre, bouquet de persil, thym et laurier et laissez bouillir.

Prenez ensuite un chou moyen, coupez-le en quatre et faites-le cuire à l'eau ; lorsqu'il est cuit, mettez-le dans votre sauce et laissez-le une demiheure avec les saucisses. Quand le tout a pris goût, sortez le chou, mettez-le dans un plat avec la sauce et posez les saucisses dessus.

Petit salé au chou. – Prenez un morceau de petit salé que vous laissez tremper un jour dans l'eau froide pour le dessaler, puis retirez-le et prenez un chou de moyenne grosseur que vous mettez dans une marmite avec assez d'eau pour que le salé et le chou baignent bien. Laissez cuire pendant 2 heures. On sert le salé sur le chou.

Sandwichs *(mets anglais)*. – Faites de petites tartines minces de mie de pain rassis (pain ordinaire ou de seigle) et beurrez ces tartines. Coupez ensuite de petites lames minces de jambon d'York bien maigre et mettez une de ces lames entre deux tartines de pain beurrées ; employez ainsi tout le pain préparé.

On sert les sandwichs pour lunchs ou soirées. On peut, au lieu du jambon, employer du foie gras.

Côtelettes de porc frais à la Courlandaise *(mets russe)*. – Parez et passez dans un œuf battu, puis dans du beurre, des côtelettes de porc frais ; faites-les cuire sur le gril et garnissez-les de choux rouges avec lesquels vous aurez fait cuire une vingtaine de beaux marrons.

Faites un roux pas trop foncé *(voy. roux, page 16) ;* assaisonnez de sel, poivre, d'un jus de citron et de persil haché. Servez cette sauce dans une saucière en même temps que les côtelettes.

Saucisses à la purée de pois ou de pommes de terre. – Ayez de petites saucisses longues, faites-les jaunir dans la poêle avec un peu de bonne graisse de rôti ou de volaille et, lorsqu'elles ont une belle couleur, retirez-les et servez-les sur une purée de pois ou de pommes de terre. *(Voy. purée de pois, page 232, et purée de pommes de terre, page 203).*

Cochon de lait à la broche. – On tue le cochon de lait comme le cochon. Il faut le laisser saigner beaucoup pour que sa chair soit blanche. Mettez-le ensuite dans l'eau chaude et agitez-le jusqu'à ce que les soies se détachent, puis posez-le sur la table et frottez-le fortement jusqu'à ce qu'il soit complètement débarrassé des soies. Enlevez-lui les sabots et videz-le en ayant soin de ne pas détacher les rognons. Garnissez l'intérieur avec un morceau de beurre manié de persil haché ; ajoutez encore deux oignons piqués chacun de deux clous de girofle, échalotes, poivre et sel, puis le foie haché avec lard maigre et champignons.

Fixez les pattes au corps, au moyen de brochettes comme celles qui servent à maintenir la volaille et mettez-le à la broche. Pour l'arroser, versez quelques cuillerées d'eau dans la lèchefrite avec du sel, arrosez-le ainsi cinq ou six fois, puis enlevez l'eau et frottez l'animal avec un morceau de lard gras. La chaleur étant très forte, il serait difficile de tenir le lard avec la main, aussi garnissez-le d'un peu de papier sur les côtés et prenez-le avec une pincette.

Servez le cochon de lait fumant avec une sauce rémoulade *(voy. page 24)* dans une saucière et quelques tranches de citron.

VOLAILLE, GIBIER

ET

LAPIN DOMESTIQUE

VOLAILLE

Sous la désignation de volaille sont compris les poules, les poulardes, les chapons, les poulets, les oies, les pigeons, les dindons.

Les poules sont les femelles qui ont commencé à pondre, les poulardes sont de jeunes poules que l'on engraisse soigneusement et qui n'ont pas encore pondu.

Les chapons sont de jeunes poulets châtrés, engraissés avec soin et enfermés dans de petites cages où le jour pénètre à peine.

Les poulets de grain sont ceux qu'on laisse libres ; les poulets appelés *poulets à la reine* sont enfermés dès qu'ils ont atteint trois ou quatre mois et engraissés pendant deux mois au moins.

Les jeunes poulets ont les pattes et les genoux très gros ; les vieux poulets, au contraire, ont les pattes et les genoux beaucoup moins développés. Les mâles ont un ongle appelé ergot ; s'il est peu saillant, l'animal est jeune, si au contraire il est développé, l'animal est vieux et par conséquent ne doit pas être pris pour rôti.

Il faut, autant que possible, qu'une volaille soit tendre, à moins que l'on s'en serve pour faire du bouillon ; dans ce cas, on peut employer une vieille poule. De préférence, prenez une volaille à la peau fine et blanche et bien en chair. Il faut tuer la volaille au moins deux jours avant qu'elle ne soit mangée ; dans le cas où l'on n'aurait pas pu prendre cette précaution, il faut faire avaler à la bête, une minute avant de la tuer, une cuillerée à bouche de bon vinaigre, puis la déposer dans un endroit tiède.

Il faut plumer la volaille aussitôt tuée et la vider pour éviter que les intestins donnent mauvais goût. Une fois vidée, flambez-la pour faire disparaître tous les poils et les petites plumes qui restent, et posez les pattes sur des charbons bien rouges pour enlever la première peau qui est dure et sale.

MANIÈRE DE VIDER UNE VOLAILLE. – Coupez la peau du cou sur le côté et arrachez un long boyau qui va jusqu'à la poche que vous enlevez et qui se trouve à la base du cou.

Faites ensuite une incision sur le côté, sous la cuisse, pour prendre les intestins, le foie et le gésier ; il faut aussi ôter le fiel ou amer qui tient au foie. Le fiel est une petite poche verte qu'il faut se garder de percer, car le foie ne serait plus mangeable.

Si, en vidant votre volaille, vous perciez l'amer, il faudrait laver de suite l'intérieur avec un peu d'eau tiède. Après avoir séparé le gésier des intestins, fendez-le dans la partie la plus grosse jusqu'à la membrane dure, puis ouvrez-le et enlevez la poche qui se trouve au milieu.

Lorsque votre volaille est plumée, vidée, flambée, vous appuyez fortement sur l'os saillant qui se trouve sous le ventre afin de lui donner une meilleure forme. Vous remettez dans l'intérieur le foie, sans oublier d'enlever l'amer, vous salez et poivrez un peu, puis vous recousez la fente par laquelle vous avez vidé la bête. Prenez ensuite le petit bout de l'aileron et retournez-le de manière à ce qu'il se trouve sur le dos et que l'aile forme un triangle. Bridez votre volaille comme il est dit pour le perdreau page 138.

Manière d'embrocher une volaille. – Lorsque votre volaille est bridée, vous l'embrochez *(voyez figure ci-dessous)* en passant la broche sous le croupion et en traversant l'animal dans sa longueur. Vous faites alors ressortir la broche à la naissance du cou, vous fixez cette broche à l'aide d'une brochette que vous piquez dans l'une des cuisses et que vous faites passer dans le trou qui se trouve au milieu de la broche, puis vous faites ressortir la broche au milieu de l'autre cuisse.

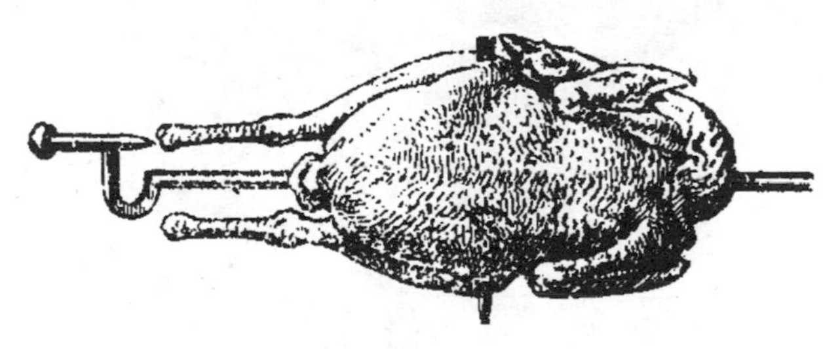

Manière d'embrocher une volaille.

Volaille rôtie. – Pour rôtir, on laisse une partie des pattes, en ayant soin de bien les allonger, puis on bride la volaille comme le perdreau. *(Voy. manière de brider un perdreau, page 138).* Toutes les volailles rôties : poulet, poularde, chapon, dinde, oie, se font cuire de même.

Vous mettez votre volaille à feu vif et, au bout de cinq minutes, vous l'enduisez d'une petite couche de saindoux, puis vous la remettez au feu et l'arrosez souvent. Il faut, pour un poulet de grosseur ordinaire, trois quarts d'heure ; si c'est une poularde ou un chapon, il faut compter une heure au moins.

Lorsque votre volaille fume bien, elle doit être cuite ; débrochez alors, débridez (c'est-à-dire ôtez les ficelles), servez sur un plat long avec cresson autour et versez le jus dans la saucière.

Blanquette de volaille. – Préparez une blanquette comme la blanquette de veau *(page 85).*

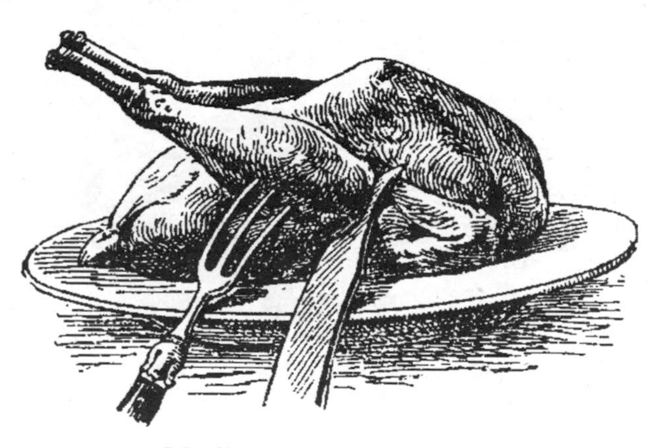

Manière de découper la volaille.

Découpez votre volaille *(voy. fig. ci-dessus)* que vous avez fait rôtir ; parez bien chaque morceau, et, lorsque votre sauce est prête, mettez-y chacun de vos morceaux ; laissez chauffer sans bouillir et servez dans un plat creux.

Daube ou galantine de volaille. – Prenez, après l'avoir plumée, une dinde bien blanche et grasse ou toute autre volaille à votre choix. Enlevez le cou, les ailerons et les pattes, videz la bête et flambez. Pour la désosser, faites une entaille sur le dos, depuis le croupion jusqu'à la tête, en ayant soin de ne pas percer la peau ailleurs. Enlevez les filets à un centimètre et demi de la peau ; ôtez les os et préparez une farce comme suit :

Prenez une livre et demie de veau, autant de porc frais, que vous hachez très fin, et assaisonnez le tout de sel, poivre, épices, un peu d'ail, persil et échalotes hachés. Lorsque votre farce est froide, préparez votre volaille sur la table, en ayant soin de placer la peau du côté de la table. Vous mettez ensuite une couche de farce, vous remplissez les cavités faites par les os, et entremêlez, de temps en temps, des filets de jambon et de volaille. Vous remettez après de la farce, une couche de filets de volaille et de jambon et ainsi de suite, jusqu'à ce que votre volaille soit entièrement remplie. Le foie, le cœur et les poumons ont été aussi employés dans la farce. Relevez après la peau et cousez-la, de manière à redonner à votre volaille sa forme première. Quand votre galantine est préparée, vous la déposez dans un linge, vous la ficelez et la mettez dans une marmite ou casserole remplie d'eau ; ajoutez la moitié d'un pied de veau, sel, poivre, oignons, quelques os à jus, les débris de votre volaille, une feuille de laurier, une branche de thym et de persil, une ou deux carottes coupées en ronds et deux clous de girofle. Laissez cuire comme le pot-au-feu pendant cinq ou six heures. Enlevez de l'eau votre galantine et ne défaites le linge que lorsque cette dernière est presque froide ; dégraissez alors le jus, passez-le, colorez-le avec une goutte de colorant et versez-le autour de la daube ou galantine.

On peut ne verser qu'une partie du jus sur la volaille et laisser refroidir l'autre partie qui se formera en gelée, que l'on hachera pour la disposer de différentes façons sur la daube et autour pour la parer.

Mayonnaise de volaille. – Enlevez les membres d'une volaille cuite quelconque, coupez-les en plusieurs morceaux et servez avec une sauce mayonnaise. *(Voy. sauce mayonnaise, page 22).*

Poulet rôti. – *(Voy. volaille rôtie, page 109).*

Poulet à la casserole. – Lorsque votre poulet est bien préparé et bridé *(voy. manière de brider un perdreau, page 138),* mettez dans la casserole un morceau de beurre gros comme un œuf ou bien de la graisse et laissez fondre ; lorsque le beurre est chaud, mettez-y votre poulet pour lui faire prendre couleur ; quand il est bien doré, salez, poivrez et couvrez ; faites cuire ensuite à feu doux pendant une heure un quart à peu près. Retournez le poulet de temps en temps, tout en le laissant reposer davantage sur les cuisses, car c'est la partie la plus longue à cuire. Mettez votre volaille sur le plat et, après avoir dégraissé le jus, versez ce dernier dessus.

Poulet truffé. – *(Voy. perdreaux truffés, page 139).*

Fricassée de poulet. – Prenez un jeune poulet, plumez, videz et flambez-le, puis dépecez-le en enlevant d'abord les cuisses, ensuite les ailes et les côtes et en faisant de tout cela plusieurs morceaux (le dos doit en faire trois ou quatre).

Laissez tremper ensuite tous ces morceaux dans de l'eau tiède pendant une heure au moins pour les faire blanchir. Pendant ce temps, préparez une sauce comme suit :

Mettez du beurre dans la casserole, gros comme un œuf ; lorsque le beurre est fondu, ajoutez deux ou trois cuillerées de farine, mêlez bien avec une cuiller de bois et ajoutez deux verres d'eau chaude ; remuez encore jusqu'à ce que votre sauce soit bien liée ; salez, poivrez et mettez un bouquet de persil, thym et laurier.

Placez alors les morceaux de poulet et laissez cuire à feu doux ; enfin ajoutez une dizaine de petits oignons et, un quart d'heure avant de servir, une demi-livre de champignons que vous avez d'abord fait blanchir à l'eau bouillante, car sans cela votre sauce brunirait.

Lorsque votre poulet est cuit, c'est-à-dire au bout d'une heure, retirez les morceaux et placez-les dans un plat creux. Dégraissez ensuite la sauce et ajoutez une liaison et la moitié d'un jus de citron. Pour votre liaison, mettez un jaune d'œuf dans un bol, délayez-le avec deux ou trois cuillerées de sauce que vous avez fait refroidir et versez le tout dans votre sauce que vous avez éloignée du feu ; remuez vivement et ajoutez un demi-jus de citron. Enfin versez votre sauce sur vos morceaux de poulet et mettez autour du plat quelques croûtons frits dans le beurre.

On peut employer tout un poulet sans le découper, en observant ce qui vient d'être dit ci-dessus.

Poulet sauté. – Mettez dans une casserole un morceau de beurre, gros comme la moitié d'un œuf, et laissez-le fondre ; lorsqu'il est chaud, placez dedans les membres d'un poulet que vous avez détaillé comme il est dit ci-dessus. *(Voy. page 113, fricassée de poulet).* Laissez bien jaunir et saupoudrez d'une cuillerée de farine, mêlez bien la farine au beurre et arrosez le tout avec un demi-verre de vin blanc. Salez et poivrez et ajoutez quelques petits oignons que vous avez d'abord fait jaunir dans la poêle.

Sautez votre poulet de temps en temps et servez au bout de trois quarts d'heure.

Poulet à l'estragon. – Lorsque vous avez plumé, vidé et flambé votre poulet, hachez fin quelques feuilles d'estragon et introduisez-les dans le corps de l'animal ; recousez-le, bridez-le et mettez dessus une barde de lard. Préparez ensuite un court-bouillon comme il suit :

Mettez de l'eau dans une casserole, sel, poivre, un bouquet de persil, thym et laurier, une ou deux carottes et un oignon coupés en ronds, une ou deux petites branches d'estragon. Lorsque l'eau bout, mettez-y votre poulet et laissez-le bien cuire ; s'il est tendre, une heure suffira.

Quant à la sauce, préparez-la de la manière suivante : prenez trois ou quatre cuillerées de court-bouillon (l'eau dans laquelle a cuit le poulet), mettez, dans une petite casserole, cette eau et liez-la avec une ou deux petites cuillerées de fécule délayée à part avec un peu d'eau ; tournez en versant la fécule dans la sauce et colorez avec une goutte de colorant. Mettez votre sauce dans un plat creux et placez dessus votre poulet, auquel vous ôtez la barde et qui doit être très blanc.

Poulet aux olives. – Lorsque votre poulet est bien préparé, c'est-à-dire plumé, vidé et flambé, vous le bridez avec de la ficelle et vous le mettez dans la casserole avec un morceau de beurre. Laissez-le bien jaunir, puis retirez-le et, avec le même beurre qui reste dans la casserole, faites un roux en mettant deux cuillerées de farine que vous mêlez bien au beurre. Lorsque votre roux a une nuance marron, mettez deux verres d'eau, sel, poivre et bouquet de persil, thym et laurier ; laissez cuire un moment et replacez votre poulet jusqu'à ce qu'il soit cuit. Ayez en outre un quart d'olives rondes, auxquelles vous enlevez les noyaux sans les déformer (en les épluchant en spirale), et mettez ces olives dans votre sauce. Dressez le poulet sur le plat, les olives autour, et arrosez avec la sauce.

Poulet Marengo. – Mettez dans une casserole quatre cuillerées d'huile d'olive, une gousse d'ail haché, sel, poivre. Prenez les membres d'un poulet que vous avez dépecé, mettez-les dans l'huile chaude et laissez les morceaux prendre couleur (ceci demandera trois quarts d'heure à peu près). Hachez ensuite un quart de champignons avec persil, ciboule et deux échalotes ; mettez ce hachis dans une petite casserole avec un verre de vin blanc ; laissez bouillir et ajoutez deux cuillerées de l'huile de la cuisson. Dressez les membres du poulet sur le plat et arrosez-le avec la sauce. Mettez autour du plat des croûtons frits dans le beurre.

Poule au riz. – Préparez un court-bouillon comme suit :

Mettez dans une grande casserole de l'eau suffisamment pour que votre poule soit presque couverte ; mettez dans cette eau, sel, poivre, bouquet de persil, thym et laurier, deux gousses d'ail, une carotte et un oignon coupés en ronds. Laissez bouillir une demi-heure et mettez-y votre poule que vous avez bien flambée et bridée. Ayez soin, en la flambant, de ne pas la noircir. Pour cela, flambez-la à grande flamme avec un gros morceau de papier.

Généralement ce ne sont pas de jeunes poules que l'on accommode ainsi ; il faut donc compter quatre ou cinq heures de cuisson. Une heure avant que votre poule soit cuite, ajoutez trois quarts de riz que vous ne laissez pas trop crever (c'est-à-dire que, tout en étant cuit, le grain doit conserver sa forme). Servez le riz dans un plat creux ; débridez la poule et placez-la sur le riz.

DINDE

Il faut prendre de préférence les dindons qui ont la peau blanche et fine, qui sont tendres et gras et dont les pattes sont noires. La femelle est plus délicate que le mâle ; on la préfère pour un rôti.

Dinde rôtie. – Plumez, videz, flambez une dinde *(voy. manière de vider une volaille, page 108),* et mettez, dans l'intérieur du corps, une farce composée d'une demi-livre de chair à saucisse et d'un litre de marrons rôtis ou cuits à l'eau.

Pour faire cuire les marrons à l'eau, on enlève la première peau et on les met à l'eau froide ; lorsqu'ils sont cuits, on leur enlève la seconde peau et on les mêle sans les déformer à la chair à saucisse que l'on fait revenir dans du beurre chaud, on saupoudre ensuite avec une cuillerée de farine et on mouille le tout avec un demi-verre de bouillon. Il faut que la farce (mélange des marrons et de la chair à saucisse) soit épaisse ; salez et poivrez.

Remplissez alors la volaille avec la farce, recousez l'ouverture que vous avez faite pour la vider et bridez-la. *(Voy. manière de brider un perdreau, page 138).* Embrochez et mettez à feu pas trop vif et arrosez souvent avec le jus auquel vous mêlez un peu d'eau et de sel. *(Voy. manière d'embrocher une volaille, page 109).*

Dinde truffée. – Prenez une dinde grasse, pas trop grosse ; videz-la et flambez-la. Ayez une livre de truffes que vous lavez à plusieurs eaux et que vous frottez avec une brosse ; pelez-les comme les pommes de terre et prenez ces épluchures pour les hacher avec quelques-unes des plus petites truffes. Mettez dans une casserole une demi-livre de lard bien gras, ajoutez-y les truffes hachées et celles qui sont entières, puis du sel, poivre et épices, et une feuille de laurier. Laissez sur un feu doux pendant un quart d'heure, retirez les truffes et laissez-les refroidir.

Mettez ces truffes dans l'intérieur de la dinde, recousez toutes les ouvertures et bridez ensuite. *(Voy. manière de brider un perdreau, page 138).*

Gardez votre volaille ainsi apprêtée pendant trois ou quatre jours pour qu'elle ait le temps de se parfumer ; au bout de ce temps, couvrez-la d'une barde de lard gras, mince et mettez-la à la broche à feu pas trop vif. Mettez dans la lèchefrite un peu d'eau et de sel, tournez et arrosez souvent votre volaille ; deux heures et demie suffisent pour la cuisson. Servez-la entourée de cresson, avec une sauce Périgueux dans la saucière. *(Voy. sauce Périgueux, page 25).*

Abattis de dinde aux navets. – On appelle abattis, la tête, le cou, les pattes, les ailerons, le foie et le gésier.

On coupe la tête en deux dans la longueur, les

ailerons ainsi que le cou en deux ou trois, selon la grosseur, on nettoie bien le gésier et les pattes, que l'on fait griller une minute sur des charbons ardents pour ôter la peau dure, et on prépare ces abattis comme il suit :

Faites chauffer dans une casserole un peu de graisse ou de saindoux, placez-y les abattis pour leur faire prendre couleur, excepté les pattes qui durciraient. Lorsque tous vos morceaux sont de belle couleur, ôtez-les ; mettez ensuite dans la casserole deux cuillerées de farine que vous laissez bien roussir ; puis ajoutez deux verres d'eau, sel, poivre, bouquet de persil, thym et laurier, et vos morceaux d'abattis. Faites alors jaunir, dans le saindoux bien chaud, cinq ou six navets coupés en morceaux ; lorsqu'ils sont d'une belle nuance dorée, ajoutez-les à vos abattis et laissez cuire à feu pas trop vif. Une heure et demie de cuisson suffit. Dégraissez et servez dans un plat creux.

PIGEON

Les pigeons de volière sont préférables à ceux de colombier ; il faut les prendre quand ils commencent à descendre du nid et qu'ils ne mangent pas encore tout seuls. Pour les tuer, on les étouffe en les pressant sous les ailes.

Pigeon rôti. – Plumez, videz et flambez un pigeon ; lorsqu'il est bridé *(voy. manière de brider un perdreau, page 138)* ayez une barde de lard gras et mince que vous placez sur le ventre du pigeon et que vous fixez avec un peu de fil faisant deux ou trois fois le tour.

Faites ensuite deux ou trois incisions sur le lard ; embrochez votre pigeon et mettez-le à feu vif. Une demi-heure de cuisson suffit. Débrochez-le ensuite, enlevez la ficelle que vous avez mise pour le brider ; laissez la barde, mais ôtez le fil qui la retient et servez sur un plat avec le jus de la cuisson, auquel vous avez ajouté une ou deux cuillerées d'eau ou de bouillon et une pincée de sel.

Pigeons aux pois. – Faites jaunir dans le beurre chaud ou dans la bonne graisse un ou deux pigeons que vous avez plumés, vidés et bridés comme il est dit pour la volaille et le perdreau *(pages 108 et 138)*. Quand le pigeon est bien jaune, retirez-le et mettez un quart de lard de poitrine coupé en morceaux ; laissez ce lard bien jaunir et, lorsqu'il a pris couleur, retirez-le et mettez deux bonnes cuillerées de farine. Mouillez ensuite avec deux verres d'eau lorsque la farine est brune et ajoutez sel, poivre, un bouquet de persil, thym et laurier ; remettez le lard et un litre de pois. Lorsque les pois sont à moitié cuits, replacez vos pigeons et laissez cuire. Il faut en tout une heure et demie, deux heures au plus de cuisson.

Pigeons en compote. – Préparez deux pigeons, comme il est dit ci-dessus. Mettez du beurre dans la casserole, gros comme un œuf ou de la bonne graisse ; lorsque le beurre est chaud, mettez-y vos pigeons et laissez-les jaunir. Lorsqu'ils sont d'une belle couleur, retirez-les et faites prendre couleur à un quart de lard maigre coupé en morceaux, puis faites un roux avec deux cuillerées de farine que vous mettez dans le même beurre. Laissez bien roussir et, lorsque votre farine est d'une nuance brun foncé, ajoutez deux verres d'eau ou de bouillon (ce qui est préférable) ; dans ce dernier cas, salez peu, mettez deux pincées de poivre et un bouquet de persil, thym et laurier. Remettez les pigeons, une dizaine de petits oignons, le lard et quinze minutes avant de servir, un quart de champignons. On peut ajouter des olives et des quenelles. *(Voy. quenelles, page 28).*

Servez les pigeons dans un plat creux, les oignons, le lard et les quenelles autour et arrosez avec la sauce. Entourez le plat de croûtons frits dans le beurre.

CANARD DOMESTIQUE – OIE

Le canard domestique bien nourri est très bon. Le meilleur moment pour le manger est de septembre à février.

Pour être bonne, l'oie doit être jeune, sa graisse blanche et sa peau fine. Lorsque le bec est dur à casser et la peau très blanche, cela indique que l'oie est vieille.

Canard rôti. – Se fait comme le pigeon. *(Voy. pigeon rôti, page 119).* Il faut une demi-heure ou trois quarts d'heure de cuisson.

Canard aux pois. – *(Voy. pigeons aux pois, page 120).*

Canard aux navets. – Se fait comme les abattis de dinde aux navets *(voy. page 118),* seulement on laisse le canard dans son entier.

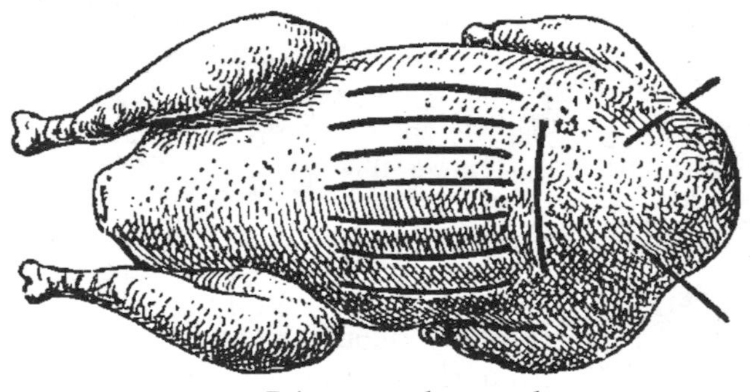

Découpage du canard.

Canard aux olives. – *(Voy. poulet aux olives, page 115).*

Oie rôtie. – Se prépare comme la dinde et se fait cuire de même. *(Voy. dinde rôtie, page 117).* Elle peut aussi être farcie avec chair à saucisse et *marrons.* Il faut au moins deux heures et demie de cuisson. On ôte de temps en temps la graisse qui découle pour qu'elle ne déborde pas de la lèchefrite.

Généralement on sert, avec l'oie rôtie, du riz cuit *à la créole.* Pour cela, vous mettez une demi-livre de riz dans un litre d'eau avec sel et vous laissez cuire sans que le grain soit déformé, puis vous l'égouttez et le servez dans un plat creux ou vous lui faites prendre forme dans un moule uni que vous renversez avant de servir.

La graisse d'oie est excellente pour accommoder des légumes ou même pour être mangée sur des tartines de pain grillé, en guise de beurre.

Oie en daube. – *(Voy. daube ou galantine de volaille, page 110).*

Abattis d'oie. – Se préparent comme les abattis de dinde. *(Voy. page 118).*

Restes de volaille rôtie *(Poulet, dinde, pigeons)*. – Les restes de volaille peuvent s'accommoder comme il est indiqué pour les restes de veau. *(Voy. page 91).* On peut aussi les manger froids en les accompagnant d'une mayonnaise simple *(voy. sauce mayonnaise, page 22),* d'une mayonnaise garnie de feuilles de laitue et d'œufs durs hachés ou d'une rémoulade. *(Voy. sauce rémoulade, page 24).*

Si les restes ne sont que des débris de chair, on peut les hacher et en faire des croquettes *(voy. page 29),* des coquilles *(voy. page 194)* et des rissoles. *(Voy. page 337).*

Restes de volaille en fricassée. – Mettez dans une casserole un morceau de beurre de la grosseur d'un œuf de pigeon, laissez-le fondre à feu doux, puis ajoutez une cuillerée de farine et remuez. Aussitôt que la farine est mêlée au beurre, mouillez-la d'un verre d'eau tiède que vous mettez petit à petit en ayant soin de remuer. Salez, poivrez et ajoutez quelques champignons et de petits oignons. Faites cuire, puis mettez vos restes de poulet que vous laissez chauffer.

Lorsque ces restes sont chauds, rangez-les dans un plat creux, liez la sauce avec un jaune d'œuf *(voy. liaison à l'œuf, page 13),* versez sur la volaille avec les champignons et les oignons ; décorez le plat de croûtons frits dans le beurre et taillés en losanges. On peut ajouter un jus de citron.

RESTES DE POULET EN FRICASSÉE. – Si vous avez accommodé un poulet en fricassée, il vous en restera certainement le lendemain ; prenez chacun des morceaux séparés et garnis de sauce, roulez-le dans de la mie de pain pas trop fine. Cassez un œuf que vous battez en omelette et ajoutez une cuillerée d'huile ; trempez dedans chacun de vos morceaux de volaille et passez-les de nouveau dans la mie de pain. Faites frire à friture bien chaude *(voyez friture, page 21)* et servez vivement. Décorez le plat de persil frit.

Restes de canard rôti. – Les restes de canard peuvent s'accommoder en salmis de la manière suivante :

Mettez dans une casserole un morceau de beurre gros comme la moitié d'un œuf ; lorsqu'il est fondu à feu doux, ajoutez-y une bonne cuillerée de farine ; laissez roussir, puis mettez un oignon et de la ciboule hachés fin ; lorsque le tout est bien revenu, versez-y un verre de bouillon et un verre de bon vin rouge. Salez, poivrez et mettez dans cette sauce vos restes de canard ; ajoutez un peu de zeste de citron, et un bouquet de persil, thym et laurier. Laissez sur feu doux pendant une heure, ôtez le bouquet, écrasez le foie de canard, si vous l'avez conservé, et liez votre sauce avec. Servez sur de petites tartines de pain grillées.

Restes de canard aux olives. – Préparez un roux *(voy. roux, page 16) ;* ajoutez, lorsqu'il est fait, un quart d'olives rondes, auxquelles vous avez ôté les noyaux ; et faites chauffer les restes de canard dans cette sauce.

Restes d'oie. – Les restes d'oie peuvent être arrangés comme les restes de canard, en salmis et aux olives ; on peut encore les accompagner d'une sauce mayonnaise, d'une sauce rémoulade, d'une sauce Soubise. *Voy. ces sauces, pages 22, 24, 30).*

Restes de poulet rôti. – Mettez dans un plat creux deux œufs (jaune et blanc), sel, poivre, une cuillerée à bouche d'huile d'olive et une cuillerée d'eau. Battez le tout ensemble, prenez chacun des morceaux de poulet et trempez-les dans cette omelette ; roulez-les ensuite dans de la mie de pain émiettée fin et faites frire à friture chaude *(voy. friture, page 21) ;* puis égouttez dans la passoire et servez en pyramide avec du persil frit.

GIBIER ET LAPIN DOMESTIQUE

SANGLIER

Le sanglier étant le porc à l'état sauvage, on l'accommodera comme le porc. Seulement le sanglier est meilleur lorsqu'il est mariné pendant quatre ou cinq jours avant d'être cuit. *(Voy. marinade, page 30).*

CHEVREUIL

Pour que le chevreuil soit bon, il faut qu'il soit mariné pendant quelques jours.

Gigot de chevreuil mariné. – Enlevez la peau du gigot et piquez celui-ci de lardons fins, puis faites-le mariner pendant cinq ou six jours dans une marinade préparée comme suit : un verre de vin rouge, un demi-verre de vinaigre, sel, poivre, persil, thym, laurier, oignons coupés en rouelles (en ronds), carottes coupées de même et trois cuillerées d'huile. Retournez tous les jours votre gigot. Otez-le ensuite de la marinade et mettez-le à la broche (une heure et demie de cuisson suffit) ; arrosez avec la marinade et servez avec une sauce piquante ou poivrade. *(Voy. ces sauces, pages 20 et 22).*

Si vous servez le gigot comme rôti, mettez-le sur un plat long et la sauce dans une saucière. Si, au contraire, vous le servez après le potage, comme entrée, placez-le sur un plat rond et arrosez-le avec la sauce.

Filet de chevreuil rôti. – Faites cuire comme le filet de bœuf *(voyez filet de bœuf, page 62)* ; seulement, marinez-le deux ou trois jours avant de le faire cuire. *(Voy. marinade, page 30).*

Civet de chevreuil. – Prenez une livre et demie de poitrine de chevreuil et coupez-la en morceaux d'égale grosseur.

Ayez un quart de lard de poitrine que vous coupez en petits morceaux et que vous faites jaunir dans le beurre ou dans un peu de bonne graisse. Lorsque votre lard est jaune, retirez-le et mettez les morceaux de poitrine dans le même beurre pour qu'ils prennent couleur.

Quand les morceaux sont bien colorés, saupoudrez-les de deux bonnes cuillerées de farine et laissez un moment sur le feu pour que la farine brunisse. Lorsque vous voyez celle-ci d'une belle nuance marron, vous ajoutez deux verres d'eau et un verre de vin rouge. Mettez sel, poivre, bouquet de thym, laurier et persil, une gousse d'ail et les petits morceaux de lard ; ajoutez quelques petits oignons et, une demi-heure avant de servir, quelques champignons. Pour ce civet, il faut une heure et demie de cuisson.

Servez dans un plat creux en mettant les morceaux de chevreuil d'abord, puis les oignons, le lard et les champignons, et arrosez le tout avec la sauce. Si celle-ci est trop claire, laissez-la un moment sur le feu sans la couvrir afin qu'elle épaississe ou bien mettez un peu de fécule. *(Voy. page 14, liaison à la fécule).* Vous pouvez ajouter quelques petits croûtons frits dans le beurre, que vous placez autour du plat.

Côtelettes de chevreuil. – Préparez ces côtelettes comme celles de mouton *(voy. côtelettes de mouton, page 76)* et mettez gros comme un œuf de beurre dans un plat qui aille au feu. Lorsque le plat est chaud, placez-y les côtelettes et laissez-les dix minutes en ayant soin de les retourner ; dressez-les ensuite en couronne sur un plat, et versez une sauce poivrade. *(Voy. sauce poivrade, page 22).*

Restes de chevreuil. – Les restes de chevreuil peuvent être réchauffés dans une sauce piquante ou poivrade. *(Voy. sauces piquante et poivrade, pages 20 et 22).*

CERF – BICHE – DAIM

Le cerf, la biche et le daim ont entre eux beaucoup de ressemblances, quoique le daim soit le plus petit. On peut accommoder ces gibiers comme le chevreuil. *(Voy. ci-dessus).*

LIÈVRE

Le lièvre des montagnes vaut mieux que celui de la plaine.

Le levraut est un jeune lièvre.

On dépouille le lièvre, on le vide et on le découpe comme le lapin. *(Voy. tout ce qui concerne le lapin, page 132).*

Lièvre en civet. – Prenez un lièvre que vous dépouillez et videz comme il est dit pour le lapin *(page 133)*. Gardez le râble (c'est-à-dire les reins et les cuisses) pour faire mariner et servez-vous-en comme rôti. Prenez le devant, c'est-à-dire les épaules, le coffre, le cou et la tête pour faire votre civet.

Mettez dans la casserole gros comme un œuf de beurre ou de graisse de rôti ou de volaille ; lorsque votre graisse ou votre beurre est chaud, mettez-y un quart de lard de poitrine que vous avez coupé en petits morceaux ; laissez bien jaunir ; quand vous verrez le lard d'une belle couleur, retirez-le et placez dans la casserole le devant du lièvre que vous avez détaillé en morceaux ; laissez prendre couleur.

Quand tous les morceaux sont bien revenus, saupoudrez de deux cuillerées de farine et laissez un peu roussir, puis ajoutez un bon verre d'eau et deux verres et demi de vin rouge ; remettez le lard, sel, poivre, épices, bouquet de persil, thym et laurier et quelques petits oignons. Il faut, si on le peut, garder le sang du lièvre et le mettre dans le civet un quart d'heure seulement avant de servir *(voy. liaison au sang, page 14)*. Ajoutez aussi quelques champignons une demi-heure avant que votre civet soit cuit.

Il faut, pour la cuisson de ce plat, deux heures au moins à feu pas trop vif et avoir soin de laisser le civet couvert tout le temps. Enlevez ensuite le bouquet et servez votre civet dans un plat creux ; placez dessus quelques petits croûtons frits dans le beurre.

Lièvre haché en terrine. – Désossez un lièvre très frais et prenez une livre de rouelle de veau, une livre de porc frais maigre et un peu de gras de bœuf, thym, laurier, persil, ciboule ; hachez le tout très fin, poivrez, salez et ajoutez un clou de girofle.

Prenez ensuite une terrine à pâté, garnissez-la de bardes de lard ; mettez votre hachis par lits et chaque lit séparé par des bandes de lard coupées minces ; arrosez le tout avec un verre d'eau-de-vie : recouvrez de bardes de lard ; placez le couvercle que vous fermez avec des bandes de pâte et faites cuire au four. Il faut au moins quatre à cinq heures de cuisson.

Levraut sauté. – Prenez un jeune levraut, dépouillez-le, videz-le, coupez-le par morceaux d'égale grosseur et mettez-le dans la poêle avec un bon morceau de beurre, sel, poivre, épices, échalotes et persil hachés ; faites bien *revenir* le tout (on entend par revenir : laisser prendre couleur) ; ajoutez un bon verre de vin blanc et un peu de bouillon ou d'eau. Quand le levraut commence à bouillir, retirez-le du feu et servez à toute sauce. Il faut à peu près trois quarts d'heure pour la cuisson.

Emincé de lièvre aux champignons. – Prenez deux belles cuisses de lièvre rôties et froides, désossez-les et mettez la chair dans une casserole avec un morceau de beurre de la grosseur d'une noix, huit ou dix champignons, persil et échalotes hachés. Lorsque le beurre est fondu, vous ajoutez une petite cuillerée de farine que vous laissez jaunir et vous arrosez ensuite avec un demi-verre de vin blanc, sel et poivre.

Manière de dépouiller un lapin ou un lièvre.

Avant de servir, mettez un jus de citron. Servez avec des croûtons frits dans le beurre que vous arrangez autour du plat.

Restes de lièvre. – Les restes de lièvre se font : 1° en *salmis* comme pour le canard *(voy. restes de canard, page 124)* ; 2° en croquettes de la façon suivante :

Enlevez la chair qui tient aux os, hachez-la et mêlez-la avec la chair à saucisse ; ajoutez-y un petit morceau de mie de pain trempée dans du bouillon et bien pressée, sel, poivre, persil et civette hachés fin. Mettez le tout dans une casserole avec un petit morceau de beurre ; laissez prendre couleur sur le feu, puis faites refroidir. Lorsque la farce est bien froide, ajoutez un jaune d'œuf ; formez des boulettes que vous farinez d'abord et panez ensuite dans de la mie de pain pas trop fine. Faites frire à friture chaude *(voy. friture, page 21)* et servez les boulettes garnies de persil frit.

LAPIN DE GARENNE

On l'accommode comme le lièvre *(voy. ci-dessus)* ou comme le lapin domestique. *(Voy. ci-après).*

LAPIN DOMESTIQUE

Le lapin pour être bon, doit avoir cinq ou six mois ; plus jeune il n'a pas de goût et plus âgé il est quelquefois coriace.

Un lapin bien préparé est un très bon mets.

Il vaut mieux saigner les lapins pour les tuer parce qu'on

peut recueillir le sang, qui doit servir à les apprêter.

Pour saigner le lapin, il suffit de lui plonger un couteau sous le cou, entre les deux pattes de devant ; de cette façon on atteint le cœur et l'animal meurt presque sans avoir souffert.

MANIÈRE DE DÉPOUILLER UN LAPIN. – Commencez par prendre un couteau pointu et faites une incision à la peau entre les cuisses ; cette incision doit avoir cinq centimètres à peu près. Ouvrez la peau et repliez les pattes de derrière, de manière à faire passer les cuisses par l'incision que vous avez faite ; brisez la patte au dernier joint et sortez-la complètement de la peau : faites de même pour l'autre côté.

Aussitôt que le train de derrière est dégagé, renversez la peau jusqu'aux épaules et dégagez les pattes de devant que vous coupez au premier joint. Lorsqu'il ne reste plus que la tête, détachez la peau en donnant quelques petites incisions à l'aide du couteau.

MANIÈRE DE VIDER UN LAPIN. – Lorsque votre lapin est dépouillé, videz-le de la façon suivante :

Fendez la peau du ventre dans toute sa longueur, depuis les cuisses jusqu'à la poitrine. Faites attention de ne pas crever les intestins. Enlevez ceux-ci. Gardez le foie que vous débarrassez de l'amer. L'*amer* est une petite poche verte qui tient au foie et qu'il faut se garder de crever, car le foie ne serait plus mangeable. Essuyez bien le fondement pour qu'il n'y reste aucune saleté et enlevez une petite boule de graisse qui se trouve près de la queue.

MANIÈRE DE DÉCOUPER UN LAPIN POUR LE METTRE EN GIBELOTTE. – Enlevez les deux épaules et faites-en quatre morceaux. Opérez de même pour les deux cuisses ; seulement ces dernières étant plus grosses que les épaules, on peut faire trois morceaux de chaque cuisse.

Enlevez la chair du ventre de chaque côté, tout le long des côtes. Prenez chaque morceaux de chair et tournez-le sur le doigt de manière à le nouer. Ces deux morceaux sont très délicats. Détachez la tête du cou et fendez-la en deux dans la

Ecorchage et découpage du lapin et du lièvre.

longueur ; détachez le cou et faites-en deux morceaux. Détachez la poitrine jusqu'aux reins et coupez-la dans le sens de la longueur et, de chaque morceau, faites-en trois. Coupez le râble en morceaux de l'épaisseur de deux doigts, mais cette fois dans le travers. Votre lapin étant entièrement coupé, assaisonnez-le comme il convient.

MANIÈRE DE MARINER LE LAPIN ET LE LIÈVRE. – Si vous voulez garder le râble et les cuisses comme rôti, ne détachez pas les cuisses et mettez mariner le train de derrière avec thym, laurier, persil, ail, carottes et oignons coupés en ronds, deux ou trois cuillerées de vinaigre et quatre cuillerées d'huile, poivre et sel. Laissez mariner pendant deux ou trois jours, et ayez le soin d'arroser chaque jour.

Lapin en gibelotte. – Quand votre lapin est dépouillé et vidé, vous le coupez en morceaux comme il est dit ci-dessus ; vous mettez un bon morceau de beurre dans la casserole ; vous placez vos morceaux de lapin dans le beurre chaud et vous les laissez bien revenir, c'est-à-dire prendre couleur.

Lorsque vous voyez vos morceaux bien jaunes, saupoudrez-les avec deux cuillerées de farine, puis tournez avec une cuiller de bois, pour que la farine se mêle bien ; ajoutez une demi-bouteille de bon vin blanc. Lorsque votre vin bouillira, mettez-y un quart de lard maigre coupé en morceaux et que vous avez fait jaunir à part, un bouquet de persil, thym et laurier, sel, poivre, épices et une douzaine de petits oignons. Quinze minutes avant complète cuisson, mettez un quart de champignons ; avant de servir, enlevez le bouquet de persil et ajoutez du sang du lapin que vous avez recueilli. *(Voy. liaison au sang, page 14).*

Vous pouvez mettre cinq ou six pommes de terre de moyenne grosseur, mais dans ce cas vous supprimez les champignons.

Lapin à la Marengo. – Ayez un jeune lapin que vous dépouillez et videz. Coupez-le ensuite en morceaux comme il est dit ci-dessus. *(Voy. manière de découper le lapin, page 133).*

Mettez deux cuillerées d'huile dans une casserole et laissez cette huile bien chauffer ; lorsque vous voyez qu'elle fume, mettez-y les morceaux de lapin ; salez et poivrez et faites cuire à feu vif (une demi-heure suffit pour la cuisson).

Laissez votre casserole sur le bord du fourneau ; prenez la moitié de l'huile qui a servi à faire cuire le lapin et mettez-la dans une petite casserole ; laissez bien chauffer et faites cuire dedans une douzaine de champignons, persil haché fin et, si vous le voulez, une truffe coupée en lames très minces. Ajoutez deux cuillerées de sauce tomate *(voy. sauce tomate, page 23)* et, lorsque vos champignons sont cuits, servez les morceaux de lapin dans un plat en les arrosant avec la sauce, à laquelle vous ajoutez un jus de citron.

Lapin mariné *(rôti)*. – Prenez le train de derrière d'un lapin, c'est-à-dire les cuisses et le râble que vous ne détaillez pas. Faites mariner comme il est dit plus haut *(voy. manière de mariner le lapin, page*

135), et mettez, au bout de trois jours de marinade, votre râble à la broche. Vous pouvez couvrir ce râble avec une barde de lard gras de 10 centimètres de largeur sur 15 à 20 centimètres de longueur, que vous ficelez sur le lapin.

Mettez votre rôti devant un feu pas trop vif et arrosez avec la marinade que vous versez dans la lèchefrite.

Lapin au père Douillet. – Coupez les meilleurs morceaux du lapin et faites-les jaunir dans le beurre avec quelques petits morceaux de lard d'égale grosseur. Quand vos morceaux sont bien revenus, c'est-à-dire lorsqu'ils ont pris couleur, versez dessus un bon verre de vin blanc et un demi-verre de bouillon ou d'eau, persil, ciboule et échalotes hachés, sel et poivre. Laissez cuire une heure et, au moment de servir, ajoutez un petit morceau de beurre que vous avez mélangé avec une demi-cuillerée de fécule. Tournez, pour que le beurre et la fécule se lient à la sauce, et servez.

Restes de lapin rôti. – Les restes de lapin rôti peuvent être accommodés de la même manière que les restes de veau *(voy. page 91)* et de volaille. *(Voy. page 123)*.

On peut aussi les manger froids.

PERDREAUX – PERDRIX – FAISAN

Les perdreaux doivent être choisis jeunes, ce qu'on reconnaîtra facilement par la première plume de l'aile qui est pointue à l'extrémité. On voit encore qu'un perdreau est jeune en pinçant le bec : s'il ploie, le perdreau est tendre.

En outre, plus un perdreau est jeune, plus ses pattes ont une nuance claire ; plus il est vieux, plus les pattes sont brunes, et alors il n'est bon qu'apprêté aux choux.

Un perdreau, pour être bon, doit être mangé deux ou trois jours après qu'il a été tué ; il n'est pas pour cela *faisandé,* mais il est meilleur que tout frais.

Manière de vider un perdreau. – Faites avec un couteau une ouverture sous le cou, puis détachez un gros cornet qui tient à la poche que vous enlevez aussi. Faites une autre incision entre la cuisse et l'estomac et mettez de côté

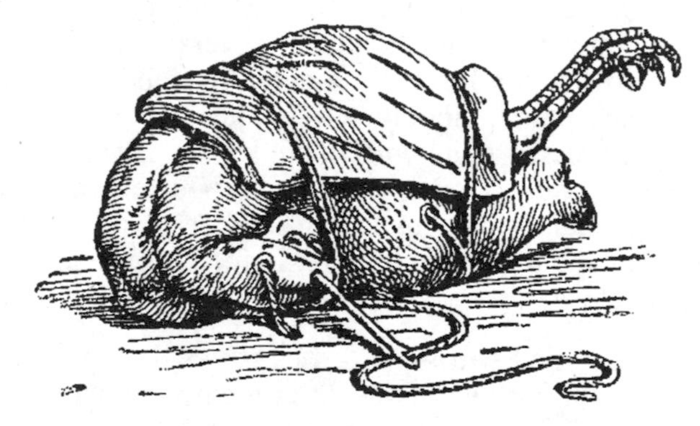

Perdreau bardé et troussé pour la broche.

les boyaux, le foie et le gésier ; le foie n'a pas d'amer. Remettez le foie dans l'intérieur, recousez l'ouverture que vous avez faite et troussez votre perdreau.

Manière de brider ou trousser un perdreau. – Tournez le cou du perdreau de manière à placer la tête sous l'aile ; repliez les deux ailes en faisant passer le petit bout de l'aileron sur le dos, puis prenez une aiguille à brider, passez-y un bout de ficelle de 60 centimètres à peu près ; piquez votre aiguille sur l'aile qui tient la tête et traversez le perdreau en piquant l'autre aile. Tirez ensuite votre ficelle et maintenez-la pour qu'elle ne passe pas ; replacez votre aiguille *sous l'aile* et traversez de nouveau en piquant sous la première aile ; désenfilez votre aiguille et attachez les deux bouts de ficelle ensemble ; nouez serré pour donner à votre perdreau une jolie forme. Pour les cuisses, faites de même que pour les ailes, en ayant soin cependant de piquer les cuisses deux fois afin de les bien maintenir près du corps.

Perdreau rôti. – Plumez, videz et flambez un perdreau (un perdreau suffit pour trois personnes). Lorsque votre perdreau est bridé, ayez une barde de lard gras et mince, que vous placez sur le ventre de votre perdreau et que vous fixez avec un peu de fil faisant deux ou trois fois le tour.

Faites ensuite deux ou trois incisions sur le lard ; embrochez votre perdreau et mettez-le à feu vif. Une demi-heure de cuisson suffit ; trop cuit, le perdreau n'aurait plus autant de saveur. Débrochez ; ôtez la ficelle que vous avez mise pour le brider, laissez la barde, mais enlevez le fil qui la retient et servez sur un plat, avec une ou deux cuillerées d'eau ou de bouillon et une pincée de sel.

Perdreaux truffés. – Prenez deux perdreaux pour 6 ou 7 personnes, choisissez-les bien jeunes et bien tendres ; plumez-les, videz-les et flambez-les. Lorsqu'ils sont ainsi préparés, prenez deux truffes bien noires que vous brossez et lavez à plusieurs eaux ; pelez-les pour enlever la petite peau de dessus et hachez ces épluchures que vous mêlez à 250 grammes de chair à saucisse. Mettez ce hachis dans la casserole avec les truffes coupées en tranches minces, et avec du sel, du poivre et des épices ; laissez sur un feu doux pendant un quart d'heure, puis versez dans un plat et faites refroidir.

Lorsque votre farce est froide, garnissez l'intérieur de vos perdreaux, puis glissez quelques tranches de truffes sous la peau que vous rabattez et cousez les ouvertures ; bridez vos perdreaux et couvrez-les avec une barde de lard très mince ; enfin laissez-les deux jours au frais pour qu'ils soient bien parfumés.

Perdrix au chou. – Préparez deux perdrix qui suffisent pour 7 à 8 personnes. Il n'est pas nécessaire qu'elles soient jeunes, parce qu'elles perdent de leur délicatesse étant accommodées au chou.

Mettez dans une casserole du beurre gros comme un œuf ; lorsqu'il est fondu et chaud, placez-y vos perdrix pour qu'elles prennent couleur, ainsi qu'un quart de lard maigre coupé en tranches minces et deux ou trois saucisses longues.

Au fur et à mesure que les perdrix, le lard et les saucisses prennent couleur, ôtez-les et ajoutez au beurre deux cuillerées de farine que vous laisserez roussir, puis additionnez d'un verre d'eau ou, ce qui est préférable, d'un verre de bouillon, avec sel, poivre, épices et une carotte coupée en ronds.

Ayez ensuite un chou que vous coupez en quatre après avoir ôté les grosses côtes ; mettez-le à l'eau bouillante pendant 20 minutes ; lorsqu'il fléchit sous les doigts, égouttez-le. Remettez dans la casserole les perdrix, le lard, les saucisses et placez le chou autour ; laissez cuire pendant deux heures.

Dégraissez et servez vos perdrix sur le chou, le lard et les saucisses. On peut ajouter aux perdrix un cervelas que l'on coupe en ronds minces et que l'on met au moment de servir ; cela décore le plat.

Salmis de perdreaux. – Se fait comme celui de bécasses. *(Voy. page 144).*

FAISAN

Les jeunes faisans se reconnaissent à l'ergot qui n'est encore qu'un bouton. La femelle ne vaut pas le mâle, même vieux ; on la reconnaît au plumage qui est moins beau et à la queue qui est moins longue.

Pour que cet animal soit bon, il faut qu'il soit un peu faisandé, ce que l'on reconnaît au ventre qui change de couleur.

Vous plumez le faisan et le videz le jour même où il doit être servi, à moins qu'il soit truffé ; dans ce cas on peut le préparer au moins un jour à l'avance.

Faisan rôti. – Quand le faisan est à son point, on le plume, on le vide, on le flambe et on l'enveloppe d'un papier beurré ; on le met à la broche et, au bout d'une demi-heure, on enlève le papier pour que le faisan se dore au feu ; on l'arrose alors avec du beurre fondu dans la lèchefrite, auquel on ajoute une cuillerée de vin de Madère.

On prépare ensuite sept ou huit petites tartines de pain que l'on fait rôtir et que l'on met dans la lèchefrite un peu avant de servir. Au bout de trois quarts d'heure, on retire le faisan que l'on sert sur un plat long avec les tartines de pain autour, entre lesquelles on intercale des ronds de citron. On peut mettre de côté les ailes, le cou et la queue du faisan avec les plumes, puis, à l'aide de fils de fer, les replacer sur l'animal avant de l'apporter sur la table, ce qui lui donne l'apparence de la vie.

COQ DE BRUYÈRE GÉLINOTTE – PINTADE

Le coq de bruyère, la gélinotte, la pintade peuvent se préparer comme le faisan. *(Voy. ci-dessus).*

CAILLES – GRIVES

La véritable saison pour les cailles est le mois de septembre ; il faut les choisir rondes et grasses ; les jeunes ont le plumage moins rayé que les vieilles. La meilleure manière de cuire la caille est à la broche ; il ne faut pas qu'elle soit faisandée.

Cailles rôties. – Plumez, flambez, videz et bridez votre caille comme il est dit au perdreau *(voy. manière de vider et brider un perdreau, page 138) ;* couvrez-la ensuite d'une feuille de vigne et enveloppez-la d'une barde de lard très mince ; embrochez par le travers du corps et faites cuire à feu vif, pendant une demi-heure.

Cailles au chasseur. – Plumez, videz et flambez deux cailles ; bridez-les et mettez-les dans la casserole avec un morceau de beurre, du persil et des échalotes hachés, une feuille de laurier, sel, poivre et épices ; lorsque les cailles ont pris couleur, saupoudrez avec une cuillerée de farine et mouillez avec un demi-verre d'eau et un demi-verre de vin blanc. Laissez cuire une demi-heure ; servez sur un plat creux en arrosant avec la sauce de la cuisson et ajoutez un jus de citron. Retirez ensuite la feuille de laurier et mettez autour du plat quelques croûtons passés dans le beurre.

Grives. – La grive est grasse et très bonne en automne. On la plume, mais on ne la vide pas. On enlève seulement le gésier en pressant sur le ventre pour le faire sortir. Les grives se mangent rôties.

MAUVIETTES OU ALOUETTES

Les mauviettes sont surtout bonnes en hiver parce qu'elles sont grasses ; elles ne doivent pas se vider, on enlève seulement le gésier comme on le fait pour les grives. *(Voy. ci-dessus).*

Enveloppez les mauviettes d'une petite barde de lard excessivement mince et faites cuire à la broche à feu vif pendant vingt minutes. Mettez dans la lèchefrite des tranches de pain grillées et placez une tranche sous chaque mauviette. On sert les mauviettes sur la table, enfilées dans des brochettes. Il faut une mauviette par personne.

BÉCASSES ET BÉCASSINES

La bécasse est un mets très recherché, mais elle n'est bonne qu'en hiver. On peut la garder cinq ou six jours ; il faut la choisir bien grasse et bien en chair.

Bécasses rôties. – On ne vide pas les bécasses ; on enlève les yeux, on coupe les ailerons, on les bride comme on bride un perdreau *(voy. page 138)* et l'on met dessus une barde de lard. La bécasse se fait cuire à la broche et se découpe membre par membre.

Mettez dans la lèchefrite, pendant la cuisson, des tranches de pain grillées qui doivent recevoir ce qui tombe de l'intérieur des bécasses. Une demi-heure de cuisson suffit. Décrochez, ôtez la ficelle et servez sur des tranches de pain.

Salmis de bécasses. – Faites cuire deux bécasses à la broche *(voy. ci-dessus)* et enlevez les membres, puis préparez la sauce suivante :

Prenez la carcasse, le foie et l'intérieur, excepté le gésier, et pilez le tout dans un mortier jusqu'à ce que vous ayez fait une pâte que vous délayez avec une demi-bouteille de vin rouge et un demi-verre de bouillon ; passez dans une passoire et mettez cette sauce dans une casserole avec du beurre gros comme une noix, sel, poivre et un peu de zeste de citron ; faites cuire à petit feu pendant une heure.

Prenez les membres de votre bécasse et faites-les chauffer dans la sauce sans bouillir. Si votre sauce est trop claire, liez-la au moment de servir avec un petit morceau de beurre que vous avez manié avec une demi-cuillerée de fécule. Mettez dans un plat creux trois ou quatre petites tranches de pain grillées placez les membres dessus et arrosez avec la sauce.

Bécassines. – La bécassine est plus petite que la bécasse, mais elle a beaucoup de ressemblance avec elle et s'apprête de même. *(Voy. ci-dessus).*

CANARD SAUVAGE

On accommode le canard sauvage comme le canard domestique. *(Voy. page 121).*

POULE D'EAU – SARCELLE

La poule d'eau et la sarcelle se préparent de la même manière que le canard domestique *(voy. page 121) ;* si on les présente comme rôtis, et si elles ne sont pas trop grasses, on peut mettre dessus une barde de lard. On peut les accommoder en salmis et les découper membre par membre.

MACREUSES ET BISETTES

Ces oiseaux de marais rendent de grands services pendant les jours d'abstinence, parce qu'il est admis par l'Eglise que ces oiseaux puissent être considérés comme maigres.

La macreuse est noire et la bisette grise ; elles ressemblent au canard, seulement le plumage est toujours mouillé, collé au corps et rempli de sable.

Ces oiseaux ne se plument pas ; on les écorche, parce que la peau ne peut être mangée, elle est dure et coriace. On les accommode en salmis de la manière suivante :

Faites un roux *(voy. page 16) ;* lorsque votre roux a une belle couleur brune pas trop foncée, jetez-y deux oignons hachés fin. Quand l'oignon est jaune, mouillez-le avec deux verres de vin rouge et un verre d'eau ; salez, poivrez et ajoutez aussi une bonne pincée d'épices et un bouquet de persil, thym et laurier ; mettez dans cette sauce la macreuse ou la bisette coupée en morceaux et laissez cuire une heure et demie à feu doux. Au moment de servir, liez la sauce avec le foie écrasé, tournez sur le feu un moment et présentez sur des tranches de pain grillé.

Restes de gibier. – La meilleure manière d'accommoder les restes de perdreaux est de les mettre en salmis avec ou sans truffes. *(Voy. salmis de bécasses, page 144).*

Les restes de faisan, de caille, de perdrix, de bécasse, de canard sauvage, se préparent aussi en salmis (avec ou sans truffes) ou aux champignons comme le filet de bœuf. *(Voy. filets sautés aux champignons, page 64).*

POISSONS

ET

COQUILLAGES

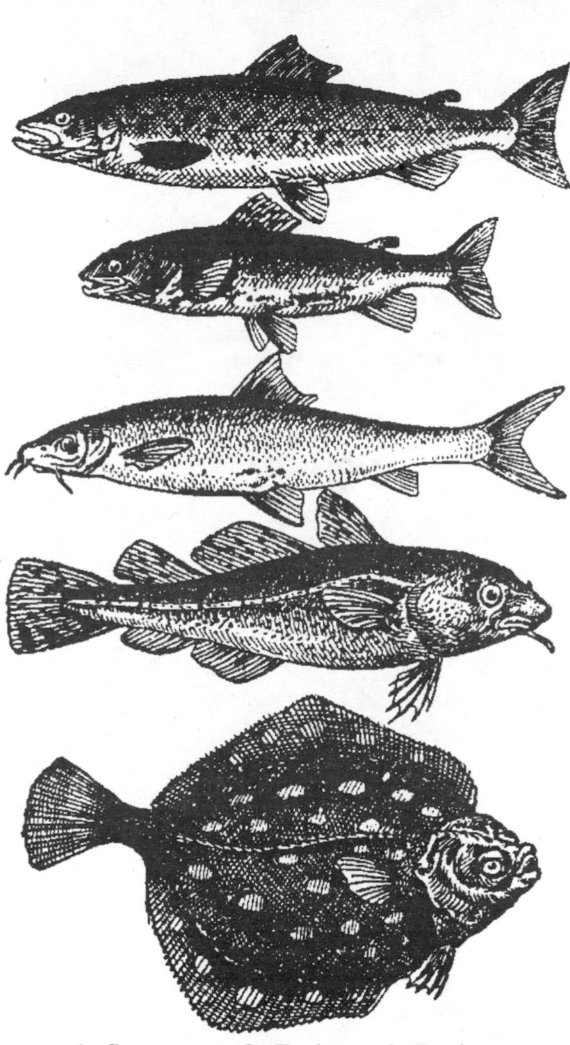

1. Saumon. – 2. Truite. – 3. Barbeau.
4. Eglefin. – 5. Carrelet.

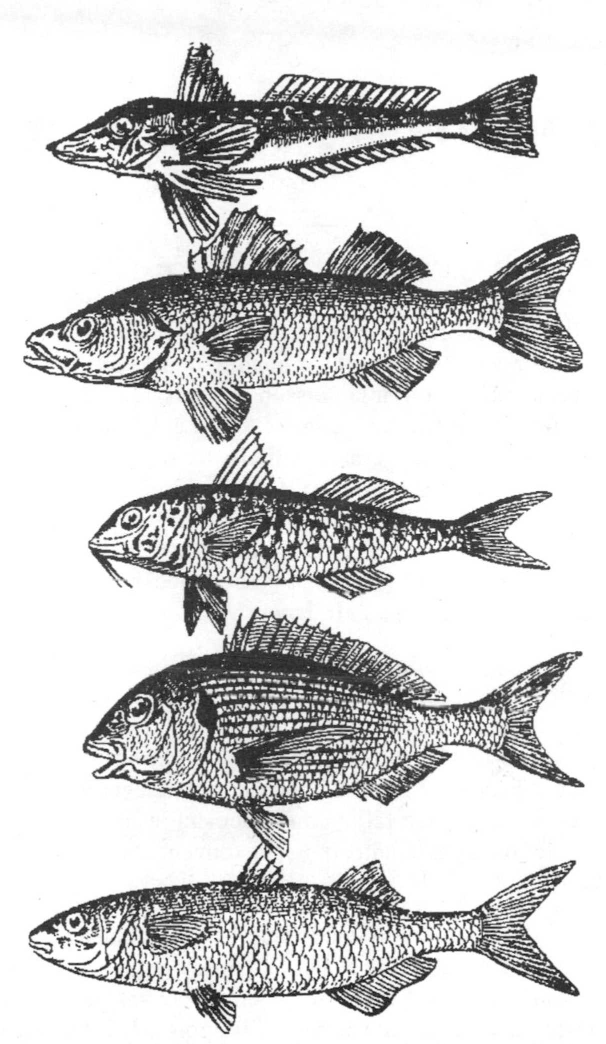

6. Rouget-Grondin. – 7. Bar. – 8. Rouget-Barbet.
9. Dorade. – 10. Mulet.

POISSONS ET COQUILLAGES

Il faut d'abord, pour le poisson, faire attention à la fraîcheur, car c'est là sa première qualité, puis le prendre ferme et épais. Pour savoir si le poisson est frais, regardez l'œil et les ouïes et rendez-vous compte s'il a été lavé, parce que dans ce cas la chair est terne et molle, ce qui est mauvais ; il vaut mieux qu'il soit couvert de limon. Lorsque le poisson est frais, l'œil est brillant et les ouïes sont d'un rouge clair ou grises à bord rosé. Les ouïes d'un rouge trop foncé sont quelquefois colorées par la marchande avec du sang de mouton, pour faire croire à la fraîcheur ; il faut donc se méfier.

Tous les poissons se vident ; quelques-uns s'écaillent, d'autres se dépouillent. Les petits poissons ont de très petits boyaux qu'on enlève par l'ouverture des ouïes ; pour d'autres, il faut faire une petite entaille au ventre, afin de pouvoir bien les nettoyer à l'intérieur et enlever le sang qui se serait amassé. On retire complètement les ouïes, mais on laisse les œufs ou la laite, qui sont souvent appréciés par les amateurs.

Pour écailler le poisson, il faut, avec un couteau, le gratter de la queue à la tête et faire attention de ne pas attaquer la peau, ce que l'on obtient en couchant le couteau. Lorsqu'on veut enlever la peau d'un poisson, il faut passer la pointe d'un couteau sous la peau pour la détacher, soit du côté de la tête soit du côté de la queue, puis on rabat la peau et l'on tire en la tenant avec un torchon pour qu'elle ne glisse pas des doigts.

Il faut conserver le poisson dans un endroit frais et l'essuyer plutôt que le laver.

Les poissons d'eau courante ont meilleur goût que ceux des étangs, qui sentent presque toujours la vase.

Cependant les poissons de rivière ont quand même une chair assez fade et demandent un assaisonnement un peu relevé.

Voici les différentes manières de faire cuire le poisson : le *court-bouillon,* le *bleu* et la *bonne-eau.*

COURT-BOUILLON. – Versez dans une poissonnière (ou tout autre chaudron spécial), de l'eau et du vin blanc par portions égales et en assez grande quantité pour que le poisson baigne en entier lorsqu'il faudra l'y mettre *plus tard.* (Le vin blanc peut être remplacé par un demi-verre de vinaigre). Ajoutez du sel, du poivre, un bouquet de persil, thym et laurier, un clou de girofle, une ou deux carottes et un gros oignon coupé en ronds.

Laissez bouillir trois quarts d'heure et déposez-y alors seulement le poisson ; à partir de ce moment, veillez-le pour qu'il ne se crevasse pas ; pour cela il ne faut pas que le feu soit trop vif. Dès que votre poisson est cuit, éloignez-le du feu et laissez-le dans l'eau jusqu'à ce que vous le serviez, ce que vous faites en le mettant sur un plat long entouré de persil en branches ; servez en outre, dans la saucière, la sauce (1) qui convient à l'espèce de poisson.

BLEU. – On cuit rarement les poissons au bleu, cependant la matelote se fait toujours ainsi. Au lieu de vin blanc on

---

(1) Ce renseignement est donné après chaque espèce de poisson que l'on passe en revue.

ajoute du vin rouge à l'eau et l'on procède comme pour le court-bouillon ci-dessus.

BONNE-EAU OU EAU DE SEL. – Mettez, dans la poissonnière ou dans un chaudron spécial, assez d'eau pour que votre poisson baigne en entier lorsque vous devrez l'y placer *plus tard ;* mettez du sel en suffisante quantité. Lorsque l'eau commence à bouillir, *mettez-y alors votre poisson* et laissez-le cuire doucement. Servez sur un plat long entouré de persil en branches et donnez la sauce *(voir la note, page 151)* qui conviendra à l'espèce de poisson que vous avez fait cuire.

SAUMON

Le saumon, dont le corps est court et rond, est celui qui est le plus estimé ; au moment de la ponte, sa chair est pâle et son goût est bien moins fin. On lui donne alors le nom de bécard.

Saumon au court-bouillon. – Videz votre saumon par les ouïes que vous enlevez d'abord et, si cela était nécessaire, faites une petite entaille sous la tête afin de ne rien laisser à l'intérieur ; essuyez bien votre poisson, écaillez-le doucement afin de ne pas attaquer la peau et lavez-le pour que les écailles ne restent pas collées sur le corps. Faites-le cuire ensuite au court-bouillon. *(Voy. court-bouillon page 151).* Si le saumon est gros, il faut deux heures de cuisson. Si, au lieu d'un saumon entier vous n'avez qu'un morceau, procédez de même, mais trois quarts d'heure suffiront.

Pour servir, disposez une serviette sur un plat long ou sur une planche de la forme du poisson ;

décorez de persil en branches et accompagnez le poisson d'une sauce blanche, hollandaise ou italienne *(voy. ces sauces, pages 16, 19, 25)* que vous servez à part dans la saucière.

Saumon à la béchamel. – Faites cuire votre saumon au court-bouillon *(voy. court-bouillon page 151),* puis préparez une sauce béchamel *(voy. cette sauce, page 15)* et mettez-y votre saumon coupé en petits morceaux ; laissez-les chauffer sans bouillir et servez-vous-en pour garnir une croûte de vol-au-vent ou de pâté. *(Voy. pâte pour croûte de pâté, page 328).*

C'est un plat que l'on fait surtout en carême.

Saumon salé. – Dessalez-le pendant 24 heures en ayant soin de changer l'eau ; puis faites-le cuire à l'eau sans sel et servez-le, soit en salade, soit à la sauce hollandaise *(voy. page 19),* soit sur une purée de pommes de terre ou de pois. *(Voy. pages 203 et 232).*

TRUITE

La truite a beaucoup de ressemblance avec le saumon ; on lui donne le nom de *saumonée* quand elle a la chair rose comme celle du saumon, seulement la truite a des taches noires sur les flancs, tandis que le saumon n'en a pas. En novembre et décembre, les truites perdent leur couleur saumon : c'est le moment où elles frayent ; elles ne retrouvent leur nuance qu'à partir d'avril, époque où elles sont surtout délicates.

La truite se prépare comme le saumon. Les petites truites de rivière ne sont pas saumonées et s'apprêtent de différentes manières : frites dans l'huile, – cuites au court-bouillon *(voy. court-brouillon, page 151),* avec une sauce maître d'hôtel, hollandaise *(voy. page 19),* – à la vinaigrette. *(Voy. page 29).*

Truites de rivière à la genevoise. – Elles ont à peine 30 centimètres et ne sont pas saumonées. Il faut deux truites pour quatre ou cinq personnes. Après les avoir vidées et écaillées, faites-les cuire au court-bouillon *(voy. court-bouillon, page 151),* puis préparez la sauce suivante :

Mettez dans la casserole un morceau de beurre gros comme la moitié d'un œuf, laissez-le fondre et ajoutez-y des champignons, persil et échalotes hachés. Quand vos fines herbes ont chauffé un moment, prenez une croûte de pain que vous avez fait cuire dans le court-bouillon en même temps que le poisson, égouttez cette croûte, ajoutez-la aux fines herbes et mouillez avec deux ou trois cuillerées de court-bouillon bien passées à la fine passoire ; salez, poivrez, mais ne mettez pas trop de sel parce qu'il faut tenir compte de celui qui a été mis dans le court-bouillon pour faire cuire le poisson. Egouttez les truites et servez-les sur la sauce.

Truites frites. – Ayez de la bonne huile d'olive, versez-en dans une poêle pour que les truites (des petites) trempent bien. Lorsque votre huile est bien chaude, mettez-y les truites que vous avez roulées dans la farine ; au bout d'un quart d'heure, elles doivent être cuites. Servez-les sur un plat, saupoudrez-les de sel et ornez le plat de tranches de citron. Ce mets est exquis.

ESTURGEON – THON – BAR

Esturgeon. – Ce poisson est renommé à cause de sa grosseur et de la qualité de sa chair ; on le pêche dans la mer, dans les grands fleuves et dans les lacs. Ses œufs, très nombreux, servent à faire le *caviar* très estimé en Russie et dans le nord de l'Europe. Sa chair est ferme et peut s'accommoder comme le veau ou le bœuf ou au court-bouillon. *(Voy. court-bouillon, page 151).*

Thon. – Le thon frais s'accommode comme le saumon, mais on le mange ordinairement mariné. On le trouve tout préparé chez les épiciers et les marchands de comestibles. Il peut, étant mariné, se servir avec une sauce mayonnaise blanche ou verte. *(Voy. ces sauces, page 22).*

Bar. – Les gros bars se font cuire au court-bouillon ou à la bonne-eau *(voy. ces cuissons, pages 151 et 152).* On peut aussi, s'ils sont petits, les mettre sur le gril ou les faire frire comme les petites truites.

Si on les met sur le gril, il faut avoir le soin de faire chauffer ce dernier qui doit être presque rouge, pour que le poisson ne s'y attache pas.

Après avoir écaillé celui-ci, faites-lui deux incisions de chaque côté avant de le mettre sur le gril. Vingt minutes de cuisson suffisent pour de petits bars. Lorsqu'ils sont cuits d'un côté, tournez-les de l'autre et servez avec une sauce maître d'hôtel. *(Voy. cette sauce, page 19).*

MULET – SURMULET

Mulet. – Se prépare comme le bar. *(Voy. page 155).* Il faut l'écailler.

Surmulet. – Ce poisson est classé parmi les poissons fins ; il est d'un gris légèrement rosé et doit être écaillé.

La meilleure manière de l'accommoder est de le faire cuire sur le gril en ayant soin de faire chauffer celui-ci pour que le poisson ne s'y attache pas. On le sert accompagné d'une sauce blanche *(voy. cette sauce, page 16),* dans laquelle on mêle, au moment de servir, le foie du poisson que l'on écrase bien ; cela donne une jolie teinte à la sauce.

Ce poisson peut aussi se faire cuire au court-bouillon. *(Voy. page 151).*

GRONDIN – ÉGLEFIN – DORADE

Grondin. – Le grondin, appelé aussi rouget à cause de sa couleur, a une grosse tête ; sa chair blanche est excellente. On le cuit au court-bouillon *(voy. page 151)* et il se sert avec une sauce blanche, ou une sauce tartare dans laquelle on a écrasé le foie. *(Voy. sauce blanche, page 16, et sauce tartare, page 23).*

Eglefin. – L'églefin a beaucoup de ressemblance avec le *cabillaud,* seulement il a les yeux plus grands et une raie de chaque côté du corps ; ses écailles fines doivent être enlevées. Il se prépare comme le cabillaud. *(Voy. cabillaud, page 163).*

Dorade. – Ce poisson est délicieux ; il faut le vider, l'écailler et le ciseler sur les côtés. Faites-le griller (il est meilleur ainsi) et servez avec une sauce maître d'hôtel. *(Voy. cette sauce, page 19).*

TURBOT – BARBUE – CARRELET

Le turbot nous vient de l'Océan ; Il est large et plat ; le meilleur est celui qui est blanc et épais ; il faut le prendre le plus frais possible et sans tache.

Turbot sauce aux câpres. – Après avoir bien lavé votre turbot, vous lui ôtez, sans l'endommager, les ouïes et les boyaux : vous lui faites une incision du côté noir sur la raie qui est près de la tête ; vous la découvrez et vous ôtez une partie de l'épine dorsale pour que votre turbot soit souple et qu'en cuisant il ne soit pas susceptible de se fendre ; ensuite, avec une aiguille à brider et de la ficelle, vous assujettissez la tête à l'os qui tient à la poche, puis vous préparez un court-bouillon. *(Voy. court-bouillon, page 151).*

Vous mettez ensuite votre turbot dans une turbotière avec le court-bouillon en plaçant le poisson du côté noir, de manière à ce que le ventre, que vous avez frotté de jus de citron, soit dessus. Une heure de cuisson suffit, à moins que le turbot ne soit très gros.

Enfin retirez votre turbot du court-bouillon et placez-le sur une planche ou sur un plat de longueur et de largeur convenables. Débridez la tête que vous avez assujettie et cachez avec des branches de persil les crevasses qui se seraient produites à la cuisson. Servez avec une sauce aux câpres dans la saucière. *(Voy. sauce blanche aux câpres, page 16).*

Turbot au gratin. – Prenez un petit turbot que vous écaillez, videz et lavez. Ayez un plat assez large pour que votre turbot ne soit pas déformé et garnissez le fond avec quelques petits morceaux de beurre placés de distance en distance, ainsi qu'avec sel, poivre, persil et ciboule hachés fin.

Placez alors votre turbot le côté blanc dessus. Mettez sur le poisson de petits morceaux de beurre semblables à ceux que vous avez mis au fond du plat, saupoudrez de sel, poivre, persil et échalotes hachés, mouillez le tout avec un verre de vin blanc.

Faites cuire ensuite à feu doux et arrosez de temps en temps. Lorsque votre turbot est à moitié cuit, saupoudrez-le de mie de pain émiettée très fin et que vous arrosez pour qu'elle soit imbibée.

Remettez votre poisson à four très chaud ou couvrez avec un four de campagne presque rouge pour que votre poisson prenne couleur.

Barbue. – La barbue ressemble au turbot, seulement sa chair est moins fine ; on peut l'accommoder de même. *(Voy. ci-dessus).*

Carrelet. – Le carrelet est un poisson plat que l'on emploie quelquefois comme le turbot *(voy. turbot, page 157)*, lorsqu'il est très épais ; autrement on le fait frire ou on le met au gratin comme la sole. *(Voy. sole, page 173).*

RAIE

La raie la plus estimée est la *raie bouclée,* nommée ainsi à cause de ses petites boucles qui s'aperçoivent sur sa peau de dessous et qui sont placées de distance en distance. La grosse raie appelée *raie turbot* est aussi très bonne ; seulement si on la mange lorsqu'elle vient d'être pêchée, sa chair est dure et coriace.

Pour vider ce poisson, il faut lui ouvrir le ventre et ôter ce qui est à l'intérieur ; on met de côté le foie, qui, cuit avec la raie, est excellent.

Raie au beurre noir. – Versez suffisamment d'eau dans une casserole pour que la raie ou le morceau de raie baigne entièrement lorsque vous le mettrez *plus tard* dans cette eau, puis ajoutez-y un bouquet de persil, thym et laurier, sel et poivre. Lorsque l'eau bout, mettez-y votre raie et le foie et laissez cuire vingt ou vingt-cinq minutes. Le foie peut être ôté avant que la raie soit cuite.

Enlevez ensuite votre poisson de l'eau, laissez-le égoutter et ôtez toute la peau noire et le limon qui s'y trouve attaché. Mettez alors dans une poêle sur un feu assez vif une demi-livre de beurre ; lorsque ce dernier est bien noir, vous y jetez quelques branches de persil que vous laissez frire ; remettez votre raie dans un plat demi-creux, égouttez-la bien et versez votre beurre noir dessus, puis mettez dans la poêle chaude une bonne cuillerée de vinaigre et arrosez la raie avec.

On peut servir avec la raie quelques pommes de terre cuites dans l'eau de la cuisson. Pour que la raie conserve sa chaleur pendant que l'on prépare le beurre noir, il faut mettre le plat qui la contient sur de l'eau bouillante et couvrir.

Raie au beurre blanc. – Se fait cuire de même que la raie au beurre noir *(voy. ci-dessus)* et se sert avec le beurre simplement fondu, dans lequel on met sel, poivre et persil haché. On arrose la raie avec, et on sert très chaud.

Raie frite. – Après avoir vidé et nettoyé la raie, coupez-la en lames de l'épaisseur du doigt, roulez chaque morceau dans la farine et faites frire dans l'huile très chaude ; entourez votre plat de persil frit.

Raie à l'huile. – Après avoir fait cuire la raie comme il est dit ci-dessus pour la raie au beurre noir, enlevez la peau et laissez égoutter ; mettez ensuite votre poisson sur un plat qui doit aller sur la table et laissez refroidir. Disposez du persil autour et servez avec une vinaigrette dans laquelle vous mettrez des cornichons hachés. *(Voy. sauce vinaigrette, page 29).*

MORUE

Il faut que la morue ait la chair blanche et la peau noire ; prenez de préférence de grands feuillets. Il faut laisser la morue au moins un jour entier dans l'eau pour bien la dessaler et avoir le soin de changer l'eau deux fois au moins.

Morue aux pommes de terre. – Il faut mettre la morue à l'eau froide, et dès qu'on la voit près de bouillir, l'écumer et la mettre loin du feu.

Couvrez-la pendant un quart d'heure et, après l'avoir égouttée, préparez la sauce suivante :

Faire fondre dans une casserole un bon morceau de beurre ; lorsqu'il est fondu, ajoutez deux cuillerées de farine ; tournez un moment et ajoutez deux verres d'eau ou de lait, sel, poivre et persil haché. Vous avez fait cuire en outre 5 ou 6 pommes de terre à l'eau de sel ou dans l'eau qui a servi à faire cuire la morue ; lorsqu'elles sont cuites, vous les épluchez et les mêlez à la sauce.

Dressez votre morue sur un plat creux et arrosez avec la sauce en mettant des pommes de terre autour. Si votre sauce était trop épaisse, ajoutez un peu d'eau.

Morue au fromage. – Vous préparez la morue commc il est dit ci-dessus *(voy. morue aux pommes de terre),* seulement, au lieu de laisser le morceau entier, vous le coupez en filets que vous ajoutez à la sauce blanche ; vous mettez votre morue ainsi préparée dans un plat qui aille au four et vous la saupoudrez de mie de pain émiettée et de fromage de gruyère râpé. Arrosez ensuite d'un peu de beurre fondu et mettez à four chaud pour faire prendre couleur.

Morue au beurre noir. – On la cuit comme ci-dessus *(voy. morue aux pommes de terre),* et on la prépare comme la raie au beurre noir. *(Voy. raie au beurre noir, page 159).*

Morue à la bourguignote. – Faites cuire la morue à l'eau froide, retirez-la du feu au moment où elle va bouillir, écumez-la et couvrez-la, puis préparez la sauce suivante :

Mettez du beurre dans une casserole, gros comme la moitié d'un œuf, laissez-le bien chauffer, puis ajoutez deux cuillerées de farine que vous mélangez au beurre frais et faites roussir. Lorsque votre farine a une couleur brune, ajoutez deux verres d'eau, tournez un moment pour que votre sauce se lie ; si vous trouvez cette dernière trop épaisse après qu'elle a bouilli, ajoutez-y un peu d'eau.

Mettez cuire ensuite dans votre sauce une dizaine de petits oignons, un bouquet de persil, thym et laurier, sel, poivre et épices. Lorsque vos oignons sont cuits, remettez un peu votre morue sur le feu, et ne l'y laissez que juste le temps nécessaire pour qu'elle chauffe. Après cela, dressez-la sur un plat, égouttez-la bien et versez votre sauce brune dessus avec les oignons. Otez le bouquet.

Morue en croquettes. – Lorsque votre morue est cuite, comme il est indiqué, ci-dessus *(voy. morue à la bourguignote),* ôtez la peau et les arêtes et préparez une sauce béchamel *(voy. sauce béchamel, page 15)* que vous mêlez à la morue, puis laissez refroidir ; il faut qu'étant froide votre morue puisse être mise en boulettes ; pour cela il faut que votre sauce soit épaisse.

Préparez ensuite une dizaine de boulettes que vous tournez dans la mie de pain émiettée fin et que vous passez dans un œuf battu en omelette, panez-les une seconde fois et mettez-les dans de la friture très chaude. *(Voy. friture, page 21).* Lorsqu'elles ont une belle couleur blonde, retirez-les et servez en pyramide avec persil frit dessus.

Brandade de morue. – Faites cuire la morue comme c'est indiqué plus haut. *(Voy. morue aux pommes de terre, page 161).* Epluchez-la bien pour qu'il ne reste ni peau, ni arêtes. Mettez alors votre morue dans une casserole avec un peu d'huile d'olive ; placez votre casserole sur un feu doux et tournez pendant la cuisson qui doit être d'une demi-heure. Il faut réduire votre morue en bouillie compacte et mouiller avec du lait chaque fois qu'elles menacera de prendre trop de consistance.

Prenez ensuite deux truffes que vous nettoyez bien, et que vous hachez fin ; vous en saupoudrez la morue, puis vous ajoutez de l'huile goutte à goutte, en ayant soin de tourner toujours ; salez et poivrez fortement. *Surtout ne mettez ni ail ni persil.*

Cabillaud (ou morue fraîche) sauce hollandaise. – Videz votre poisson, lavez-le et faites-le cuire à l'eau de sel, dans laquelle vous mettez en même temps quelques pommes de terre. Faites en sorte que votre poisson ne soit pas trop cuit, il perdrait son goût. Égouttez et servez avec les pommes de terre et une sauce hollandaise dans une saucière. *(Voy. sauce hollandaise, page 19).*

MAQUEREAU

Le maquereau, lorsqu'il est frais, doit avoir l'œil clair, les ouïes roses et le dos d'un bleu verdâtre. Le maquereau se gâte facilement ; il faut, si l'on ne doit pas le manger de suite, le faire cuire quand même et le faire réchauffer dès qu'on en aura besoin.

Maquereau à la maître d'hôtel. – Videz-le par les ouïes ; essuyez-le bien, fendez le dos depuis la tête jusqu'à la queue et mettez-le sur le gril que vous avez d'abord fait chauffer fortement pour que votre poisson ne s'y attache pas.

Mettez dans un plat un morceau de beurre avec persil haché, sel et poivre ; lorsque votre maquereau est cuit, ce qui vous demande à peu près 20 à 25 minutes, placez-le sur le beurre et servez-le de suite. On peut ajouter au beurre un jus de citron.

Maquereau au beurre noir. – Faites cuire votre maquereau à l'eau de sel, après l'avoir vidé et essuyé. Faites cuire aussi à l'eau quatre ou cinq pommes de terre, épluchez-les et remettez-les dans l'eau chaude loin du feu. Lorsque votre poisson est cuit (25 minutes suffisent), sortez-le de l'eau, ouvrez-le et enlevez l'épine dorsale ainsi que la tête ; mettez-le dans un plat et faites un beurre noir *(voy. beurre noir, page 21)* que vous versez dessus, puis placez les pommes de terre autour.

Maquereau à la flamande. – Prenez un beau maquereau,videz-le par les ouïes, enlevez le boyau, ficelez la tête et coupez le petit bout de la queue ; ne fendez pas le dos. Prenez ensuite un morceau de beurre de la grosseur d'un œuf et maniez-le avec persil, ciboule et échalotes hachés, sel, poivre et jus de citron, remplissez-en le ventre du maquereau et roulez votre poisson dans une feuille de papier huilé. Attachez le papier aux deux extrémités et mettez votre maquereau sur le gril à feu doux, environ trois quarts d'heure ; lorsqu'il est cuit, ôtez le papier, pressez-le sur votre plat, faites tomber dessus le beurre qui peut se trouver dans le papier, et servez-le avec un jus de citron.

Maquereaux à l'italienne. – Prenez deux maquereaux, videz-les, enlevez la tête et coupez la queue. Mettez dans unc casserole une demi-bouteille de petit vin blanc, quelques tranches d'oignons, une ou deux carottes coupées en ronds, quelques branches de persil, une demi-fcuille de lauricr, du sel en suffisante quantité. Mettez dans ce court-bouillon vos maquereaux ; lorsqu'ils sont cuits, retirez-les, égouttez et servez sur un plat avec une sauce italienne. *(Voy. sauce italienne, page 25).*

ANGUILLE DE MER OU CONGRE

Ce poisson a le goût de marée très prononcé, mais en le faisant cuire au court-bouillon *(voy. page 151),* cet inconvénient disparaît. L'anguille de mer se sert, soit avec une sauce blanche aux câpres ou aux cornichons hachés, soit avec une sauce maître d'hôtel, soit avec une sauce tartare. *(Voy. pages 16, 19, 23).* On peut aussi l'accommoder en matelote, ce qui est excellent. *(Voy. matelote bourgeoise, page 177).*

HARENGS

Le hareng est un excellent poisson, mais il faut le prendre de préférence lorsqu'il est plein ; il doit avoir l'œil brillant et la robe argentée. On doit l'écailler, le vider et ne pas le laver ; il suffit de l'essuyer doucement afin de ne pas écorcher la peau qui est très délicate.

Harengs frais sur le gril. – Après avoir écaillé et vidé vos harengs auxquels vous faites trois incisions de chaque côté, mettez-les sur le gril à feu vif, mais ayez soin de faire chauffer le gril d'avance, qu'il soit presque rouge pour que vos harengs ne s'y attachent pas. Lorsque ces derniers sont cuits d'un côté, retournez-les de l'autre ; sept ou huit minutes suffisent. Saupoudrez ensuite de sel et servez avec une sauce rémoulade *(voy. sauce rémoulade, page 24)* ou une sauce blanche *(voy. sauce blanche, page 16)* dans laquelle vous ajoutez une ou deux cuillerées de moutarde.

Harengs frais à la maître d'hôtel. – Après les avoir fait cuire sur le gril comme ci-dessus, fendez-leur le dos, dressez-les sur un plat et garnissez l'intérieur du corps avec beurre et persil haché, sel et poivre. Mettez le plat un moment sur le feu et ajoutez un jus de citron. Servez très chaud.

Harengs frais frits. – Après avoir vidé et écaillé vos harengs, essuyez-les bien, roulez-les dans la farine et mettez-les frire dans de l'huile très chaude.

Harengs de Dieppe marinés. – Prenez une douzaine de beaux harengs laités ou œuvrés, videz-les, écaillez-les et préparez la cuisson suivante :

Mettez sur le feu une casserole contenant 1/2 litre d'eau, 1/2 litre de vin blanc sec et 1/4 de vinaigre d'Orléans, un gros oignon, une ou deux carottes coupées en rouelles (en ronds), deux gousses d'ail, une petite branche de thym, une feuille de laurier, quelques branches de persil et un peu de gros poivre en grains. Faites cuire le tout pendant un quart d'heure ; jetez vos harengs dans la cuisson ; laissez-les bouillir cinq à six minutes, retirez-les du feu et laissez-les refroidir dans la cuisson. Mangez-les froids.

Harengs saurs. – Ouvrez vos harengs par le dos depuis la tête jusqu'à la queue et mettez-les sur le gril à feu très vif pendant une ou deux minutes ; les harengs seraient beaucoup trop salés et ils se dessécheraient sur le feu si on les y laissait plus de temps.

On peut manger les harengs saurs sortant du gril avec un peu d'huile ou avec une purée de pommes de terre ou de pois. *(Voy. ces purées, pages 203 et 232).*

Harengs saurs en salade. – Ouvrez les harengs en deux ; jetez dessus de l'eau bouillante ; ôtez la tête, l'épine dorsale et toutes les arêtes qui peuvent être enlevées ; enlevez aussi la peau et coupez vos harengs par filets. Préparez des pommes de terre cuites à l'eau que vous coupez en ronds et que vous mettez en salade, puis ajoutez-y vos filets de harengs.

Harengs saurs pour hors-d'œuvre. – Préparez les harengs, comme il est dit ci-dessus pour les harengs saurs en salade, seulement vous mettez les filets dans une coquille à hors-d'œuvre et vous les arrosez d'huile d'olive au moment de les manger ; vous pouvez mettre de distance en distance des œufs durs hachés fin.

MERLANS

Le merlan est un excellent poisson ; il a surtout l'avantage d'être très léger, ce qui permet de le donner aux estomacs très délicats. Le merlan très frais a l'œil brillant et la robe argentée. Les merlans se vident par les ouïes.

Merlans frits. – Videz, grattez et essuyez bien vos merlans : farinez-les et mettez-les dans la friture très chaude *(voy. friture, page 21) ;* servez-les ensuite sur un plat long et saupoudrez de sel fin.

Merlans au gratin. – Accommodez-les comme les soles au gratin. *(Voy. soles au gratin, page 173).*

Merlans aux fines herbes. – Accommodez-les comme les soles aux fines herbes. *(Voy. soles aux fines herbes, page 172).*

Filets de merlans à la Orly. – Prenez deux ou trois merlans, grattez-les, videz-les et enlevez les filets qui se trouvent dans toute la longueur de l'épine dorsale ; coupez chaque filet en deux et mettez les morceaux dans un plat avec un jus de citron, sel, poivre et persil en branches. Au moment de servir, égouttez-les et mettez de la farine dans un linge, roulez-y vos filets et mettez-les frire à friture chaude, il faut qu'ils soient très fermes et d'une belle couleur égouttez-les et servez ensuite sur une sauce tomate. *(Voy. sauce tomate, page 23).*

Filets de merlans aux truffes. – Enlevez les filets de trois merlans comme il est dit ci-dessus *(voy. filets de merlans à la Orly) ;* mettez ensuite dans un plat un morceau de beurre de la grosseur d'un œuf, laissez-le fondre à feu doux et placez vos filets dessus ; salez, poivrez et retournez-les. Au bout d'un moment, arrosez-les d'un jus de citron et retirez-les du feu.

Mettez ensuite dans une casserole un petit morceau de beurre et laissez-le fondre à feu vif ; lorsqu'il est chaud, ajoutez une cuillerée de farine et tournez jusqu'à ce qu'elle soit de couleur blonde ; mouillez avec un demi-verre de vin blanc, salez et poivrez.

Ayez alors deux truffes que vous avez épluchées nettoyées et coupées en lames minces ; mettez-les dans votre sauce ; laissez cuire deux minutes, puis ajoutez vos filets de merlans.

Lorsque le tout est bien chaud, servez dans un plat demi-creux et couvrez avec la sauce ; entourez le plat de croûtons frits dans le beurre.

VIVE – LOUBINE

La vive est un petit poisson de mer, au corsage rond, taché de jaune et rayé transversalement ; elle est armée à chaque oreille et sur le dos d'arêtes piquantes très dangereuses, auxquelles on ne saurait trop faire attention. S'il arrivait, en l'apprêtant, qu'on fût piqué par ces arêtes, il faudrait faire saigner longtemps la plaie et la frotter du foie écrasé de la vive, ou piler un oignon avec du sel et le délayer avec de l'esprit-de-vin, que l'on mettrait sur la plaie jusqu'à ce qu'elle soit guérie.

Vive. – La vive se fait cuire soit au court-bouillon *(voy. page 151),* soit grillée. Il faut l'écailler, la vider et lui faire quelques incisions sur le corps. On la sert, si elle est grillée, avec différentes sauces. *(Voy. sauce aux câpres, page 16 ; sauce maître d'hôtel, page 19 ; sauce tartare, page 23 ; sauce ravigote, page 24).*

Loubine. – Ce poisson de mer ressemble assez à la truite, mais il a les écailles beaucoup plus larges et la chair plus blanche. Il se fait cuire à l'eau de sel et se mange avec une sauce blanche. *(Voy. sauce blanche, page 16).*

ROUGET BARBET

Le rouget barbet est classé parmi les poissons fins : il est plat, sa longueur est de 20 à 25 centimètres ; il a de petites barbes sous la mâchoire inférieure et on le reconnaît parmi les poissons rouges à sa couleur *rosée.*

Rouget barbet au court-bouillon. – Après avoir enlevé les ouïes à ce poisson, grattez-le, mais ne le videz pas ; essuyez-le ensuite délicatement et mettez-le cuire dans le court-bouillon. *(Voy. court-bouillon, page 151).* Servez avec une sauce blanche. *(Voy. sauce blanche, page 16).*

Rouget barbet sur le gril. – Après l'avoir écaillé, enlevez les ouïes et mettez-le sur le gril que vous avez fait presque rougir sur le feu pour que votre poisson ne s'attache pas. Lorsqu'il est cuit d'un côté, retournez-le de l'autre et servez très chaud avec une sauce maître d'hôtel *(voy. sauce maître d'hôtel, page 19)* ou une sauce tartare. *(Voy. sauce tartare, page 23).*

Rouget barbet au gratin. – Après avoir écaillé votre poisson, enlevez les ouïes, essuyez-le et préparez-le comme la sole au gratin. *(Voy. sole au gratin, page 173).*

ÉPERLANS

Les éperlans sont de jolis petits poissons brillants comme de l'argent et délicieux au goût.

Eperlans frits. – Videz-les par les ouïes, mais si le boyau ne venait pas, faites un petit trou sous le ventre et, avec un couteau très pointu, enlevez-le délicatement afin de ne pas déformer le poisson. Grattez ensuite doucement vos éperlans et essuyez-les, puis embrochez-les dans de petites brochettes, en laissant un intervalle entre chaque poisson. Enfin trempez vos éperlans dans le lait, farinez-les et mettez-les dans la friture bien chaude. *(Voy. friture, page 21).*

Servez dès qu'ils sont d'une belle couleur jaune et mettez dessus du persil frit.

SOLES

La sole est un poisson plat dont le dos est gris-noir et le ventre blanc. Sa chair est très délicate. C'est un poisson que l'on peut donner frit à un convalescent.

MANIÈRE DE PRÉPARER LES SOLES. – Vous enlevez la peau noire, ce qui est très facile en glissant la pointe d'un couteau entre la pointe et la chair près de la queue ; vous prenez ensuite le petit bout ainsi détaché avec un torchon et vous le tirez jusqu'à la tête ; vous donnez alors un coup de couteau pour le séparer complètement. (On peut aussi, de la même façon, enlever la peau blanche ou la gratter).

Soles frites. – Après avoir préparé vos soles *(voy. ci-dessus),* videz-les et grattez la peau blanche, puis essuyez bien vos poissons, tournez-les dans la farine et mettez-les dans la friture très chaude. Enfin, égouttez-les et servez avec du persil frit.

Soles aux fines herbes et au vin blanc. – Videz une ou plusieurs soles, enlevez la peau noire comme il est dit plus haut. *(Voy. manière de préparer les soles).* Grattez ensuite la peau blanche et essuyez-les bien. Mettez dans un plat, assez large pour contenir les soles, gros comme la moitié d'un œuf, du beurre que vous laissez fondre à feu doux ; lorsqu'il est fondu, ajoutez-y persil et échalotes hachés, sel et poivre, placez dessus vos soles et remettez persil, échalotes, sel et poivre. Versez un verre de bon vin blanc et saupoudrez de mie de pain émiettée ; enfin mettez de distance en distance quelques petits morceaux de beurre.

Laissez cuire ensuite à feu doux et, un quart d'heure avant de servir, mettez au four ou sous le four de campagne pour faire prendre couleur. Servez dans le plat où vous aurez fait cuire vos soles.

Sole au gratin. – Prenez une belle sole, videz-la et enlevez la peau noire ; grattez ensuite la peau blanche, essuyez-la bien et fendez le dos dans la longueur, depuis la tête jusqu'à la queue.

Prenez alors un plat en métal qui aille au feu et qui puisse être présenté sur la table. Mettez-y un morceau de beurre et placez dessus votre sole ; saupoudrez-la de persil et échalotes hachés, sel et poivre ; mouillez avec un verre de bon vin blanc et ajoutez un quart de livre de champignons bien épluchés. Enfin mettez sur le tout de la chapelure de pain blonde et laissez au four une demi-heure. Si on n'a pas de four, il faut laisser cuire davantage à feu doux et mettre le four de campagne dessus. Servez avec un jus de citron.

Filets de soles à la Colbert. – Enlevez les filets de deux soles ; faites deux morceaux de chaque filet que vous roulez et que vous enfilez dans une brochette. Farinez vos filets ainsi embrochés et faites frire à friture très chaude *(voy. friture, page 21)*. Servez avec une sauce maître d'hôtel ou une mayonnaise. *(Voy. ces sauces, pages 19 et 22)*.

Filets de soles au gratin. – Enlevez les filets de deux soles et procédez comme ci-dessus. *(Voy. sole au gratin, page 173).*

Filets de soles pour garniture de vol-au-vent. Enlevez les filets de deux belles soles, faites deux morceaux de chaque filet et laissez-les cuire dans un plat avec du beurre et un demi-verre de vin blanc, sel et poivre.

Lorsque les filets sont cuits, égouttez-les et mettez-les dans une bonne sauce béchamel. *(Voy. sauce béchamel, page 15).* Garnissez une croûte de vol-au-vent avec vos filets ainsi préparés.

Ce plat est une bonne entrée pour le temps de carême.

Soles normandes. – Prenez deux belles soles, videz-les, arrachez la peau noire, grattez ou enlevez la peau blanche et essuyez bien vos poissons. Faites cuire ensuite vos soles dans un plat long avec beurre, vin blanc, une douzaine de moules, une dizaine d'huîtres que vous avez enlevées des coquilles, puis ajoutez quelques champignons sans les queues.

Lorsque vos soles sont cuites, enlevez-les ainsi que les moules, les huîtres et les champignons et faites la sauce suivante :

Mettez dans une casserole un morceau de beurre de la grosseur d'un œuf, laissez-le fondre à feu doux ; lorsqu'il est fondu, ajoutez deux cuillerées de farine, que vous mêlez bien au beurre ; lorsque la farine a pris une belle couleur blonde, ajoutez-y un demi-verre de la cuisson et tournez avec la cuiller de bois jusqu'à ce que votre sauce soit bien unie.

Lorsqu'elle est faite, ajoutez-y une liaison de jaunes d'œufs et retirez du feu. Enfin mettez vos soles sur un plat en métal qui puisse aller au four et arrosez-les avec la sauce liée en disposant autour les moules, les huîtres et les champignons. Mettez à four chaud pendant 15 minutes et servez.

Vous pouvez ajouter cinq ou six écrevisses et quelqus croûtes frites dans le beurre, ce qui est d'un joli effet.

Sole à l'anglaise. – Préparez une belle sole, faites-la cuire une demi-heure ou trois quarts d'heure dans l'eau avec de petites pommes de terre, salez et poivrez. Lorsque votre sole est cuite, servez-la sur une serviette, entourez-la de pommes de terre, puis décorez le plat avec du persil en branches et servez avec une sauce blanche dans une saucière. *(Voy. sauce blanche, page 16).*

ANCHOIS ET SARDINES

Anchois frais. – Les anchois frais peuvent être accommodés comme les éperlans. *(Voy. page 171).*

Anchois salés. – Il faut les laver, puis les ouvrir en deux pour en ôter l'arête ; on les coupe en filets pour garnir les salades.

Beurre d'anchois. – Ayez trois anchois salés, lavez-les, enlevez les arêtes et mettez les chairs dans un bol ; pilez ensuite ces chairs avec un pilon en bois, afin d'en faire une pâte que vous passez ensuite dans une passoire fine ; ajoutez alors un demi-quart de beurre que vous mélangez bien avec.

Le beurre d'anchois sert pour les filets de bœuf ou poissons.

Sardines. – Les sardines sont de petits poissons de mer plats et brillants ; lorsque les sardines sont fraîches, on les vide, on les écaille et on les met un moment sur le gril. Il faut les servir avec du bon beurre. Confites dans l'huile, elles servent comme hors-d'œuvre.

ALOSE ET BRÈME

L'alose est un délicieux poisson, excessivement délicat ; sa robe est brillante comme de l'argent. Pour vider l'alose, il faut fendre le ventre, mais éviter d'entamer la laite qui est très appréciée des gourmets.

Alose à l'oseille. – Ecaillez, videz et lavez votre alose ; préparez ensuite un papier huilé que vous garnissez de persil et échalotes hachés, placez dessus votre poisson, enveloppez-le bien et attachez les deux extrémités.

Faites cuire alors l'alose sur le gril et servez-la sur une purée d'oseille *(voy. purée d'oseille, page 246)* après l'avoir ôtée du papier.

Alose au court-bouillon. – Ayez une belle alose, videz-la, mais ne l'écaillez pas et faites-la cuire dans un court-bouillon *(voy. court-bouillon, page 151).* Servez lorsqu'elle est cuite, avec une sauce aux câpres ou une sauce hollandaise. *(Voy. sauce aux câpres, page 16 et sauce hollandaise page 19).*

Brème. – Il y a deux espèces de brèmes, la brème de mer et la brème d'eau douce. La brème de mer est aussi appelée *gros œil.* La brème d'eau douce ressemble à la carpe.

Les brèmes s'accommodent comme la carpe ou la dorade. *(Voy. ci-dessous carpe, et dorade, page 157).*

CARPE

Matelote bourgeoise. – Pour faire une bonne matelote, il faut employer carpe, anguille, brochet et barbillon. Videz, écaillez et nettoyez bien ces poissons, coupez-les par morceaux de la largeur de deux doigts et préparez le court-bouillon suivant :

Mettez dans une casserole une bouteille de vin rouge, du persil en branches, une feuille de laurier, un ou deux oignons et une ou deux carottes coupées en ronds, deux gousses d'ail, une petite branche de thym, sel et poivre. Placez votre casserole sur le feu et laissez bouillir votre court-bouillon pendant une heure ; lorsqu'il a bouilli suffisamment, mettez-y vos morceaux de poisson et laissez-les un quart d'heure sur le feu. Après ce temps, retirez la casserole du feu et préparez la sauce suivante :

Mettez du beurre gros comme un œuf dans une casserole, laissez-le fondre à feu doux et ajoutez-y deux cuillerées et demie de farine que vous mélangez bien avec le beurre ; laissez un moment sur le feu et lorsque vous voyez votre farine prendre une couleur blonde, ajoutez quatre verres de votre court-bouillon que vous passez à la fine passoire en ayant soin de remuer avec une cuiller de bois pour que la sauce soit bien liée ; si elle était trop épaisse, vous ajouteriez encore un peu de court-bouillon.

Mettez alors dans cette sauce vos morceaux de poisson et une vingtaine de petits oignons que vous avez d'abord fait jaunir dans le beurre et une demi-livre de champignons bien épluchés. Goûtez votre sauce et voyez si elle est assez assaisonnée. Lorsque vos oignons seront cuits, enlevez les morceaux de poisson, mettez-les dans un plat creux, entourez-les d'oignons et de champignons et versez dessus votre sauce. Parez votre plat avec quelques croûtons frits dans le beurre et deux ou trois écrevisses cuites. *(Voy. cuisson des écrevisses, page 185).*

Carpe frite. – Ayez une carpe de moyenne grosseur, écaillez-la, videz-la, fendez-la en deux par le dos depuis la queue jusqu'à la tête et ôtez la laite ou les œufs. Mettez ensuite cette carpe dans un plat avec des oignons coupés en ronds, thym, laurier, persil, une demi-cuillerée de vinaigre, laissez-la mariner deux heures, puis égouttez-la, passez-la dans la farine et mettez-la dans la friture très chaude. *(Voy. friture, page 21).*

Un peu avant la fin de la cuisson farinez la laitance ou les œufs et mettez dans la friture. Servez votre poisson saupoudré de sel et entouré de persil frit.

Carpe grillée. – Faites mariner dans l'huile votre carpe après l'avoir vidée et écaillée, mettez-la sur le gril et, lorsqu'elle est cuite, servez-la sur une purée d'oseille. *(Voy. purée d'oseille, page 246).*

Carpe à la provençale. – Coupez une carpe en morceaux, après l'avoir écaillée et vidée. Mettez dans une casserole une demi-bouteille de vin rouge, deux cuillerées d'huile, un morceau de beurre manié avec de la farine, sel, poivre, persil, ciboules, échalotes, ail, champignons, le tout haché fin ; laissez cuire un moment, puis ajoutez vos morceaux de poisson. Il faut à peu près une heure pour que le poisson soit assez cuit. Veillez à ce que la sauce ne soit pas trop liquide.

BROCHET – BARBEAU – PERCHE

Il faut choisir les brochets à robe brillante. Les œufs et les laitances ne s'emploient pas, ils occasionnent souvent des vomissements et purgent fortement.

Brochet au court-bouillon. – Ne l'écaillez pas, mais videz-le avec soin et enlevez les ouïes avec un torchon pour éviter de vous piquer. *Jetez les œufs ou la laitance qui sont presque un poison.*

Faites cuire ensuite votre brochet au court-bouillon *(voy. court-bouillon, page 151)* et servez avec une sauce vinaigrette. *(Voy. page 29).*

Brochet à la maître d'hôtel. – Se prépare comme le maquereau. *(Voy. page 164).* Ne l'écaillez pas, et enlevez les ouïes avec un torchon pour éviter de vous piquer ; videz-le et *jetez les œufs ou laitance qui sont presque un poison.*

Brochet à la villageoise *(mets russe)*. – Videz et enlevez les écailles d'un brochet ; lorsqu'il est bien nettoyé, mettez-le dans une poissonnière sur le feu ; assaisonnez de sel et poivre et versez dessus une demi-livre de beurre fondu. Mettez aussitôt la poissonnière dans le four et laissez le brochet prendre couleur, en ayant soin de l'arroser de temps en temps. Lorsqu'il est d'une belle couleur, versez dessus de la crème aigre, de manière à ce qu'il baigne à moitié ; finissez de cuire et, au moment de servir, enlevez votre poisson que vous glissez sur un plat bien chaud ; laissez la cuisson un moment sur le feu pour qu'elle se réduise, saucez-en votre brochet et servez ce qui reste de sauce dans une saucière.

Barbeau. – Il faut, pour qu'un barbeau soit bon, qu'il soit pris dans l'eau courante ; il s'accommode comme la carpe. Ses œufs et sa laitance sont aussi indigestes que ceux du brochet. Les *barbillons* sont de petits barbeaux ; on les mange frits.

Lorsque le barbeau est gros, on peut le faire cuire au bleu et le manger à l'huile. *(Voy. bleu, page 151)*.

Perche. – S'accommode comme le brochet *(voir ci-dessus) ;* seulement, on peut manger ses œufs ou sa laitance.

ANGUILLES ET TANCHES

L'anguille de rivière est préférable à celle de fossés, qui sent la vase. Autant que possible, il faut les acheter vivantes. L'anguille se dépouille.

MANIÈRE DE DÉPOUILLER UNE ANGUILLE. – Prenez un couteau pointu et passez la pointe tout autour de la tête, détachez cette peau et rabattez-la ; saisissez la tête de la main gauche, puis, avec un torchon que vous tenez dans la main droite, prenez l'anguille à l'endroit où vous avez rabattu la peau et tirez cette peau jusqu'à la queue. Coupez alors la tête.

Pour vider l'anguille, il faut lui fendre le ventre et retirer le boyau et le limon qui se trouve attaché à la peau. Essuyez bien ensuite votre poisson.

Anguille tartare. – Ayez une belle anguille, dépouillez-la, videz-la et coupez-lui la tête. *(Voy. ci-dessus manière de dépouiller une anguille).*

Tournez-la ensuite en rond, mettez-lui la queue dans le ventre, et ficelez-la, pour qu'elle garde sa forme. Mettez alors dans une casserole une demi-bouteille de vin blanc et à peu près autant de bouillon, oignons et carottes coupés en ronds, thym, laurier, persil, une ou deux gousses d'ail, deux clous dc girofle, poivre et sel. Placez votre anguille dans ce court-bouillon et laissez cuire à feu doux une demi-heure. Otez-la sans la briser et posez-la sur un plat.

Mettez après dans une casserole gros comme la moitié d'un œuf de beurre, laissez-le fondre à feu doux, ajoutez une cuillerée de farine, remuez bien celle-ci pour qu'elle se mêle avec le beurre et versez tout de suite un verre de la cuisson que vous avez le soin de passer. Lorsque votre sauce sera bien cuite, retirez-la du feu et ajoutez-y un jaune d'œuf ; barbouillez votre anguille avec cette sauce, puis roulez-la dans de la mie de pain émiettée fin et et assaisonnez de fines herbes hachées (persil, ciboules, échalotes), sel et poivre.

Enfin, battez un œuf (blanc et jaune) avec une

cuillerée d'eau et une cuillerée d'huile, trempez l'anguille dedans et roulez de nouveau dans de la mie de pain. Faites frire dans la friture très chaude. *(Voy. friture, page 21).* Dès qu'elle est frite, servez avec une sauce tartare au milieu. *(Voy. sauce tartare, page 23).*

Anguille à la poulette. – Après avoir dépouillé votre anguille comme il est dit plus haut *(page 180)*, vous coupez des tronçons de la grandeur de trois pouces, vous les mettez dans une casserole avec sel, poivre, deux feuilles de laurier, persil en branches, une ciboule et une demi-bouteille de vin blanc. Vous placez ensuite votre casserole sur feu vif, et, lorsque votre anguille est cuite, ce qui demande une demi-heure, vous la retirez du feu et vous préparez une sauce poulette. *(Voy. sauce poulette, page 17).* Mais au lieu d'eau, vous mouillerez la sauce avec de la cuisson que vous passerez dans une fine passoire. Salez, poivrez et ajoutez alors à votre sauce de petits oignons et des champignons. Lorsqu'ils seront cuits, mettez-y vos morceaux d'anguille ; laissez un bon moment sur le feu pour que le tout soit bien chaud, servez dans un plat creux et ajoutez à votre sauce un jaune d'œuf que vous aurez d'abord délayé avec un peu de lait en ayant soin de remuer pour que l'œuf ne tourne pas, puis versez cette liaison dans votre sauce éloignée du feu. Enfin remuez vivement la sauce et couvrez vos morceaux d'anguille avec, puis garnissez votre plat avec des croûtons frits dans le beurre et quelques écrevisses.

On peut se servir de cette préparation pour garniture de vol-au-vent.

Anguille frite. – Après avoir dépouillé votre anguille comme il est dit plus haut *(page 180),* vous la coupez par morceaux de 6 à 7 centimètres de long, puis vous faites cuire comme il est dit ci-dessus. *(Voy. anguille à la poulette, page 182).*

Lorsque votre anguille sera cuite, retirez-la, égouttez les morceaux, puis battez deux œufs en omelette, trempez-y chacun des morceaux et roulez-les dans de la mie de pain émiettée fin ; faites frire à friture chaude *(voy. friture, page 21)* et servez avec une sauce tomate. *(Voy. sauce tomate, page 23).*

Les petites anguilles, une fois dépouillées, se coupent par morceaux et se font frire après avoir été simplement farinées.

Anguille en matelote. – *(Voy. matelote bourgeoise, page 177).*

Tanche. – Les tanches ont l'inconvénient de sentir la vase, mais on peut y remédier en les plongeant quelques secondes dans de l'eau presque bouillante. On les écaille ensuite, on les vide et on les lave bien à l'eau froide. Après ces préparatifs, on accommode les tanches comme l'anguille. *(Voir ci-dessus).*

LAMPROIE ET LOTTE

La lamproie est appelée aussi *flûte* ou *sept-œils* parce qu'elle a sept trous de chaque côté ; elle est plus grosse que l'anguille, mais lui ressemble beaucoup. La lamproie de rivière est plus estimée que les autres ; il faut la choisir grasse comme l'anguille et de couleur moins brune.

La lotte ressemble à l'anguille, mais est beaucoup plus petite. C'est un poisson d'eau douce. La lotte est très estimée pour sa délicatesse ; les gourmets font grand cas de son foie ; on peut la dépouiller, mais il faut la *limoner.* *(Voyez ce mot, page 9).*

Lamproie. – La lamproie s'accommode absolument comme l'anguille *(voy. anguille, page 181) ;* il faut, avant de la dépouiller, la passer à l'eau bouillante pour ôter le limon. Il est très bon, dans une matelote de lamproie, d'ajouter des pruneaux que l'on fait cuire dans le court-bouillon du poisson. *(Voy. court-bouillon, page 151).*

Lotte. – La lotte se mange, soit frite comme les petites anguilles, soit à la poulette. *(Voy. anguille à la poulette, page 182).* Il lui faut peu de cuisson.

GOUJON ET LOCHE

Le goujon est un très petit poisson d'eau douce, avec des marques sur le dos et un corps rond ; il ne faut pas le confondre avec l'*ablette* qui est un poisson plat. On désigne souvent ces poissons, dans la région parisienne, sous le nom de *friture de Seine.*

Goujon. – Le goujon ne se mange que frit. Il faut le vider, le laver, le rouler dans la farine et le mettre à une friture très chaude. *(Voy. friture, page 21).* On le sale ensuite, puis on le sert en pyramide avec une garniture de persil frit.

Loche. – La loche est grosse comme le goujon ; elle se prépare de même *(voy. ci-dessus),* mais on ne la vide pas.

ÉCREVISSES

La meilleure saison pour les écrevisses est de juin à

octobre. Celles qui ont les pattes rouges et le dessous du corps vert sont préférables. Les meilleures écrevisses se pêchent dans les eaux vives et claires.

CUISSON DES ÉCREVISSES. – Retirez d'abord la nageoire du milieu de la queue qui amènera avec elle un petit boyau noir et amer. Lavez bien vos écrevisses à plusieurs eaux et préparez le court-bouillon suivant :

Mettez dans une casserole une demi-bouteille de vin blanc et deux verres d'eau, ajoutez un oignon et une carotte coupés en ronds, une feuille de laurier, une ou deux gousses d'ail, persil en branches, sel, et pas mal de poivre pour que les écrevisses soient bien relevées ; faites cuire ensuite votre court-bouillon pendant une demi-heure à feu vif ; jetez-y alors vos écrevisses auxquelles un quart d'heure de cuisson suffira. Retirez-les ensuite du feu et laissez-les dans leur cuisson pendant un moment, puis égouttez-les et servez-les en *buisson* sur une serviette en mettant de distance en distance quelques branches de persil comme ornement. Pour être tout à fait bonnes, les écrevisses doivent être mangées bouillantes. Si on en garde pour le lendemain, on les mettra cuire dans le court-bouillon que l'on conservera à cette intention.

On peut se servir aussi des écrevisses comme garniture.

Écrevisses à la marinière. – Les écrevisses se feront cuire comme ci-dessus, puis on préparera la sauce suivante :

Mettez du beurre bien frais dans une casserole, gros comme un œuf ; laissez-le fondre à feu doux, puis ajoutez du sel et une bonne quantité de piment en poudre ; battez le tout ensemble, mais ne laissez pas votre casserole sur le feu, tenez-la sur de l'eau chaude. Servez vos écrevisses chaudes dans un plat creux, la sauce au fond.

Écrevisses à la bordelaise. – Faites cuire les écrevisses comme il est dit ci-dessus *(voyez cuisson des écrevisses)*, puis préparez la sauce suivante :

Hachez fin quelques échalotes, un ou deux oignons, du persil et une gousse d'ail ; faites fondre du beurre gros comme un œuf, et lorsqu'il est fondu, ajoutez-y vos fines herbes hachées, sel et poivre et trois cuillerées de vin blanc. Servez cette sauce dans un plat creux que vous avez eu le soin de chauffer, et mettez vos écrevisses dessus.

GRENOUILLES

Cuisses de grenouilles à la poulette. – Enlevez la peau des cuisses et faites-les dégorger trois heures à l'eau froide, puis égouttez-les. Mettez ensuite dans une casserole un bon morceau de beurre, laissez-le fondre à feu doux et placez-y les cuisses de grenouilles que vous ferez sauter un moment et auxquelles vous ajouterez une cuillerée de farine.

Remuez le tout, pour que la farine soit bien mêlée au beurre, et ajoutez un verre de vin blanc, sel, poivre, persil et échalotes hachés. Activez un peu le feu, et au bout d'un quart d'heure, retirez votre casserole du feu et liez votre sauce avec un jaune d'œuf. *(Voy. liaison à l'œuf, page 14).*

Cuisses de grenouilles frites. – Enlevez la peau des cuisses, et laissez-les mariner une heure avec vinaigre, sel, poivre, laurier, persil et ciboules, puis laissez-les trois heures dans l'eau froide ; ensuite vous les égoutterez, les farinerez et les mettrez à friture très chaude. *(Voy. friture, page 21).*

ESCARGOTS

Les escargots de vigne sont les meilleurs ; la vraie saison pour les manger est d'octobre à avril ; passé cette époque, ils sont amers.

MANIÈRE DE FAIRE CUIRE LES ESCARGOTS. – Mettez de l'eau dans une marmite avec une poignée de cendres ; lorsque cette eau commencera à bouillir, jetez les escargots et laissez-les cuire 20 à 25 minutes.

Retirez-les ensuite des coquilles et remettez-les bouillir un quart d'heure dans un court-bouillon fait d'avance avec eau, sel, oignons et carottes coupés, persil, thym, laurier et ail.

Remuez pendant la cuisson pour bien les nettoyer, puis retirez-les et accommodez-les, soit à la poulette, soit à la bourguignonne. *(Voy. ci-dessous).*

Escargots à la poulette. – Cuisez-les comme ci-dessus, puis mettez-les dans une sauce poulette, seulement mouillez avec du vin blanc au lieu d'eau. *(Voy. sauce poulette, page 17).*

Escargots à la bourguignonne. – Cuisez-les comme ci-dessus *(voy. manière de faire cuire les escargots)* et essuyez-les ainsi que les coquilles. Puis pour un demi-cent d'escargots, prenez une demi-livre de bon beurre que vous mêlez avec persil et ail hachés fin, sel et poivre. Mettez de cette pâte, gros comme une noisette, dans le fond de chaque coquille, remettez ensuite l'escargot dans la coquille et bouchez avec le beurre préparé que vous unissez bien. Enfin placez tous les escargots dans un plat à côté les uns des autres et mettez au four ou sur un feu doux avec le four de campagne dessus. Servez très chaud.

MOULES

Les moules doivent être très fraîches, lourdes et pas trop grosses ; il faut les gratter avec un couteau pour enlever tout ce qui tient à la coquille et les laver à plusieurs eaux ; on peut même les laisser tremper une heure ou deux, elles n'en seront que meilleures. Les moules ne sont bonnes que de septembre à avril ; au cours des autres mois, elles peuvent être malsaines.

Moules à la béchamel. – Mettez vos moules dans une casserole ; placez la casserole sur feu vif, puis, au fur et à mesure que les moules s'ouvrent ôtez les coquille du dessus et s'il y a des petits crabes, enlevez-les. Lorsque les moules sont toutes ouvertes, préparez la sauce suivante :

Mettez, gros comme un œuf, du beurre dans une casserole, laissez-le fondre à feu doux et ajoutez une bonne cuillerée de farine ; remuez bien pour la mélanger au beurre et mouillez avec du lait et l'eau de la cuisson des moules tirée à clair ; salez et poivrez et mettez persil et ail hachés fin. Lorsque votre sauce est bien unie, mettez-y vos moules et laissez-les un moment sur le feu. Elles doivent être mangées très chaudes.

Moules à la poulette. – Après les avoir ouvertes, faites une sauce poulette et mettez-y les moules. *(Voy. sauce poulette, page 17).*

Moules à la marinière. – Lorsque vos moules sont bien nettoyées, mettez-les dans une casserole avec un verre de vin blanc, carotte et oignon, coupés en tranches, persil haché, thym, laurier et une gousse d'ail, sel et poivre, et gros comme deux noix de beurre ; mettez votre casserole à feu vif, couvrez-la et dès que vos moules s'ouvrent, ôtez les coquilles, et s'il y a dedans de petits crabes, enlevez-les.

Lorsque les moules sont toutes sorties des coquilles, mettez-les dans un plat creux ; laissez reposer la cuisson un moment, puis versez-la doucement sur les moules à travers une passoire fine.

Moules en coquilles. – Préparez les moules comme celles à la béchamel. *(Voy. page 188).* Mettez-en cinq ou six dans une coquille Saint-Jacques ou pèlerine *(voy. coquilles St-Jacques, page 193),* saupoudrez avec de la mie de pain émiettée fin et quelques petits morceaux de beurre. Mettez au four ou sous le four de campagne.

Paëlla *(mets espagnol).* – Mettez dans une poêle un quart de riz avec un verre d'huile, deux oignons hachés gros, persil, une gousse d'ail, la chair de deux ou trois tomates et un peu de piment vert coupé par petites bandes minces, sel et poivre. Laissez cuire votre riz à petit feu ; le grain étant cuit, il ne doit pas être déformé, comme pour le riz à la créole. *(Voy. riz à la créole, page 122).* Faites ouvrir sur le feu, après les avoir nettoyées, un litre de moules ; enlevez les coquilles de dessus et mettez celles qui contiennent les moules dans un plat creux ; couvrez avec le riz que vous mouillez d'abord avec l'eau de la cuisson des moules, après que cette eau a déposé un moment. Servez ce mets très chaud.

HUITRES

Il y a plusieurs espèces d'huîtres : de Marennes, de Cancale, d'Ostende, les Armoricaines et les Portugaises.

Ces dernières, bien que moins estimées, sont cependant très bonnes et ont l'avantage d'être bon marché ; seulement elles sont difficiles à ouvrir.

L'huître au naturel se mange, soit avec du citron, du gros poivre ou bien encore de l'échalote hachée fin, mêlée à une cuillerée de vinaigre. Les véritables amateurs mangent l'huître sans aucun assaisonnement.

Huîtres en coquilles. – Ouvrez vos huîtres ; détachez-les complètement des coquilles, et mettez-les dans une casserole avec l'eau qui se trouve dans chaque coquille. Laissez-leur jeter un bouillon, c'est-à-dire que, lorsque vous voyez l'eau bouillir, vous les laissez deux ou trois minutes, puis vous les enlevez du feu.

Mettez alors, dans une casserole, un morceau de beurre, quelques champignons bien épluchés et du persil haché ; laissez un moment sur le feu, puis ajoutez une cuillerée de farine que vous remuez bien, et mouillez avec un verre de vin blanc et une grande cuillerée de bouillon ou d'eau.

Salez et poivrez et laissez cuire cette sauce une demi-heure. Eclaircissez-la si elle était trop épaisse ; dans le cas contraire, ajoutez gros comme une noix de beurre, mélangé avec un peu de farine. Lorsque votre sauce est terminée, mettez-y les huîtres.

Prenez ensuite les coquilles creuses, lavez-les bien et mettez 4 huitres dans chacune avec de la sauce. Saupoudrez de chapelure et arrosez avec un peu de beurre fondu. Laissez-les cinq minutes à four chaud.

Vous pouvez prendre les coquilles Saint-Jacques. *(Voyez coquilles Saint-Jacques, page 193).* Elles sont plus grandes et il est plus facile de les garnir.

HOMARD – LANGOUSTE – CRABES

Les homards et les langoustes ont beaucoup de ressemblance, seulement le homard a deux grosses pattes semblables à celles des écrevisses et la langouste n'a que des pattes longues sans pinces.

Pour servir le homard ou la langouste, il faut, après qu'ils sont cuits, leur allonger la queue et les fendre sur le milieu du dos dans la longueur, depuis le commencement de la tête jusqu'à la fin de la queue. Les grosses pattes sont détachées et placées autour.

Il faut, pour les cuire, reployer la queue et les pattes contre le corps, les attacher fortement avec une ficelle et les faire cuire au court-bouillon (*voy. court-bouillon, page 151)* comme les écrevisses. Une demi-heure suffit. Laissez-les refroidir dans leur cuisson.

Servez avec une mayonnaise. *(Voy. sauce mayonnaise, page 22).*

Homards à l'américaine. – Prenez, de préférence, de petits homards vivants. Enlevez les pinces, détachez les queues et divisez-les en trois ou quatre morceaux. Cassez les pattes. Mettez de l'huile d'olive dans une casserole assez grande pour contenir les corps et les morceaux. Faites revenir à feu vif en saupoudrant de sel et de poivre. Laissez cuire quelques minutes. Ajoutez des échalotes et une demi-gousse d'ail finement hachées et roussies dans le beurre.

Mouillez d'un verre de vin blanc sec et d'un demi-verre de cognac. Faites flamber. Ajoutez deux cuillerées de sauce tomate ou de purée de tomates, un peu de jus de viande ou de Liebig et un bouquet de persil, thym et laurier. Faites cuire à feu doux pendant dix minutes. Dressez sur un plat creux, très chaud, en mettant les corps en dessous et les morceaux en pyramide au-dessus.

Mettez dans la sauce un peu de beurre, un jus de citron et un peu de piment de Cayenne. Versez sur les homards et servez bouillant.

Homard ou langouste en salade. – Faites cuire comme ci-dessus et détachez les chairs ; dressez sur un plat avec laitue, fourniture de salade, œufs durs hachés, câpres, olives, filets d'anchois. Entremêlez le tout pour que le plat ait bon aspect.

Crabes. – Les crabes se font cuire comme les langoustes. *(Voir ci-dessus).*

CREVETTES

Les crevettes se vendent généralement cuites sur tous les marchés, mais si vous aviez à les faire cuire, mettez-les simplement à l'eau bouillante pendant 10 minutes, sortez-les de l'eau, puis égouttez-les et saupoudrez de sel fin. Les crevettes mangées chaudes sont délicieuses. Lorsqu'elles sont préparées à la béchamel *(voir ci-dessous),* on s'en sert comme garniture de vol-au-vent, de petits pâtés ou de coquilles.

Crevettes à la béchamel. – Epluchez les crevettes, ne prenez que les queues et mêlez-les à une sauce béchamel. *(Voy. cette sauce, page 15).*

COQUILLES SAINT-JACQUES

Ces coquilles renferment un excellent mollusque qui, bien préparé, est une très bonne entrée maigre. De plus, les coquilles (qui sont très jolies) se conservent et peuvent servir à contenir poisson, volaille ou macaroni.

Les coquilles Saint-Jacques se préparent de la manière suivante : on les met sur des charbons ardents pour les faire ouvrir, puis on les détache de la coquille ; on enlève tout le noir et on lave le reste à plusieurs eaux pour qu'il n'y ait pas de sable.

On hache ensuite les chairs avec persil et ciboule, sel et poivre, l'on met le tout dans la coquille creuse que l'on a bien nettoyée et l'on saupoudre de mie de pain émiettée très fin. Enfin on arrose légèrement avec un peu de beurre fondu et l'on met au four.

On sert une coquille par personne.

RESTES DE POISSONS

En général, *tous les restes de poissons cuits au court-bouillon (voy. page 151)* peuvent être accommodés comme les restes de saumon. *(Voy. ci-après).*

Restes de saumon. – On peut : 1° les manger froids avec une sauce mayonnaise ou vinaigrette *(voy. ces sauces, pages 22 et 29) ;* 2° en coquilles ; 3° en petits pâtés.

Restes de saumon en coquilles. – Faites une sauce béchamel *(voy. cette sauce, page 15) ;* mettez-y chauffer vos restes de saumon, puis garnissez-en des coquilles Saint-Jacques ou des coquilles en métal ; saupoudrez de mie de pain et arrosez de beurre fondu ; faites prendre couleur à four chaud et servez.

Restes de saumon en petits pâtés. – On peut, lorsqu'ils sont préparés à la béchamel, en garnir de petits pâtés pour les jours maigres ; pour cela on prépare une pâte brisée comme il est dit page 316, on l'aplatit de l'épaisseur d'un gros sou, on coupe des ronds avec un verre ou un coupe-pâte et on garnit le milieu avec un peu de poisson. Si on a une vingtaine de ronds, on en garnit seulement dix, puis on mouille les bords et on recouvre avec les autres ronds en appuyant pour que la pâte colle bien. On dore à l'œuf et on met au four chaud pendant quinze ou vingt minutes.

LÉGUMES

LÉGUMES

POMMES DE TERRE

Pour garniture, il vaut mieux prendre soit la pomme de terre de Hollande, soit la vitelotte, parce qu'elles ne se déforment pas. Les pommes de terre rondes s'emploient pour les purées.

Pour conserver les pommes de terre pendant l'hiver, il faut les mettre dans un endroit sec et à l'abri de la gelée, puis les placer sur de la paille et les couvrir. On peut les déplacer de temps en temps.

Pommes de terre en robe de chambre. – Lavez vos pommes de terre pour qu'il ne reste rien après la peau et mettez-les dans une casserole avec de l'eau en suffisante quantité pour qu'clles baignent ; salez ensuite. Trois quarts d'heure de cuisson suffisent.

Servez-les après avec la peau dans une serviette pliée en fichu et couvrez-les pour les tenir chaudes. Les pommes de terre, ainsi cuites, se mangent avec du bon beurre que l'on sert dans un ravier.

Pommes de terre cuites au four. – Après avoir lavé les pommes de terre, mettez-les dans un four très chaud, sans les éplucher ; dès qu'elles sont cuites, servez-les sur une serviette.

Pommes de terre cuites à la vapeur. – Lavez les pommes de terre ; mettez-les dans un poêlon avec deux verres d'eau et un peu de sel ; couvrez-les avec un chiffon mouillé assez épais et fermez avec un couvercle ; regardez de temps en temps pour voir si les pommes de terre ne brûlent pas et ayez de l'eau chaude toute prête pour en ajouter jusqu'à parfaite cuisson.

On peut se servir de ces pommes de terre pour garniture de rôtis ou de poissons ; dans ce cas, on leur enlève la peau.

Pommes de terre sautées. – Faites cuire les pommes de terre à l'eau comme il est dit ci-dessus. Retirez-les de l'eau dès qu'elles sont cuites ; pelez-les et coupez-les en ronds de l'épaisseur d'un gros sou.

Mettez dans la poêle de la bonne graisse ou un morceau de beurre ; lorsque c'est bien chaud, placez-y vos pommes de terre et sautez-les de temps en temps jusqu'à ce qu'elles soient parfaitement dorées. Saupoudrez ensuite de sel fin.

On peut se servir de ces pommes de terre pour garniture de biftecks, côtelettes, entrecôtes, etc.

Pommes de terre frites. – Pelez les pommes de terre, lavez-les, essuyez-les et coupez-les en tranches pas trop minces. Mettez de la friture *(voy. friture, page 21)* dans une poêle et laissez-la fondre à feu vif : quand vous voyez que votre friture va fumer, mettez-y vos pommes de terre, pas en trop grande quantité, pour qu'elles ne se touchent pas. Remuez de temps en temps ; dix minutes suffisent pour les cuire ; lorsqu'elles sont bien jaunes, retirez-les de la friture avec une écumoire et mettez-les dans la passoire pour les faire égoutter ; servez sur un plat demi-creux et saupoudrez de sel fin.

On se sert de ces pommes de terre pour biftecks, côtelettes, entrecôtes, etc.

Pommes de terre frites dans le beurre. – Prenez de petites pommes de terre nouvelles ; grattez-les, faites-les jaunir dans le beurre chaud et laissez-les jusqu'à parfaite cuisson ; trois quarts d'heure suffisent. Servez dans un plat rond et saupoudrez-les de sel fin.

Pommes de terre soufflées. – Préparez les pommes de terre comme si vous vouliez les faire frire, seulement au lieu de les couper en long, détaillez-les en ronds de l'épaisseur d'un gros sou.

Mettez de la friture *(voy. friture, page 21)* dans une poêle et laissez-la fondre à feu vif ; lorsqu'elle est fondue, mettez-y vos pommes de terre et, dès que vous verrez la peau rissoler, enlevez-les de la friture et remettez-les dans une autre friture *très chaude*. Vous verrez alors les pommes de terre se gonfler de suite, vous les ôterez, les égoutterez bien, les saupoudrerez de sel fin et les servirez promptement, sans cela leur boursouflure ne se maintiendrait pas.

Il ne faut pas mettre trop de pommes de terre dans la seconde friture, cela les *empêcherait de gonfler.*

Pommes de terre à la maître d'hôtel. – Prenez soit des vitelottes, soit des pommes de terre de Hollande, lavez-les bien et faites-les cuire avec de l'eau et du sel. Lorsque vous les sentez fléchir sous le doigt, elles sont cuites. Retirez-les alors de l'eau, pelez-les et coupez-les en ronds de l'épaisseur d'un gros sou. Mettez ensuite dans une casserole gros comme un œuf de beurre, laissez-le fondre à feu doux, ajoutez sel, poivre et persil haché, mettez-y vos pommes de terre et sautez-les bien pour qu'elles s'imprègnent de beurre. *Servez très chaud.*

Pommes de terre à la parisienne. – Mettez dans une casserole un morceau de bonne graisse ou de beurre que vous faites fondre à feu doux ; lorsqu'il est bien chaud, mettez-y un gros oignon coupé en lames minces et laissez-le bien jaunir ; ajoutez alors deux verres d'eau et vos pommes de terre pelées et coupées en morceaux, poivre, sel et bouquet de persil, thym et laurier. Pour trois personnes, il faut prendre huit ou dix pommes de terre moyennes. Laissez cuire à petit feu.

On peut faire ces pommes de terre en employant de l'huile au lieu de beurre.

Pommes de terre en ragoût. – Prenez huit ou dix pommes de terre de Hollande, lavez-les, pelez-les et coupez chacune d'elles en trois. Mettez une casserole sur le feu avec un morceau de bonne graisse ; laissez-la fondre, et lorsqu'elle est bien chaude, mettez une petite cuillerée de farine que vous laissez brunir. Ajoutez ensuite deux verres d'eau, sel, poivre, un bouquet de persil, thym et laurier et mettez-y vos pommes de terre.

Laissez cuire à feu doux environ une heure.

Pommes de terre au lait. – Faites cuire huit ou dix pommes de terre à l'eau avec un peu de sel. Elles sont cuites lorsqu'elles fléchissent sous le doigt. Retirez-les alors et préparez la sauce suivante :

Mettez dans une casserole gros comme deux noix de beurre ; laissez-le fondre à feu doux ; ajoutez une cuillerée de farine et remuez pour qu'elle se mélange bien au beurre ; *surtout ne la laissez pas jaunir* et ajoutez un bon verre de lait, sel, poivre et muscade si vous l'aimez.

Enfin mettez vos pommes de terre dans cette sauce, après les avoir coupées en morceaux ronds de l'épaisseur d'un sou. Servez très chaud.

Pommes de terre au lard. – Prenez huit ou dix pommes de terre vitelotte ou de Hollande, pelez-les et lavez-les. Placez ensuite une casserole sur le feu avec un morceau de beurre gros comme la moitié d'un œuf, laissez-le chauffer, puis mettez-y un quart de lard maigre coupé en petits morceaux ; faites prendre couleur au lard et ajoutez alors une cuillerée de farine que vous remuez bien.

Lorsque vous verrez cette dernière brunir, ajoutez un bon verre d'eau ou de bouillon, sel, poivre et bouquet de persil, thym et laurier. Coupez vos pommes de terre en morceaux et mettez-les dans votre sauce. Laissez cuire à feu doux ; une heure de cuisson suffit.

Pommes de terre en matelote. – Prenez une dizaine de pommes de terre moyennes, lavez-les et pelez-les. Mettez une casserole sur le feu avec un morceau de beurre gros comme un œuf et laissez-le fondre ; lorsqu'il est chaud, mettez-y une cuillerée de farine que vous remuez bien et que vous laissez jusqu'à ce qu'elle soit brune.

Ajoutez ensuite un verre d'eau et un verre de vin rouge, sel, poivre et bouquet de persil, thym et laurier, quelques petits oignons et vos pommes de terre coupées en morceaux. Couvrez votre casserole et laissez cuire à feu doux pendant trois quarts d'heure ou une heure au plus.

Pommes de terre farcies. – Prenez, pour trois ou quatre personnes, six belles pommes de terre de Hollande, pelez-les, lavez-les et coupez-les en deux dans la longueur ; prenez chaque moitié de pommes de terre, et creusez-la en longueur de manière à laisser assez de profondeur pour y mettre la farce suivante :

Faites cuire trois pommes de terre à l'eau avec sel ; lorsqu'elles sont cuites, pelez-les et écrasez-les en purée, ajoutez-y gros comme un œuf de beurre, un peu de chair à saucisse, sel, poivre, persil et ciboule hachés. Remplissez les cavités des pommes de terre et mettez ces dernières dans un plat beurré qui aille au feu ou au four. Faites cuire à feu doux dessous si vous mettez le four de campagne. Le feu doit être plus vif si vous les faites cuire directement au four. Lorsque vos pommes de terre seront bien jaunes, servez.

Purée de pommes de terre. – Prenez une douzaine de pommes de terre rondes car elles sont plus farineuses, puis lavez-les et faites-les cuire à l'eau avec un peu de sel. Enlevez alors la peau, écrasez-les avec un pilon et passez-les à la passoire pour que votre purée soit bien égale. Ajoutez, gros comme un œuf, du beurre, que vous faites tiédir en hiver, sel, poivre et un peu de lait. Battez bien vos pommes de terre pour qu'elles soient légères, et faites en sorte qu'elles aient néanmoins assez de consistance. Mettez ensuite cette purée dans une casserole et faites-la chauffer à feu doux ; elle peut servir de garniture pour côtelettes, biftecks, saucisses, etc.

Pommes de terre en soufflé. – Préparez la purée comme ci-dessus, seulement ajoutez deux jaunes d'œufs. Battez les blancs en neige et mêlez-les doucement à la purée. Ayez aussi un plat creux qui aille au four, beurrez-le bien, mettez-y la purée de pommes de terre ; rayez le dessus avec une fourchette et faites cuire à four chaud. Lorsque votre purée est bien jaune, servez.

Pommes de terre au fromage. – Faites cuire, à la vapeur, une douzaine de pommes de terre *(voy. page 198) ;* pelez-les et passez-les à la passoire avec un pilon, puis beurrez un plat qui aille au feu et mettez-y une couche de pommes de terre que vous saupoudrez de fromage de gruyère râpé, et ajoutez quelques petits morceaux de beurre et un peu de poivre. Remettez ensuite une couche de pommes de terre, fromage, beurre et poivre et ainsi de suite, jusqu'à ce que vous ayez employé toute votre purée. Finissez par le fromage arrosé de beurre tiède. Mettez à four chaud ou sous le four de campagne. Lorsque vos pommes de terre ont une belle couleur, servez.

Boulettes ou croquettes de pommes de terre. – Hachez un peu de bœuf cuit que vous mêlez à la purée de pommes de terre *(voy. purée de pommes de terre, page 203) ;* ajoutez persil et ciboule hachés fin, un œuf (blanc et jaune). Mélangez bien le tout et formez des boulettes que vous tremperez dans un peu de blanc d'œuf et que vous mettez à la friture chaude. Servez ces boulettes garnies de persil frit. A défaut de blanc d'œuf, on peut rouler les boulettes dans la farine.

Pommes de terre duchesse. – Prenez douze pommes de terre rondes et jaunes, elles sont plus farineuses. Lavez-les et faites-les cuire à l'eau avec un peu de sel. Lorsqu'elles sont cuites, pelez-les et passez-les à la passoire avec le pilon ; mettez cette purée dans une casserole sur le feu et laissez-la se sécher, puis ajoutez-y un œuf entier, persil haché, sel et poivre, et gros comme la moitié d'un œuf de beurre. Maniez bien le tout et retirez la casserole du feu. Lorsque votre purée est tout à fait froide, prenez de petites boules que vous aplatissez en forme de galettes de l'épaisseur de deux centimètres.

Prenez alors une poêle, assez large du fond, mettez-la sur le feu avec du beurre (il faut qu'étant fondu, il y en ait l'épaisseur d'un gros sou). Placez ensuite vos petites galettes à côté les unes des autres et laissez-les jaunir ; lorsqu'elles ont pris couleur d'un côté, retournez-les de l'autre. Servez-les chaudes, saupoudrées de sel fin et garnies de persil frit.

On peut aussi les fariner, les tremper dans de l'œuf battu, les rouler dans la mie de pain émiettée, les faire frire à friture très chaude et leur donner la forme de boulettes longues.

Pommes de terre en salade. – Prenez des pommes de terre vitelotte et faites-les cuire à l'eau avec un peu de sel. Lorsqu'elles fléchissent sous le doigt, c'est qu'elles sont assez cuites ; pelez-les alors et coupez-les en ronds dans le saladier. Assaisonnez ensuite comme une salade ordinaire.

Vous pouvez ajouter des cornichons coupés en petits ronds, des filets d'anchois ou de harengs saurs.

Restes de pommes de terre. – Si vous avez des pommes de terre cuites à l'eau qui n'aient pas été employées, servez-vous-en comme suit :

En potage. – Ecrasez-les et passez-les au tamis ou à la passoire. Mêlez-les à un bouillon d'oignons ou avec du lait ; salez et servez sur des croûtons frits dans le beurre.

En salade. – Coupez vos pommes de terre en

ronds et mettez-les dans un saladier avec quelques filets de harengs fumés demi-salés. Assaisonnez comme la salade ordinaire.

En purée. – Ecrasez-les, passez-les et ajoutez beurre, sel, poivre et un peu de lait. Mettez dans un plat beurré qui aille au feu et faites cuire 20 minutes à four chaud. Lorsqu'elles sont bien dorées, servez.

En gâteau. – Faites comme pour la purée ci-dessus et ajoutez deux œufs entiers, du sucre en poudre, un peu de sel, du zeste de citron en petite quantité. Beurrez une tourtière ou une tôle, versez votre purée et faites cuire 15 minutes à four chaud. Veillez à ce que le gâteau ne brûle pas.

TOPINAMBOURS

Les topinambours ressemblent aux pommes de terre violettes, mais ils sont difformes et tordus. Le goût est à peu près celui du fond d'artichaut, seulement un peu plus sucré.

On fait cuire les topinambours à l'eau avec du sel comme les pommes de terre, et on les accommode soit au beurre, soit au lait. *(Voy. pommes de terre à la maître d'hôtel, page 200, et pommes de terre au lait, page 201).* On peut aussi les faire frire de la façon suivante :

Vous faites cuire vos topinambours à l'eau avec du sel, puis vous les pelez, vous les coupez en ronds et vous faites une pâte à frire *(voy. pâte à frire, page*

319) ; vous trempez ensuite les ronds dedans et vous les mettez dans la friture bien chaude.

Les topinambours peuvent aussi servir comme garniture pour remplacer les fonds d'artichauts ; dans ce cas on les fait cuire à l'eau avec du sel, et on ne les met dans le ragoût que cinq minutes avant de servir.

PATATES

Les patates ne se trouvent pas partout, elles sont peu cultivées en France, cependant les grands marchés en ont quelquefois. Les patates ressemblent à la pomme de terre, mais sont beaucoup plus longues ; elles sont un peu sucrées et, lorsqu'elles sont cuites, elles ont une couleur rosée. On les prépare comme les pommes de terre.

TRUFFES

Les truffes doivent être pesantes, rondes, noires à l'extérieur et marbrées au dedans, très fermes et d'une odeur agréable. Il faut les laver à froid à plusieurs eaux et bien frotter avec une brosse pour enlever tout le sable. Lorsque vous employez des truffes pour volailles ou ragoûts, pelez-les et servez-vous des pelures hachées pour ajouter à la farce.

Truffes au naturel. – Lavez et nettoyez bien de belles truffes ; enveloppez chacune d'elles de cinq ou six morceaux de papier que vous mouillez après les avoir enveloppées, puis faites-les cuire dans la cendre chaude pendant une heure. Otez le papier, essuyez les truffes et servez-les bien chaudes dans une serviette.

Truffes au vin. – Mettez des truffes entières dans une casserole avec du lard haché, bouquet de persil, thym et laurier, sel, poivre, une demi-bouteille de vin blanc ; faites cuire à petit feu pendant trois quarts d'heure et servez-les dans un légumier, arrosées de leur cuisson passée à la fine passoire.

CHOUX

Prenez des choux bien frais et bien pommés. Si vous voulez en conserver pour l'hiver, cueillez-les par un temps sec et suspendez-les dans un endroit qui ne soit pas humide, la queue en haut, la tête en bas.

Chou à la crème. – Prenez un beau chou pommé, épluchez-le bien, coupez-le en quatre, enlevez les grosses côtes, lavez-le et faites cuire à l'eau bouillante, dans laquelle vous avez mis un peu de sel.

Laissez cuire ensuite votre chou pendant trois quarts d'heure, puis retirez-le, égouttez-le et pressez-le, pour que toute l'eau sorte. Préparez alors une sauce béchamel *(voy. sauce béchamel, page 15)*, renversez votre chou sur un plat et couvrez-le avec la sauce.

Chou farci. – Choisissez un chou bien pommé, très serré, parce que, dans ceux-là, les chenilles ne s'y glissent pas. Epluchez-le bien et enlevez le trognon sans déformer le chou, versez ensuite de l'eau bouillante dessus, faites-le égoutter, puis mettez entre chaque feuille un peu de farce faite avec du bœuf ou du veau haché mêlé avec un peu de chair à saucisse. Assaisonnez bien cette farce et, lorsque votre chou est entièrement garni, ficelez-le, puis faites un petit roux brun. *(Voy. roux brun, page 16).*

Votre roux achevé, mettez-y le chou, un oignon, une carotte coupée en ronds et quelques os ou débris de viande, si vous en avez. Laissez cuire trois heures à petit feu en ayant soin d'avoir toujours votre casserole couverte. Enfin, dressez votre chou sur un plat creux, ôtez la ficelle, enlevez les os et débris de viande, si vous en avez ajouté, et versez dessus la sauce que vous passez à la fine passoire.

Choux rouges aux pommes *(mets flamand)*. – Prenez un chou rouge bien épluché et lavé, mettez-le dans une casserole avec assez d'eau pour qu'il soit couvert ; ajoutez cinq pommes rainettes pelées et auxquelles vous avez ôté les cœurs, un morceau de beurre de la grosseur d'un œuf, du sel, du poivre et deux ou trois clous de girofle. Laissez cuire deux heures et demie à feu doux. Au moment de servir, liez avec une cuillerée de gelée de groseille *(voy. page 370)* mêlée à un peu de fécule et délayez avec une cuillerée de vinaigre. Servez chaud.

CHOUCROUTE

On peut acheter la choucroute toute préparée chez les charcutiers ou marchands de comestibles ; mais comme dans les campagnes on en trouverait difficilement, nous allons donner la recette en la simplifiant le plus possible.

Prenez des choux *blancs* bien pommés, épluchez-les,

retirez les feuilles vertes ou fanées, fendez les choux en quatre et enlevez les grosses côtes qui forment le cœur, puis coupez les choux en filets larges comme des fétus de paille et préparez la *saumure* suivante :

Prenez un petit baril ayant contenu du vin *blanc,* nettoyez-le soigneusement *(voy. manière de nettoyer un baril, page 399)* et garnissez le fond avec une couche de gros sel de cuisine ; mettez après sur ce sel un lit de choux coupés en petites bandes ; parsemez de genièvre de distance en distance et de poivre en grains. Pressez bien ensuite vos choux, sans les briser ; mettez une nouvelle couche de sel, un lit de choux, genièvre et poivre et ainsi de suite en ayant soin de bien tasser.

Il faut environ deux livres de sel pour douze choux. Le baril n'étant plein qu'aux trois quarts, couvrez la choucroute d'un morceau de grosse toile, puis d'un couvercle en bois qui entre complètement dans le baril. Mettez sur le couvercle un poids de trente kilos. (Si vous n'avez pas de poids, servez-vous de cailloux ou d'un pavé). Lorsque la fermentation commence, ce qui arrive au bout de peu de temps, le couvercle descend et l'eau formée par le sel vient couvrir le couvercle. On enlève une partie de cette eau, en ayant soin d'en laisser un peu sur le couvercle.

Vous pouvez employer la choucroute au bout d'un mois, mais lorsque vous en prenez, ayant soin de laver le linge de toile ainsi que le couvercle ; remettez l'un et l'autre et un peu d'eau fraîche pour remplacer celle que l'on a ôtée à la surface.

La fermentation donne à la choucroute une mauvaise odeur, mais il ne faut pas s'en préoccuper, parce qu'on lave toujours la choucroute à plusieurs eaux avant de s'en servir et le goût mauvais disparaît.

Choucroute garnie. – Lavez la choucroute à plusieurs eaux et pressez-la bien dans vos mains ; lorsqu'elle est égouttée et qu'il ne reste plus d'eau dedans, préparez une casserole et mettez dans le fond une couenne de lard (le côté gras doit toucher à la casserole). Placez ensuite dessus un lit de choucroute pas trop serrée, du sel, poivre, genièvre, un peu de bonne graisse de rôti, une petite tranche de lard maigre, une petite saucisse et la moitié d'un cervelas cru. Remettez encore un lit de choucroute, sel, poivre, genièvre, graisse, lard, saucisses, cervelas et ainsi de suite jusqu'à ce que vous n'ayez plus de choucroute. Mouillez alors le tout avec une demi-bouteille de vin blanc et deux verres de bouillon. Couvrez et laissez cuire pendant cinq heures à petit feu.

Enfin, dégraissez avant de servir et pressez bien la choucroute avec la cuiller, puis mettez un plat creux sur la casserole et renversez, de manière à ce que votre choucroute ait la forme d'un pâté.

Pour trois ou quatre personnes, on peut prendre deux livres de choucroute ; réchauffée le lendemain, elle est meilleure.

CHOUX DE BRUXELLES

Les choux de Bruxelles sont des petits choux de la grosseur d'une noix ; il y en a même de plus petits. On les récolte depuis novembre jusqu'à février. Il faut les choisir verts et très fermes ; lorsqu'ils ont des feuilles jaunes ils ne sont pas frais.

Choux de Bruxelles au beurre. – Pour 3 ou 4 personnes, prenez un litre de choux de Bruxelles, coupez l'extrémité des queues et enlevez les feuilles qui seraient fanées. Mettez dans une casserole du sel et de l'eau en quantité suffisante pour que les choux trempent tout à fait. Quand l'eau bout à gros bouillons, mettez-y les choux et laissez-les cuire un quart d'heure à partir du moment où l'eau recommence à bouillir. Ne couvrez pas les choux pendant la cuisson, ils jauniraient. Il faut, qu'étant cuits, ils conservent leur forme.

Aussitôt que vos choux sont cuits, sortez-les de l'eau, laissez-les égoutter et remettez-les dans une casserole avec un morceau de beurre gros comme la moitié d'un œuf, du persil haché, sel et poivre. Sautez-les alors sur le feu et, lorsque le beurre est fondu et qu'ils sont bien chauds, servez-les dans un légumier.

Avec les choux de Bruxelles ainsi préparés, on peut servir saucisses, biftecks, côtelettes, etc.

Vous pouvez, avec l'eau de la cuisson des choux, faire une soupe aux pommes de terre.

Choux de Bruxelles au jus. – On les cuit et on les prépare comme ci-dessus ; on ajoute ensuite avant de servir deux ou trois cuillerées de jus de rôti ou autre. *(Voy. jus, page 17).*

CHOUX-FLEURS – CHOU MARIN BROCOLIS

Il faut les prendre bien blancs et bien fermes.

Choux-fleurs à la sauce blanche ou au beurre. – Détachez-les par groupes de deux ou trois bouquets, enlevez les petites feuilles, voyez s'il n'y a pas de chenilles et mettez-les cuire à l'eau bouillante avec un peu de sel. Il faut que les choux-fleurs baignent complètement dans l'eau, sans cela ils noirciraient. Lorsqu'ils fléchissent sous le doigt, c'est qu'ils sont assez cuits ; retirez-les alors et faites égoutter dans la passoire ou dans un plat à trous.

Ayez aussi un grand bol dans lequel vous remettez vos choux-fleurs, la tête en bas et la queue en haut, afin de leur redonner la forme ronde. Pressez ensuite avec l'écumoire et mettez le bol dans l'eau bouillante pendant que vous préparez une sauce blanche. *(Voy. sauce blanche, page 16).*

Posez un plat creux sur le bol que vous renversez, découvrez le choux-fleur et arrosez-le avec la sauce. On peut, au lieu d'une sauce blanche, les mettre dans le beurre avec sel, poivre et persil haché.

L'eau de la cuisson peut servir à faire une soupe à l'oseille ou à l'oignon.

Choux-fleurs à la sauce tomate. – Faites cuire les choux-fleurs comme ci-dessus et couvrez-les d'une sauce tomate au lieu d'une sauce blanche. *(Voy. sauce tomate, page 23).*

Choux-fleurs au fromage. – Faites cuire les choux-fleurs comme il est dit ci-dessus *(choux-*

fleurs à la sauce blanche) ; lorsqu'ils sont préparés, ajoutez une soucoupe de fromage de gruyère râpé, mêlez-y aussi un peu de parmesan râpé et mélangez bien avec les choux-fleurs.

Beurrez ensuite un plat qui aille au feu, mettez-y des choux-fleurs et couvrez avec un peu de sauce blanche saupoudrée de fromage de gruyère râpé ; ajoutez de la mie de pain émiettée et arrosez avec du beurre fondu. Mettez à four chaud ou sous le four de campagne chauffé d'avance.

Choux-fleurs frits. – Faites-les cuire à l'eau bouillante avec un peu de sel, mais ne les laissez pas cuire autant que ceux accommodés à la sauce blanche. Egouttez-les et séparez-les par bouquets de deux ou trois.

Faites-les mariner ensuite avec vinaigre, sel et poivre, puis préparez une pâte à frire un peu épaisse. *(Voy. pâte à frire, page 319).* Trempez-les au fur et à mesure dans cette pâte et mettez-les dans la friture chaude. Lorsqu'ils sont bien jaunes, servez-les en pyramide, ornés de persil frit.

Choux-fleurs à l'huile. – Après les avoir épluchés, faites-les cuire à l'eau bouillante avec du sel ; lorsqu'ils sont cuits, retirez-les, mettez-les égoutter et assaisonnez-les comme une salade.

Restes de choux-fleurs. – Peuvent être accommodés au fromage ou frits comme il est dit *ci-dessus,* et à l'huile comme toute autre salade.

Chou marin *(ou crambé).* – Excellent légume dont les jeunes pousses ont beaucoup d'analogie avec l'asperge. *(Voy. figure page 237).* On l'assaisonne au beurre ou à la sauce blanche *(voy. cette sauce, page 16)* après l'avoir fait bouillir dans l'eau.

Lorsque les tiges sont un peu trop développées, on en fait disparaître l'amertume en jetant la première eau.

Brocolis *(choux d'Italie).* – Enlevez la côte dure ainsi que les feuilles jaunes et faites cuire à l'eau bouillante. Un quart d'heure suffit. Faites-les égoutter ensuite et accommodez-les avec une sauce blanche. *(Voy. cette sauce, page 16).*

OIGNONS

Purée d'oignons dite Soubise. – *(Voy. sauce Soubise, page 30).*

Oignons glacés pour garniture. – Prenez de petits oignons d'égale grosseur ; ôtez la tête et la queue et enlevez la peau sèche et la petite peau blanche qui vient après. Mettez ensuite une casserole sur le feu avec un morceau de beurre gros comme un œuf ; lorsque ce beurre est fondu, ajoutez un morceau de sucre de la grosseur d'une noix et placez vos petits oignons dedans, puis laissez-les bien jaunir et retournez-les de temps en temps.

Lorsque vos oignons sont d'une belle couleur dorée, ajoutez un verre de bouillon et laissez réduire votre sauce, tout en arrosant souvent les oignons. Il faut que le feu soit très vif pour que la sauce se réduise promptement, sans cela les oignons se mettraient en purée.

Oignons farcis. – Prenez de gros oignons, épluchez-les et creusez-les assez pour y mettre de la farce. Préparez cette farce avec de la chair à saucisse ou du hachis de bœuf ou de veau. Remplissez-en alors les cavités des oignons, puis prenez la partie enlevée des oignons, coupez-la en petites lames minces et faites jaunir dans le beurre chaud ; saupoudrez ensuite de farine et, lorsque vous voyez la farine d'une couleur brun foncé, ajoutez un peu de bouillon et une cuillerée d'eau-de-vie, du sel et du poivre. Enfin, placez vos oignons dans cette sauce et faites cuire une heure et demie au four ou sous le four de campagne. Arrosez souvent les oignons et servez-les sur un plat avec la sauce dessus.

On peut garnir le bœuf bouilli avec des oignons farcis.

BETTERAVES

Les betteraves doivent être lavées et cuites *au four* ou à l'eau. Il vaut mieux les faire cuire au four, car elles sont plus sucrées et ont plus de saveur. Le four ne doit pas être trop chaud. Il faut au moins sept heures de cuisson. On trouve aussi des betteraves toutes cuites chez les fruitiers.

Les betteraves épluchées et coupées en ronds peuvent se servir dans un ravier pour accompagner le bœuf bouilli.

On peut encore les mettre en salade, soit seules, soit avec la mâche ou doucette, la barbe de capucin et la scarole.

NAVETS

Il faut choisir les navets bien blancs et bien fermes et faire attention à ce qu'ils ne soient pas creux ni piqués de vers. Les navets de Freneuse sont les meilleurs ; les ronds se prennent surtout pour le pot-au-feu.

On peut conserver les navets sur la paille dans un endroit sec, en faisant attention qu'ils ne gèlent pas.

Navets au sucre. – Prenez de beaux navets bien sains, épluchez-les et mettez-les dans la poêle avec de la bonne graisse et un morceau de sucre gros comme une noix. Retournez-les souvent pour qu'ils jaunissent également et veillez à ce que le feu ne soit pas trop vif.

Lorsque vos navets auront une belle couleur dorée, saupoudrez-les d'une bonne cuillerée de farine ; laissez-les un moment, puis ajoutez un verre d'eau ou de bouillon ; enfin mettez une pincée de sel blanc et un ou deux morceaux de sucre gros comme une noix. Couvrez votre casserole et laissez cuire à feu doux ; il faut compter au moins une heure de cuisson.

Navets au jus. – Préparez vos navets comme ci-dessus et faites-les cuire de même, seulement supprimez le sucre et mettez sel et poivre et un bouquet de persil, thym et laurier. Au moment de servir, dégraissez et enlevez le bouquet.

Navets en purée. – Epluchez et lavez une dizaine de beaux navets et faites-les cuire à l'eau avec du sel ; une fois cuits, ôtez-les de l'eau et laissez-les égoutter, puis passez-les à la passoire avec le pilon pour en faire une purée. Mêlez ensuite à cette purée gros comme un œuf de beurre, sel, poivre et remettez sur le feu.

Cette purée se sert avec côtelettes, biftecks, saucisses, etc.

CAROTTES

Prenez-les courtes et d'un rouge foncé ; elles sont surtout bonnes de mai à octobre.

Pour conserver les carottes, il faut les arracher vers la fin d'octobre par un temps sec, couper les feuilles, en n'en laissant qu'un très petit bout et les mettre sur de la paille dans un endroit sec où il ne gèle pas. Dans la bonne saison, les carottes peuvent être grattées, mais l'hiver il vaut mieux les éplucher comme des pommes de terre.

Carottes à la bourguignonne. – Prenez une douzaine de belles carottes bien rouges, épluchez-les, lavez-les bien et faites-les cuire à l'eau bouillante avec du sel. Lorsque vos carottes sont cuites, ce qui demande à peu près une heure ou une heure et demie, vous les sortez de l'eau et les laissez égoutter dans la passoire.

Posez ensuite une casserole sur le feu avec un morceau de beurre gros comme un œuf ; lorsqu'il est bien chaud, mettez-y deux oignons coupés en lames minces, laissez-les jaunir, puis ajoutez les carottes coupées en morceaux et saupoudrez-les de farine. Lorsque vous verrez la farine prendre une couleur marron, ajoutez un bon verre de bouillon ou d'eau, salez et poivrez. Enfin, laissez cuire un quart d'heure et servez bien chaud.

Carottes au beurre. – Prenez une dizaine de belles carottes, épluchez-les, coupez-les en petits morceaux de l'épaisseur de deux doigts et faites-les cuire à l'eau bouillante avec du sel et un petit morceau de beurre. Lorsqu'elles sont cuites, retirez-les de l'eau et faites-les égoutter dans la passoire. Mettez alors sur le feu une casserole avec un morceau de beurre de la grosseur d'un œuf ; laissez-le fondre, ajoutez-y persil et ciboule hachés, sel, poivre et vos carottes que vous sautez avec le beurre. Faites attention que le beurre ne tourne pas en huile.

Carottes à la poulette. – Epluchez et lavez une dizaine de carottes, puis coupez-les en morceaux et faites-les cuire à l'eau bouillante avec du sel. Lorsqu'elles sont cuites, égouttez-les.

Mettez ensuite une casserole sur le feu avec un morceau de beurre de la grosseur d'un œuf, laissez-le fondre et ajoutez une cuillerée et demie de farine ; mêlez bien avec le beurre, puis ajoutez un verre et demi d'eau et faites bien cuire votre sauce.

Placez celle-ci après sur le coin du fourneau et ajoutez un jaune d'œuf que vous avez délayé avec un peu d'eau, versez-le dans la sauce en ayant soin de bien remuer, puis mettez vos carottes et servez bien chaud.

Il ne faut pas que votre sauce bouille à partir du moment où vous avez mis l'œuf, sans cela elle tournerait.

Au lieu d'eau, vous pouvez mettre de la crème dans la sauce.

SALSIFIS ET SCORSONÈRES

Les *salsifis* sont blancs et se récoltent dès la première année ; les *scorsonères* sont noires et ne se récoltent qu'au bout de deux ans ; ces dernières sont plus tendres. Le petit cœur de feuilles qui tient au salsifis est très bon à manger, soit en salade, soit trempé dans une pâte à frire *(voy. page 319)* et mis à la friture chaude. *(Voy. page 21).*

Salsifis à la sauce blanche. – Ratissez les salsifis et mettez-les dans l'eau fraîche, à laquelle vous avez ajouté un quart de verre de vinaigre pour que les salsifis ne noircissent pas. Mettez ensuite dans une marmite assez d'eau pour que les salsifis baignent complètement et une petite poignée de sel. Lorsque l'eau bout à gros bouillons, mettez-y les salsifis. Quand ils sont cuits, ce qui demande à peu près 30 minutes, retirez-les, égouttez-les et accommodez-les avec une sauce blanche. *(Voy. sauce blanche, page 16).*

Salsifis au beurre. – Lorsqu'ils sont cuits à l'eau bouillante avec du sel, accommodez-les comme les carottes au beurre. *(Voy. carottes au beurre, page 219).*

Salsifis à la poulette. – Après qu'ils ont été cuits à l'eau bouillante avec du sel, procédez comme pour les carottes à la poulette. *(Voy. carottes à la poulette, page 219).*

On peut faire frire les restes de salsifis à la poulette en les trempant dans la pâte à frire. *(Voy. pâte à frire, page 319).*

Salsifis frits. – Après les avoir ratissés, mettez les salsifis dans l'eau froide avec deux ou trois cuillerées de bon vinaigre. Ayez en même temps de l'eau dans une marmite, en quantité suffisante pour que les salsifis trempent bien. Lorsque l'eau bout à gros bouillons, mettez-y les salsifis avec une petite poignée de sel. Laissez-les bouillir 30 à 35 minutes ; au bout de ce temps, ils doivent fléchir sous le doigt et par conséquent être suffisamment cuits ; retirez-les alors de l'eau et égouttez-les.

Préparez ensuite une pâte à frire pas trop liquide *(voy. pâte à frire, page 319),* trempez vos salsifis dedans et mettez-les l'un après l'autre dans la friture bien chaude ; lorsque vous les voyez d'une belle couleur dorée, retirez-les avec l'écumoire, laissez-les égoutter dans la passoire et servez-les saupoudrés de sel fin et garnis de persil fin.

Salsifis pour garniture. – Faites-les cuire à l'eau comme pour les salsifis frits *(voy. ci-dessus),* puis ajoutez-les au ragoût que vous voulez garnir. Vous pouvez aussi les faire cuire dans la sauce du ragoût au lieu de les faire cuire à l'eau bouillante.

ASPERGES – JETS DE HOUBLON

Les asperges se récoltent d'avril à juin ; il faut les prendre fraîchement coupées ; la tête doit être violette et le reste très blanc. Les asperges vertes sont moins estimées. Les asperges que l'on veut manger en petits pois sont vertes mais très fines ; il faut toujours regarder si elles sont bien fraîches. L'asperge fraîche est ferme ; celle qui est cueillie depuis plusieurs jours est molle et ridée.

Asperges à la sauce blanche. – Il faut les gratter en tenant la tête de l'asperge en haut et le blanc en bas, puis enlever tous les fils qui s'en détachent, les couper toutes de même longueur et les attacher par petits bottillons ; on en met 20 ou 25 dans chaque.

Mettez ensuite une grande marmite sur le feu avec assez d'eau pour que les asperges trempent tout à fait et ajoutez une petite poignée de sel gris. Lorsque l'eau bout à gros bouillons, mettez-y les asperges ; il ne leur faut que 20 à 22 minutes de cuisson, car elles doivent être un peu croquantes. Egouttez-les après, coupez les ficelles, et servez-les sur un plat long, avec une sauce blanche liée *(voy. page 16) ;* cette sauce doit être mise dans une saucière.

Asperges à l'huile. – Faites-les cuire comme ci-dessus et servez avec une sauce à l'huile et au vinaigre avec sel et poivre. Pour les manger ainsi, elles ne doivent pas être complètement froides.

Asperges en petits pois. – Prenez des asperges vertes et fines et coupez-les en petits morceaux un peu plus gros qu'un pois. Faites-les cuire ensuite 5 minutes à l'eau bouillante, retirez-les, égouttez-les et mettez-les dans une casserole avec un morceau de beurre de la grosseur d'un œuf, un morceau de sucre et deux cuillerées d'eau.

Après cela, couvrez votre casserole et laissez cuire à petit feu pendant une demi-heure, puis liez la sauce avec une petite cuillerée à café de fécule ; au moment de servir, éloignez la casserole du feu et ajoutez un jaune d'œuf que vous avez délayé d'avance avec un peu d'eau. En versant l'œuf dans votre sauce, remuez bien pour qu'il ne tourne pas. Servez de suite.

Asperges à la parmesane *(mets italien).* – Prenez les asperges appelées asperges vertes et faites-les cuire à l'eau bouillante avec sel. Lorsqu'elles sont à peu près cuites, retirez-les de l'eau et ne prenez que la partie verte que vous coupez par morceaux. Prenez un plat qui aille au four, mettez-y du beurre, puis un lit d'asperges saupoudrées de fromage de parmesan râpé, sel, poivre et beurre ; recommencez par un lit d'asperges saupoudrées de fromage râpé, sel, poivre et beurre fondu et faites prendre couleur à feu doux.

Restes d'asperges. – Coupez-les en morceaux et ajoutez-les à des œufs brouillés *(voy. page 266).* On peut aussi les manger à l'huile si la veille elles ont été présentées à la sauce blanche.

Jets de houblon. – On peut prendre des jets de houblon pour les accommoder de même que les asperges en petits pois *(voy. ci-dessus) ;* leur goût s'en rapproche un peu.

HARICOTS VERTS

Il faut les prendre très verts et fraîchement cueillis. On enlève les deux extrémités.

MANIÈRE DE CONSERVER LES HARICOTS VERTS. – Après avoir épluché les haricots verts, jetez-les pendant quelques minutes dans l'eau bouillante un peu salée, éloignez ensuite la marmite du feu et ne retirez vos haricots de l'eau qu'après quelques temps.

Égouttez-les ensuite et faites-les sécher sur des torchons, puis déposez-les sur des claies et séchez-les au four comme on le fait pour des pruneaux. *(Voy. page 368).*

Lorsque vous voulez employer ces haricots, vous les mettez tremper dans l'eau tiède et les faites cuire à grande eau comme les haricots frais.

AUTRE MANIÈRE. – Prenez un grand pot de grès, mettez dans le fond un lit de sel gris, puis dessus mettez un lit de haricots, continuez ainsi jusqu'à ce que le pot soit plein. Couvrez avec un rond en bois qui entre complètement dans le pot et mettez dessus un poids assez lourd. Ils doivent rester au moins un mois. Lorsque vous voulez prendre des haricots, faites-les dessaler un jour entier dans l'eau froide en ayant soin de changer l'eau, puis faites-les cuire à l'eau bouillante *sans sel.*

Haricots verts à la maître d'hôtel. – Prenez une livre de haricots verts, cela suffit pour trois ou quatre personnes ; épluchez-les, lavez-les et mettez-les cuire à l'eau bouillante avec un peu de sel. *Ne les couvrez pas* pendant la cuisson pour qu'ils restent verts.

A partir du moment où l'eau recommence à bouillir, il faut compter 15 à 20 minutes pour que les haricots soient assez cuits. Sortez-les ensuite de l'eau, égouttez-les dans la passoire ou dans un plat à trous et mettez une casserole sur le feu avec un morceau de beurre de la grosseur d'un œuf ; lorsque ce morceau de beurre est fondu, mettez-y vos haricots, sautez-les, saupoudrez-les de persil haché fin, salez, poivrez et servez chaud.

L'eau de la cuisson des haricots verts peut être employée pour la soupe à l'oseille ou à l'oignon.

Haricots verts à la poulette. – Faites cuire vos haricots, comme il est dit ci-dessus, égouttez-les et mettez-les dans une sauce poulette *(voy. sauce poulette, page 17)* que vous pouvez lier avec un jaune d'œuf. *(Voy. liaison à l'œuf, page 13).*

Haricots verts en salade. – On les cuit comme il est dit ci-dessus. *(Voy. haricots verts à la maître d'hôtel).* Mettez-les dans un saladier après les avoir fait égoutter et assaisonnez les comme une salade ordinaire.

Haricots verts conservés en boîtes. – Otez-les de la boîte et versez de l'eau bouillante dessus. Laissez-les égoutter et accommodez-les comme les haricots frais.

Haricots mange-tout. – Pour éplucher ces haricots, cassez les deux extrémités et enlevez les filaments qui garnissent les côtés, puis faites-les cuire à l'eau bouillante avec un peu de sel ; 30 minutes suffisent.

Mettez ensuite dans une casserole un morceau de beurre, laissez-le jaunir et ajoutez un gros oignon coupé en lames minces ; lorsque ce dernier est jaune, mettez les haricots sans les égoutter et saupoudrez d'une petite cuillerée de farine ; salez et poivrez. Enfin, sautez les haricots, ajoutez du persil haché fin, puis laissez un moment sur feu doux et servez.

Les haricots mange-tout peuvent s'accommoder aussi comme les haricots verts.

Haricots verts à l'anglaise. – Se préparent comme les petits pois à l'anglaise. *(Voy. page 232).*

Restes de haricots verts en salade. – S'il vous reste des haricots verts cuits à l'eau, mettez-les en salade avec cerfeuil et civette hachés.

Restes de haricots verts au beurre noir. – Faites chauffer les haricots avec l'eau dans laquelle ils ont cuit, puis préparez un beurre noir. *(Voy. beurre noir, page 21).* Egouttez bien les haricots, mettez-les dans un plat et versez dessus le beurre noir très chaud. Faites chauffer dans la poêle une cuillerée de vinaigre et arrosez-en les haricots.

HARICOTS FLAGEOLETS

Les flageolets se récoltent de juillet à fin septembre. Il faut les choisir petits et d'un beau vert.

MANIÈRE DE CONSERVER LES HARICOTS FLAGEOLETS. – Pour conserver les flageolets, on peut les faire sécher ; il faut les cueillir avant qu'ils soient tout à fait mûrs, puis les écosser et les mettre sur une table couverts d'une nappe et exposés au soleil. Lorsqu'ils sont bien secs, on les renferme dans des boîtes en bois.

Haricots flageolets frais au beurre. – Après les avoir écossés, faites-les cuire à l'eau bouillante avec du sel comme les haricots verts et *ne les couvrez pas* non plus si vous voulez qu'ils restent verts. Au bout d'une heure, ils doivent être cuits ; vous pouvez du reste vous en assurer en en prenant un, il faut qu'il fléchisse sous le doigt. Otez-les alors de l'eau, égouttez-les et mettez une casserole sur le feu avec un morceau de beurre et persil haché, sel, poivre. Ajoutez ensuite vos haricots, sautez-les et, dès que le beurre est fondu, servez dans un légumier ou un plat creux.

Les haricots flageolets peuvent être accommodés aussi comme les haricots verts. L'eau de la cuisson peut servir pour faire une soupe à l'oseille ou à l'oignon.

Haricots flageolets conservés en boîte. – Sortez-les de la boîte, mettez-les dans la passoire et versez dessus de l'eau bouillante ; laissez-les ensuite égoutter et accommodez-les comme les haricots flageolets frais.

Haricots flageolets secs. – Faites-les tremper un jour dans l'eau froide, puis mettez-les sur le feu en même temps que l'eau ; du reste tous les légumes secs, quels qu'ils soient, se font cuire de même ; si on les mettait à l'eau bouillante ils cuiraient mal et resteraient toujours un peu fermes. Lorsque les haricots secs sont cuits (il faut bien compter deux heures), on les retire de l'eau, on les fait égoutter et on les accommode comme les frais.

L'eau de cuisson peut faire une bonne soupe à l'oseille ou à l'oignon.

HARICOTS BLANCS ET ROUGES

Haricots blancs à la bretonne. – Les haricots frais se mettent à l'eau bouillante et les haricots secs à *l'eau froide,* c'est-à-dire que, pour ces derniers, on les met sur le feu en même temps que l'eau. Lorsqu'ils sont cuits, on les retire de l'eau et on les fait égoutter. Mettez alors dans une poêle, pour un litre de haricots, un morceau de beurre gros comme un œuf ; laissez ce beurre bien chauffer et mettez-y un gros oignon coupé en lames minces. Laissez l'oignon prendre couleur ; lorsqu'il est bien jaune, ajoutez une petite cuillerée de farine, laissez brunir et mettez vos haricots avec un peu d'eau de la cuisson ; salez, poivrez et servez bien chaud au bout d'un quart d'heure.

Haricots blancs à la maître d'hôtel. – S'ils sont secs, mettez-les cuire à l'eau froide ; s'ils sont frais, mettez-les dans l'eau bouillante. Dans l'un et l'autre cas, quand ils seront cuits, accommodez-les comme les haricots verts.

L'eau de la cuisson peut servir à faire une bonne soupe à l'oseille ou à l'oignon.

Haricots blancs à l'huile. – Mettez-les cuire à l'eau froide s'ils sont secs ; s'ils sont frais, mettez-les à l'eau bouillante. Dans l'un et l'autre cas, quand ils seront cuits, sortez-les de l'eau, laissez-les bien égoutter et accommodez-les en salade comme une salade ordinaire, avec huile et vinaigre, poivre, sel, et un peu de ciboule hachée.

Haricots blancs en purée. – Prenez un litre de haricots secs ; mettez-les cuire à l'eau froide, c'est-à-dire que vous les mettrez sur le feu en même temps que l'eau ; il faut compter deux heures de cuisson au moins.

Lorsque vos haricots sont cuits, mettez-les dans une passoire pour les faire égoutter et gardez l'eau de la cuisson pour faire un potage à l'oseille ou à l'oignon. Prenez ensuite un pilon et pressez vos haricots à travers la passoire, en ayant soin de mouiller de temps en temps avec un peu d'eau de la cuisson. Il faut que cette purée soit plus épaisse que celle que l'on fait pour un potage.

Mettez après dans une casserole, gros comme un œuf, du beurre ; laissez-le fondre, ajoutez votre purée que vous mêlez bien au beurre, salez, poivrez et servez très chaud.

Cette purée peut servir pour garniture de côtelettes, biftecks, saucisses, etc.

Haricots rouges. – Les haricots rouges se font cuire et se préparent comme les haricots blancs.

FÈVES DES MARAIS

Les fèves sont un délicieux manger ; les toutes petites surtout sont appréciées des gourmets.

Fèves en hors-d'œuvre. – Les petites fèves font un excellent hors-d'œuvre ; après leur avoir enlevé le petit croissant qui est à l'une des extrémités, on les sert dans un ravier, accompagnées de beurre fin.

Fèves à la poulette. – Prenez des fèves de moyenne grosseur, écossez-les, enlevez le croissant et mettez-les cuire à l'eau bouillante sans les couvrir. Les fèves doivent baigner tout à fait.

A partir du moment où l'eau recommence à bouillir, il faut 15 à 20 minutes de cuisson. Préparez ensuite une sauce poulette. *(Voy. sauce poulette, page 17).* Mettez-y les fèves bien égouttées et saupoudrez-les de *sarriette* hachée (la sarriette est une petite plante qui croît au moment des fèves et qui sert à les parfumer). Enfin laissez sur le feu pendant quelques minutes et liez la sauce avec un jaune d'œuf délayé avec un peu de crème. *(Voy. liaison à l'œuf, page 13).*

POIS

Les pois se vendent généralement tout écossés sur les grands marchés, mais lorsqu'on peut les acheter en cosses et les écosser soi-même, cela est préférable ; ils sont d'abord meilleur marché et souvent plus frais.

Les pois fins s'accommodent au sucre ; les gros pois servent pour ragoût ou purée.

Petits pois au sucre. – Il faut, pour trois ou quatre personnes, un litre de pois écossés ou trois quarts de boisseau en cosses.

Les pois étant écossés, lavez-les et mettez-les dans une casserole avec un morceau de beurre gros comme un œuf, trois ou quatre oignons blancs, un bouquet de persil, thym et laurier, un cœur de romaine, gros comme une noix de sucre et une pincée de sel blanc. Couvrez ensuite votre casserole avec une assiette creuse dans laquelle vous mettez un demi-verre d'eau ; vous en verserez au fur et à mesure que l'eau se tarira. Sautez aussi les pois de temps en temps et laissez-les cuire à feu doux pendant une heure. Otez le bouquet et servez avec des oignons et le cœur de romaine.

Pois au lard. – Prenez un litre de pois moyens et lavez-les. Mettez ensuite dans une casserole une cuillerée de bonne graisse, laissez-la fondre et, lorsqu'elle est chaude, mettez-y un quart de lard de poitrine coupé en petits morceaux de l'épaisseur d'un doigt. Ayez le soin de bien laisser jaunir ce lard et lorsqu'il est rissolé, retirez-le ; ajoutez une ou deux cuillerées de farine que vous mêlez au beurre ou à la graisse. Mouillez alors avec deux verres d'eau, puis salez, poivrez, ajoutez les pois avec un bouquet de persil, thym et laurier et deux ou trois petits oignons. Enfin, couvrez et laissez cuire une heure et demie à feu doux, puis enlevez le bouquet et servez chaud.

Petits pois conservés en boîte. – Sortez-les de la boîte, mettez-les dans la passoire et versez de l'eau bouillante dessus. Accommodez-les comme les pois frais.

Purée de pois. – Prenez de gros pois frais ou de préférence des pois secs. Si ce sont des pois frais, faites-les cuire à l'eau bouillante ; si ce sont des pois secs, mettez-les sur le feu en même temps que l'eau froide ; ils cuiront plus facilement, si vous les trempez quelques heures dans l'eau tiède. Lorsqu'ils sont bien cuits, passez-les à la passoire en les mouillant un peu avec l'eau de la cuisson. Mettez alors dans une casserole un morceau de beurre de la grosseur d'un œuf, sel, poivre et la purée ; laissez bien chauffer et remuez pour mêler le beurre et la purée ; faites attention qu'elle n'attache pas.

Il ne faut pas que cette purée soit trop claire. Elle peut être mangée seule avec des croûtons frits dans le beurre ou servie comme garniture pour côtelettes, saucisses et harengs saurs dessalés dans l'eau bouillante.

Petits pois à l'anglaise. – Pour trois ou quatre personnes, prenez un litre de petits pois frais écossés et lavez-les à l'eau fraîche. Faites bouillir un litre et demi d'eau avec sel ; lorsqu'elle bout, jetez-y les pois, laissez-les cuire 20 minutes, puis égouttez-les dans une passoire. Mettez dans un légumier un morceau de beurre gros comme un œuf ; placez vos pois dessus et saupoudrez-les de sel fin ; servez promptement.

On doit remuer les pois une fois servis sur la table pour qu'ils soient tout imprégnés de beurre.

LENTILLES

Prenez de préférence des lentilles larges et pas trop brunes. Vous les mettrez toujours cuire à *l'eau froide,* c'est-à-dire que vous mettrez les lentilles sur le feu en même temps que l'eau.

Les lentilles, comme les haricots blancs, s'accommodent soit à l'huile, soit à la bretonne, soit en purée, soit au beurre. *(Voy. pour ces différentes préparations, les haricots blancs, page 228).*

TOMATES

Les tomates se récoltent de juillet à octobre. Il faut les prendre très mûres si vous voulez les employer pour des sauces, et un peu moins mûres si vous voulez les farcir.

TOMATES CONSERVÉES POUR L'HIVER. – Prenez des tomates bien mûres, coupez-les en morceaux et mettez-les dans une casserole sur le feu avec sel, poivre, bouquet de thym et laurier.

Deux kilos de tomates peuvent donner à peu près une demi-livre de purée.

Lorsque vos tomates sont bien fondues, passez-les dans la passoire avec un pilon ; remettez cette purée dans une casserole et faites-la sécher un peu sur le feu jusqu'à ce qu'il ne reste plus d'eau.

Quand vous voyez que votre purée ressemble à une marmelade un peu compacte, mettez-la dans des pots à confiture et, sitôt qu'elle est froide, couvrez-la avec du beurre ou du saindoux fondu. Lorsque la couche de graisse est froide, couvrez les pots avec un papier parcheminé et mettez dans un endroit sec et frais.

AUTRE MANIÈRE DE CONSERVER LA PURÉE DE TOMATES. – Lorsque la purée est bien séchée sur le feu comme il est dit page 233, mettez-la dans de petits flacons à goulots larges, faits exprès pour ces sortes de conserves. Bouchez-les et ficelez le bouchon solidement. Mettez dans un grand poêlon ou dans une grande bassine assez d'eau pour que les flacons soient recouverts et placez un peu de foin entre chacun pour empêcher qu'ils ne se cassent pendant l'ébullition. Laissez bouillir, dix, quinze minutes, retirez le chaudron du feu et ne sortez les bouteilles que lorsque l'eau est tout à fait froide. Laissez ensuite vos flacons se bien sécher pendant un jour ou deux et couvrez les bouchons avec de la cire. Mettez les flacons dans un endroit frais.

Tomates au gratin. – Prenez quatre ou cinq tomates et coupez chacune d'elles en deux dans le sens de l'épaisseur. Mettez ensuite dans un plat une bonne cuillerée d'huile ; lorsqu'elle est bien chaude, ajoutez persil, ciboule, une petite gousse d'ail, le tout haché, un peu de mie de pain émiettée fin ou un peu de chapelure blonde. Placez alors vos tomates sur ce hachis, salez-les, poivrez-les, et recouvrez avec de la chapelure ou mie de pain, puis arrosez le tout d'un peu d'huile et mettez à four chaud ou sous le four de campagne avec un petit feu dessous. Il faut trois quarts d'heure au four ou une heure au four de campagne.

Tomates farcies. – Prenez six belles tomates, essuyez-les et enlevez la partie où se trouve la queue en faisant un rond assez profond pour y mettre la farce. Faites chauffer dans une petite casserole deux cuillerées d'huile ; lorsque cette huile est bien chaude, mettez-y persil, ciboule, un peu d'ail et champignons, le tout haché, sel et poivre. Laissez cuire un moment dans l'huile et ajoutez un peu de mie de pain émiettée fin pour donner de la consistance à la farce.

Prenez alors un plat qui aille au four et qui puisse contenir vos tomates que vous mettez l'une à côté de l'autre, en ayant soin de les saler et poivrer avant de les garnir. Prenez ensuite de la farce et mettez-en dans chacune des tomates, puis saupoudrez de fromage de gruyère râpé. Vous arroserez d'huile aussi, de manière à ce qu'il y en ait assez dans le fond du plat pour que vos tomates cuisent plus facilement. Enfin mettez à four chaud et arrosez les tomates de temps en temps.

Si vous n'avez pas de four, mettez votre plat sur un feu doux et couvrez avec le four de campagne bien chaud.

Tomates en hors-d'œuvre. – Coupez les tomates en lames minces, saupoudrez de sel et de poivre, et arrosez d'huile et de vinaigre. Servez dans un ravier.

Tomates en sauce. – *(Voy. sauce tomate page 23).*

AUBERGINES

L'aubergine est une espèce de morelle dont le fruit varie du violet au rouge et du blanc au jaune. On ne doit manger l'aubergine que lorsqu'elle est parfaitement mûre sans quoi elle pourrait incommoder par son âcreté. La meilleure époque pour l'aubergine est de juillet à octobre.

Aubergines farcies. – Prenez deux belles aubergines, coupez-les par moitié dans le sens de la longueur et enlevez une partie de la chair de l'intérieur pour y placer dedans la farce suivante :

Mettez dans une casserole une bonne cuillerée d'huile, laissez bien chauffer, et ajoutez persil, ciboule, ail, sept ou huit champignons et la chair que vous avez enlevée de l'aubergine. Hachez le tout pas trop fin, salez et poivrez. Remplissez ensuite les aubergines que vous mettrez dans un plat creux, puis saupoudrez-les avec de la mie de pain émiettée fin, arrosez d'un peu d'huile et mettez cuire à four chaud. Vingt minutes suffisent.

Aubergines frites. – Après avoir enlevé la peau de l'aubergine, coupez cette dernière en rondelles de l'épaisseur d'un doigt. Faites ensuite une pâte à frire *(voy. pâte à frire, page 319)* et trempez dedans vos morceaux d'aubergine, puis faites-les cuire à friture chaude comme les beignets. *(Voy. page 287).* Lorsqu'ils sont cuits, égouttez-les et saupoudrez de sucre ou de sel.

ENDIVES

L'endive est un légume très bon et très sain qui donne de décembre à avril. Leur forme est longue et leur grosseur est comme celle des gros poireaux de Rouen. *(Voy. la figure ci-contre.)* Leur goût rappelle celui de la scarole ou de la barbe de capucin.

Mettez les endives à l'eau bouillante avec sel ; laissez-les un quart d'heure, puis faites-les égoutter dans la passoire et accommodez-les, soit à la sauce blanche, soit au roux auquel vous ajoutez un peu de jus. *(Voy. sauce blanche et roux, page 16).*

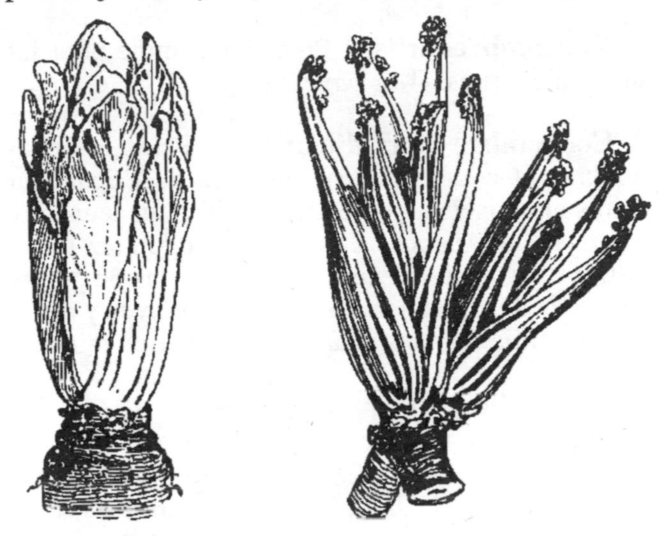

Endives. Chou marin.

CONCOMBRES

Il faut prendre les concombres bien fermes et bien droits. Les verts sont meilleurs que les jaunes ; les concombres donnent de juin à octobre.

CUISSON DES CONCOMBRES. – Après avoir coupé les concombres en quatre et avoir enlevé les graines qui sont à l'intérieur, pelez-les et faites-les cuire à l'eau bouillante dans laquelle vous avez mis un demi-verre de vinaigre et un peu de sel. Dix minutes de cuisson suffisent. Retirez ensuite les concombres et égouttez-les dans une passoire.

Concombres à divers sauces. – Lorsque les concombres sont cuits, accommodez-les, soit à la béchamel, soit à la poulette, soit à la maître d'hôtel. *(Voy. sauce béchamel, page 15 ; sauce poulette, page 17 ; sauce maître d'hôtel, page 19).*

Concombres frits. – Procédez comme pour les aubergines frites. *(Voy. page 236).*

Concombre hors-d'œuvre. – Pelez-les concombres et coupez-les en rondelles de l'épaisseur d'un sou, puis saupoudrez-les de sel pour leur faire rendre l'eau. Au bout d'une heure, égouttez-les et mettez-les dans un ravier ; saupoudrez-les de poivre et arrosez d'un peu de vinaigre. Vous pouvez y mêler deux ou trois oignons coupés en lames très minces.

CORNICHONS

On doit choisir de petits cornichons pour hors-d'œuvre et des moyens pour les sauces. Il faut les prendre verts et très fermes.

Cornichons marinés. – Prenez un cent de cornichons afin d'en avoir pour tout l'hiver. Brossez-les bien pour enlever toute la terre, et après avoir coupé le petit bout de la queue, mettez-les dans un saladier ou une terrine ; saupoudrez-les ensuite de sel gris (pour un cent il faut une demi-livre de sel), puis mettez un lit de cornichons, un lit de sel et ainsi de suite jusqu'à ce que vous ayez employé tous les cornichons. Laissez-les dans le sel 24 heures, puis égouttez-les bien et placez-les dans des pots en grès ; remplissez les pots avec du bon vinaigre ; ajoutez pas mal d'estragon, poivre en grains, ail, piment, petits oignons. Couvrez de papier épais ou d'un couvercle s'adaptant aux pots.

Les cornichons ainsi préparés ne sont pas très verts mais ils sont beaucoup plus croquants que ceux préparés à chaud. *(Voy. ci-dessous).*

Cornichons conservés, préparés à chaud. – Préparez les cornichons comme il est dit ci-dessus ; lorsqu'ils sont bien égouttés, versez dessus du vinaigre bouillant, assez pour que les cornichons baignent entièrement. Couvrez-les et laissez-les infuser 24 heures ; au bout de ce temps ils seront jaunes. Retirez alors le vinaigre, faites-le bouillir dans un poêlon non étamé, et lorsqu'il bout, jetez-y les cornichons, puis laissez-les 5 minutes à partir du moment où ils recommencent à bouillir ; vous les verrez ainsi redevenir verts.

Retirez-les ensuite, laissez-les refroidir et mettez-les dans des pots de grès en les couvrant d'estragon, de piment, poivre en grains, ail, petits oignons. Enfin remplissez les pots avec le vinaigre, couvrez-les et mettez-les dans un endroit sec ; huit jours après, ils peuvent être mangés.

CHAMPIGNONS

Il faut, autant que possible, n'employer que des champignons récoltés sur couches, et même ne les prendre que très frais. Lorsque les champignons sont frais, ils sont fermés près de la queue et ont une petite nuance gris-rosé. C'est un tort de croire que les champignons très blancs sont les meilleurs. Les champignons vieux ont le chapeau étale, les

a. Cèpes. – b. Morille. – c. Mousseron.
d. – Champignons de couche.

lames noirâtres. Pour employer les champignons, il faut les éplucher, c'est-à-dire enlever une petite peau très mince qui les couvre. Faire de même pour les queues. Coupez alors les plus gros en plusieurs morceaux et jetez-les, au fur et à mesure, dans l'eau froide avec un peu de vinaigre pour les empêcher de rougir.

MORILLES ET MOUSSERONS. – La morille a un peu l'aspect de l'éponge ; son goût, très agréable, rappelle celui de la truffe. La morille se trouve en avril et mai au bord des fossés, des bois, des haies et au pied des ormes et des frênes.

Le mousseron est un petit champignon blanc-jaunâtre ; on le trouve en mai et juin dans les bois.

Le faux mousseron, moins délicat, se trouve en août et septembre sur les souches, dans les pâturages, les sables et les bois.

On fait sécher ces espèces particulières de champignons pour les conserver et on les enfile en guirlandes. Pour se servir ensuite des champignons secs, il faut les faire tremper dans un peu d'eau tiède et les accommoder comme les frais. En général, nous conseillerons de ne cueillir les champignons des bois que si on *sait parfaitement distinguer les différentes espèces*, car il arrive malheureusement trop d'accidents, faute de connaissances spéciales.

CÈPES (ou Ceps). – Il y a encore le cèpe qui peut remplacer la morille, c'est un champignon très délicat. On peut conserver les cèpes pour l'hiver en les faisant sécher, puis on les enfile en chapelets et on les suspend dans un endroit sec. Au moment de s'en servir, on les fait tremper dans un peu d'eau tiède et on les accommode comme les champignons frais.

MOYEN DE DISTINGUER LES BONS CHAMPIGNONS. – Voici un moyen pour savoir si les champignons des bois sont bons. On coupe un gros oignon en trois ou quatre morceaux que l'on met dans l'eau bouillante avec les champignons et on laisse bouillir 15 à 20 minutes. Si, au bout de ce temps, l'oignon a noirci, il est plus que probable que les champignons sont de mauvaise qualité ; si, au contraire, il reste blanc, les champignons sont bons (peut-être).

Bien que ce procédé nous ait été indiqué par une personne compétente, nous ne voulons pas engager notre responsabilité en le recommandant comme souverain.

CONSERVATION DES CHAMPIGNONS. – Épluchez-les bien ; lavez-les à plusieurs eaux pour enlever toute la terre et mettez-les dans l'eau bouillante, en les y laissant cinq minutes, puis jetez-les aussitôt dans l'eau froide. Retirez-les après, faites-les égoutter et mettez-les dans des flacons larges de goulot, avec assez d'eau pour qu'ils soient presque couverts, ajoutez un peu de sel. Bouchez bien et ficelez avec une ficelle assez forte pour que le bouchon ne parte pas.

Mettez alors vos flacons dans un chaudron avec du foin pour empêcher qu'ils ne se choquent pendant l'ébullition.

Emplissez le chaudron d'eau, de manière à ce que les flacons soient complètement couverts et laissez bouillir trois quarts d'heure. Enlevez ensuite le poêlon du feu et n'ôtez les flacons que lorsque l'eau sera tout à fait froide, puis laissez-les deux ou trois jours avant de les boucher et couvrez de cire les bouchons. Enfin, mettez vos champignons dans un endroit sec et frais et vous pourrez les employer comme des champignons frais.

Croûte aux champignons. – Epluchez une livre de champignons moyens, mettez-les dans l'eau avec une cuillerée de vinaigre, puis placez un poêlon sur le feu avec assez d'eau pour que les champignons trempent tout à fait. Lorsque l'eau bout, mettez-y les champignons et laissez-les cinq minutes à partir du moment où l'eau recommence à bouillir.

Retirez-les après, égouttez-les et mettez-les dans une sauce béchamel *(voy. sauce béchamel, page 15)* à laquelle vous ajoutez une liaison. Pour cela, prenez un jaune d'œuf, délayez-le avec un peu de lait et de jus de citron et versez-le dans la sauce loin du feu, en remuant bien pour que l'œuf ne tourne pas.

Faites frire dans le beurre une croûte de pain mollet, mettez-la dans le plat qui doit être présenté à table et versez des champignons dessus. Il faut servir chaud, mais ne pas laisser bouillir à cause de la liaison.

Champignons sautés aux fines herbes. – Après avoir fait blanchir les champignons, comme il est dit ci-dessus, mettez-les dans une casserole, avec gros comme un œuf de beurre ou deux cuillerées d'huile. Salez, poivrez et ajoutez persil, ciboule et ail hachés. Servez très chaud avec un jus de citron.

Champignons farcis. – Prenez une dizaine de gros champignons, épluchez-les, retirez les queues et mettez dans un plat deux cuillerées d'huile et les champignons, le creux en dessus. Posez ensuite votre plat sur feu doux et faites prendre couleur à vos champignons.

Préparez alors une farce comme pour les tomates *(voy. tomates farcies, page 234),* remplissez les champignons, saupoudrez-les de mie de pain émiettée ou de chapelure et faites cuire vingt minutes à four chaud ou sous le four de campagne presque rouge avec feu doux dessous.

Champignons à la provençale. – Epluchez et lavez une livre de champignons ; coupez-les par morceaux s'ils sont gros, laissez-les entiers s'ils sont moyens. Mettez ensuite deux cuillerées d'huile dans une casserole, sel, poivre, persil et ail hachés, puis ajoutez les champignons et laissez-les dix minutes ; sautez-les de temps en temps. Saupoudrez-les après avec une cuillerée de farine, remuez bien et mouillez-les avec deux cuillerées de vin blanc et une cuillerée d'eau. Laissez alors bouillir dix minutes et servez très chaud.

Champignons en coquilles. – Préparez des champignons comme il est dit pour la croûte aux champignons *(voy. page 242) ;* mettez-les dans des coquilles Saint-Jacques ou des coquilles en métal ; saupoudrez de mie de pain émiettée fin et arrosez d'un peu de beurre fondu. Mettez au four ou sous le four de campagne.

Morilles et mousserons. – Il faut éplucher les morilles et les mousserons pour éviter de les laver à plusieurs eaux, cela leur ôte leur parfum. Faites-les cuire dans l'eau ou du bouillon en quantité suffisante pour qu'ils baignent ; lorsqu'ils vont bouillir, retirez-les et laissez-les chauffer trois quarts d'heure.

On peut employer les morilles et les mousserons comme les champignons ordinaires ou les couper en filets pour les mettre en omelette.

Champignons à la russe. – Epluchez une livre de champignons, coupez-les en deux ou quatre, mettez-les dans un plat avec un morceau de beurre de la grosseur d'un œuf, un bouquet de persil, ciboule et fenouil, puis assaisonnez de sel, poivre et de muscade râpée. Laissez cuire doucement. Lorsque vos champignons fléchissent sous le doigt, retirez le bouquet, ajoutez deux cuillerées à ragoût de sauce béchamel un peu épaisse *(voy. sauce béchamel, page 15)* et une cuillerée de bonne crème aigre ; laissez donner un ou deux bouillons, ajoutez une pincée de fenouil haché et servez.

Croquettes de riz aux champignons *(mets russe)*. – Lavez à l'eau tiède et faites cuire à l'eau bouillante une demi-livre de riz, et salez.

Faites cuire séparément une demi-livre de champignons de moyenne grosseur dans de l'eau et du sel. Lorsque le riz est presque cuit, mêlez-y les champignons en ayant soin toutefois de les couper en filets. Finissez de cuire et laissez refroidir, salez et poivrez, puis un peu avant le dîner, faites des boulettes de moyenne grosseur, passez-les à la mie de pain, roulez-les dans l'œuf battu, et passez-les de nouveau dans la mie de pain. Faites frire dans l'huile d'olive et servez en pyramide sur une assiette avec du persil frit.

OSEILLE

L'oseille peut se conserver sans beaucoup de préparation. L'hiver, il est difficile de s'en procurer et à cause de cela elle est chère : il faut donc faire sa provision vers le mois de septembre.

MANIÈRE DE CONSERVER L'OSEILLE POUR L'HIVER. – L'oseille cuite fond beaucoup ; il faut donc en prendre une grande quantité, si l'on veut en avoir assez pour l'hiver.

Epluchez l'oseille, enlevez toutes les queues, lavez-la à plusieurs eaux et mettez-la fondre dans un grand chaudron sur un feu pas trop vif. Remuez de temps en temps pour qu'elle ne brûle pas et laissez-la sur le feu jusqu'à ce qu'elle ne rende plus d'eau.

Quand vous la voyez en purée épaisse, mettez-la dans des pots en grès ; laissez-la se bien tasser pendant deux jours, puis faites fondre du beau saindoux ou du beurre, versez-le sur votre oseille et laissez ce beurre ou cette graisse se figer. Couvrez ensuite avec un papier que vous ficelez et mettez dans un endroit frais.

Lorsque vous voulez vous en servir, vous enlevez une partie de la graisse et préparez l'oseille, comme il est dit cidessous. *(Voy. purée d'oseille pour garnitures).*

Purée ou farce d'oseille pour garnitures. – Pour trois ou quatre personnes, prenez quatre à cinq poignées d'oseille. Epluchez-la, enlevez les queues et lavez-la bien, puis mettez-la dans une casserole ou un poêlon sur feux doux pour qu'elle fonde ; lorsqu'elle est à moitié fondue, ajoutez gros comme un œuf de beurre et laissez encore sur le feu ; enfin lorsque vous la voyez en purée, retirez-la du feu et ajoutez un jaune d'œuf que vous délayez avec un peu de lait. Remuez en versant dans l'oseille, pour que votre liaison soit bien mélangée et ajoutez sel et poivre.

Cette purée se sert avec œufs durs, jambon, saucisses, etc. Si on sert l'oseille avec un fricandeau, il ne faut pas mettre de liaison, mais au moment de servir, on ajoute le jus de veau. Si l'oseille est trop acide, on pourrait, avant de la faire fondre, la mettre cinq minutes à l'eau bouillante.

ÉPINARDS

Les épinards sont bons en hiver ; en été, ils sont âcres, aussi peut-on les remplacer par du cresson de fontaine accommodé de la même façon. Il vaut mieux faire cuire les épinards chez soi que de les acheter tout cuits chez les fruitiers, car on y mêle souvent des herbes qui en dénaturent le goût.

Epinards au jus. – Enlevez toutes les pailles ou saletés qui s'attachent aux épinards ; ôtez les queues, lavez-les à plusieurs eaux et égouttez-les. Mettez ensuite cuire vos épinards cinq minutes dans l'eau bouillante, puis retirez-les et plongez-les dans l'eau froide, en les pressant, pour faire sortir toute l'eau. Après cela, hachez-les pas trop fin et mettez-les dans une casserole avec un morceau de beurre gros comme un œuf ; lorsque le beurre est fondu, saupoudrez d'une petite cuillerée de farine, remuez et ajoutez deux ou trois cuillerées de jus ou de bouillon, sel et poivre, et servez très chaud avec des croûtons frits dans le beurre.

On peut, au lieu de jus ou de bouillon, y mettre de l'eau et servir sur ces épinards des œufs durs coupés en quartiers.

Epinards au sucre. – Préparez les épinards comme ceux au jus *(voy. ci-dessus),* seulement mettez un bon morceau de sucre et, au lieu de jus ou de bouillon, ajoutez une liaison d'un œuf que vous délayez avec un peu de lait. Servez avec des croûtons frits dans le beurre disposés autour du plat.

ARTICHAUTS

Les artichauts sont bons de mai à octobre. Les artichauts aux feuilles un peu allongées sont préférables à ceux de Bretagne, qui ont les feuilles serrées et rondes. Il faut les prendre bien verts et faire attention que l'extrémité des feuilles ne pique pas ; ce serait un signe de dureté et l'artichaut qui n'est pas tendre n'est pas mangeable. Les gros artichauts se font cuire, les petits se mangent à l'huile.

CUISSON DES ARTICHAUTS. – Coupez le bout des feuilles, enlevez tout à fait la queue et les feuilles dures du dessous, puis faites bouillir dans un poêlon assez d'eau pour que les artichauts baignent aux trois quarts. Ajoutez alors un peu de sel et, lorsque l'eau bout, placez-y les artichauts, le fond en bas ; laissez-les ensuite cuire sans les couvrir pendant trois quarts d'heure ; ils seront cuits lorsqu'en tirant une feuille, elle se détachera facilement. A ce moment, retirez-les de l'eau, faites-les égoutter et enlevez le chapeau pour prendre le foin, remettez le chapeau après.

Artichauts à la sauce. – Faites-les cuire comme ci-dessus et servez-les chauds avec une sauce blanche ou une sauce brune. *(Voy. sauce blanche et roux brun, page 16).*

Artichauts au jus. – Enlevez la queue et le foin, coupez le bout des feuilles, puis divisez les artichauts en quatre et faites-les blanchir à l'eau bouillante avec un peu de sel pendant un quart d'heure.

Faites ensuite chauffer (pour un artichaut) un morceau de beurre gros comme une noix, ajoutez un peu de lard maigre coupé en petits morceaux et laissez prendre couleur ; lorsque vos morceaux de lard sont jaunes, retirez-les et mettez une petite cuillerée de farine que vous laissez brunir, puis mouillez avec une ou deux cuillerées de jus ou de bouillon, sel et poivre, un bouquet de persil, thym et laurier. Mettez alors dans cette sauce les artichauts et le lard que vous avez retirés, puis laissez trois quarts d'heure à feu doux.

Enfin servez les artichauts dans un plat creux, disposez-les en rond, passez votre sauce à travers une passoire fine et versez-la au milieu des artichauts.

Artichauts à la barigoule. – Pour quatre personnes, prenez deux artichauts. Lorsque les artichauts sont cuits, comme il est dit plus haut *(voy. cuisson des artichauts, page 248),* retirez le chapeau et enlevez le foin.

Prenez 75 grammes de chair à saucisse que vous mêlez avec la même quantité de mie de pain trempée dans un peu de bouillon ; ajoutez y persil, ciboule et quelques champignons hachés fin. Mettez ensuite dans une casserole, gros comme une noix, du beurre, laissez-le fondre et placez-y votre farce pour qu'elle prenne couleur ; salez, poivrez et saupoudrez d'un peu de farine pour lier votre farce, remplissez-en les artichauts et recouvrez avec le chapeau.

Mettez après dans une casserole une cuillerée d'huile ; laissez-la chauffer et placez vos artichauts avec sel et poivre. Posez la casserole sur feu doux et couvrez avec un couvercle de tôle que vous garnissez de feu vif. Une demi-heure suffit. Enfin servez sans sauce avec un citron coupé en quatre.

Artichauts frits. – Prenez deux artichauts moyens ; coupez-les chacun en huit ou dix morceaux selon la grosseur ; préparez-les et faites-les cuire comme il est dit plus haut. *(Voy. cuisson des artichauts, page 248).* Lorsqu'ils sont cuits, laissez-les égoutter et trempez chaque morceau dans la pâte à frire ; faites frire à friture bien chaude, et servez en pyramide en saupoudrant de sel fin. *(Voy. pâte à frire, page 319, et friture, page 21).*

Artichauts crus à l'huile. – On prend de petits artichauts et on coupe l'extrémité des feuilles ; on enlève ensuite les feuilles dures qui sont dessous et on sert les artichauts accompagnés d'une vinaigrette. *(Voy. vinaigrette, page 29).*

Artichauts cuits à l'huile. – On les prépare et on les fait cuire comme il est dit plus haut *(voy. cuisson des artichauts, page 248),* puis on fait une vinaigrette *(voy. vinaigrette, page 29)* et on les sert à l'huile bien égouttés, la sauce dans une saucière.

Restes d'artichauts à l'huile. – Les artichauts qui, étant cuits à l'eau, seraient restés pour le lendemain, pourraient être accommodés à l'huile s'ils ont été préparés la veille à la sauce. On fait une sauce à l'huile que l'on sert dans une saucière avec les artichauts coupés en deux ou quatre et le foin enlevé.

Restes d'artichauts frits. – On prépare une pâte à frire un peu épaisse *(voy. pâte à frire, page 319) ;* on y trempe les artichauts coupés en morceaux larges de deux doigts, et l'on fait frire à friture chaude *(voy. page 21) ;* puis on orne de persil frit.

LAITUE

La laitue doit être blanche et pommée, autant que possible. Il est fait exception pour les premières petites laitues qui viennent sous châssis ; elles sont très délicates mais ont moins de goût que les laitues de saison.

Salade de laitue. – Cette salade doit être épluchée avec soin, parce que dans les cavités des feuilles il se niche souvent des insectes ; il faut enlever les grosses côtes et laver les feuilles à grande eau. Lorsque après avoir enlevé les plus grandes feuilles, on arrive au cœur, il faut le laisser entier de la grosseur d'un œuf à peu près, puis le couper en quatre.

Laissez ensuite égoutter les feuilles et pressez-les dans un torchon sans les déchirer, mettez-les dans un saladier avec cerfeuil et estragon hachés fin et décorez avec des œufs durs coupés en quartiers, enfin assaisonnez de poivre, sel, huile et vinaigre.

La salade de laitue se sert avec le rôti ou après.

Salade de laitue à la crème. – On procède comme pour la salade ci-dessus, mais au lieu d'huile on met deux ou trois cuillerées de bonne crème que l'on délaie avec le vinaigre.

Salade de laitue au lard. – Prenez un quart de lard de poitrine ; coupez-le en morceaux de l'épaisseur d'un doigt et mettez ces derniers dans la poêle avec un peu de saindoux ; laissez prendre couleur à ces morceaux de lard sur feu pas trop vif, puis retirez-les et mettez-les dans un saladier avec la graisse qui a servi à les faire revenir. Couvrez alors avec la laitue préparée et ne mettez comme assaisonnement que très peu de sel, poivre, vinaigre et pas d'huile.

Laitue au jus. – Prenez quatre laitues bien pommées ; enlevez les premières feuilles ; visitez-les bien pour ne laisser aucune limace ou puceron ; mettez-les cuire 20 minutes à l'eau bouillante, puis enlevez-les, plongez-les dans l'eau froide et laissez-les égoutter sur un torchon.

Mettez ensuite dans la casserole gros comme un œuf, du beurre ; laissez-le fondre à feu doux, ajoutez une cuillerée de farine et laissez sur le feu jusqu'à ce que votre farine soit d'une couleur brune pas trop foncée ; ajoutez alors un verre d'eau ou de bouillon, un peu de jus si vous en avez, sel, poivre, un bouquet de persil, thym et laurier et vos laitues. Laissez cuire une heure et arrosez souvent avec la sauce ; lorsque vos laitues sont cuites, servez dans un plat creux, ôtez le bouquet et versez la sauce dessus.

On peut faire des laitues au maigre en ajoutant de l'eau au roux au lieu de bouillon et en ne mettant pas de jus.

CHICORÉE

La chicorée se récolte de juin à fin janvier. Prenez-la fine et blanche.

MANIÈRE DE CONSERVER LA CHICORÉE POUR L'HIVER. – Epluchez bien la chicorée et faites-la cuire à l'eau bouillante ; pressez pour qu'il ne reste pas d'eau et mettez dans une casserole avec un peu de beurre. Laissez sécher sur un feu doux et, lorsque toute l'eau est évaporée, remplissez-en des pots ; laissez ensuite refroidir et couvrez avec du saindoux et du beurre fondu. Mettez un papier sur les pots et placez-les dans un endroit sec et frais.

Quand on veut se servir de cette chicorée, on enlève une partie de la graisse, et on accommode comme la chicorée fraîche.

Salade de chicorée. – Epluchez, lavez, enlevez les grosses côtes et assaisonnez comme les autres salades.

On ajoute souvent, à la salade de chicorée, une petite croûte de pain frottée d'ail que l'on appelle *chapon,* mais il vaut mieux ne pas en mettre quand on n'est pas sûr du goût des personnes que l'on reçoit.

Chicorée cuite au jus. – Epluchez bien une dizaine de chicorées, lavez à plusieurs eaux et faites cuire une demi-heure à l'eau bouillante avec un peu de sel. Lorsque la chicorée est cuite, retirez-la, égouttez et pressez pour qu'il ne reste plus d'eau, puis hachez pas trop fin. Mettez ensuite votre chicorée dans une casserole avec un morceau de beurre gros comme un œuf, sel, poivre et une cuillerée de farine ; mouillez au bout de dix minutes avec un peu de jus ou de bouillon, et servez bien chaud en entourant de croûtons frits dans le beurre.

Cette purée sert aussi pour accompagner des côtelettes, des saucisses, du jambon.

ROMAINE – BARBE DE CAPUCIN

Romaine *(ou chicon)*. – Enlevez les grosses côtes, séparez les feuilles en deux dans le sens de la longueur, puis coupez en morceaux et assaisonnez comme il est dit pour les autres salades. On peut aussi la faire cuire et accommoder comme la laitue *(voy. laitue, page 251)*.

Barbe de capucin. – La barbe de capucin (ou

chicorée sauvage) est une bonne salade d'hiver ; on l'accompagne de ronds de betterave cuite au four et on l'assaisonne comme les autres salades.

SCAROLE – PISSENLIT

Scarole *(ou escarole)***.** – Il faut la choisir blanche et les feuilles cassantes, c'est une preuve qu'elle est tendre. On la mange crue en salade et on l'assaisonne comme les autres salades.

Pissenlit. – Il y a deux espèces de pissenlits, le blanc et le vert. Le blanc est assez cher, mais il est préférable au vert qui n'est pas toujours tendre. On le mange en salade ou cuit comme la chicorée. *(Voy. chicorée cuite, page 254).*

CÉLERI – CARDONS

Le céleri se mange cru en salade ; cuit, on l'emploie pour les ragoûts.

Céleri en salade. – Otez les feuilles vertes, ne gardez que les côtes et dégarnissez-les des filaments qui sont à la surface ; coupez-les en morceaux de la largeur du petit doigt et de quatre ou cinq centimètres de long, puis accommodez dans un saladier avec une sauce rémoulade. *(Voy. cette sauce, page 24).* On peut ajouter au céleri une autre petite salade appelée *mâche* ou *doucette.*

Céleri au jus. – Enlevez les feuilles vertes et les taches rousses, lavez bien, coupez chaque pied en deux dans le sens de la longueur et faites cuire à l'eau bouillante en l'enfonçant de temps en temps pour qu'il ne noircisse pas.

Mettez ensuite dans une casserole un peu de bonne graisse, laissez-la chauffer et ajoutez une cuillerée de farine ; remuez et, lorsque vous voyez la farine prendre une couleur brune, ajoutez un verre d'eau ou de bouillon et un peu de jus ; salez et poivrez et laissez bouillir un quart d'heure ou vingt minutes en y mettant le céleri bien égoutté et une petite cuillerée d'eau-de-vie.

Servez alors à courte sauce, c'est-à-dire en laissant réduire la sauce sur le feu, si vous la trouvez trop claire.

Le *céleri-rave* se prépare comme le céleri en branches, seulement, après l'avoir épluché, on le coupe en lames de l'épaisseur d'un sou.

Céleri au maigre. – On peut préparer le céléri au maigre en ne mettant ni jus ni bouillon ; dans ce cas, on ajouterait un peu plus d'eau.

Céleri au gratin. – Se prépare comme le céleri au jus *(voy. ci-dessus) ;* lorsqu'il est cuit, on le met dans un plat beurré allant au feu, on verse la sauce dessus, on saupoudre de mie de pain émiettée, on arrose de beurre fondu et on met au four ou sous le four de campagne. On peut ajouter à la sauce quelques champignons et une truffe coupée en lames minces.

Cardons. – Les cardons se font cuire et s'apprêtent comme le céleri. *(Voy. ci-dessus).*

POTIRON – GIRAUMON CITROUILLE

Pour que le potiron soit bon, il faut que sa chair soit jaune et sa croûte verdâtre ou très jaune, selon les espèces (espèces de courge).

On prend généralement le potiron ou le giraumon pour faire les potages. *(Voy. potage au potiron, page 42).*

Avec la citrouille, qui est beaucoup plus grosse et dont la croûte est jaune, on peut faire de la marmelade.

Marmelade de citrouille. – On enlève les pépins et la peau, on coupe la citrouille par morceaux gros comme une noix, et on la met dans une bassine avec un peu d'eau. On ajoute ensuite une demi-livre de sucre pour une livre de citrouille et le zeste d'une orange ou d'un citron. On fait cuire à feu doux pendant une heure ou plus, selon la quantité, et l'on remue souvent. Lorsque la marmelade a acquis la consistance de la marmelade d'abricots, on la retire, on ajoute le jus du citron ou de l'orange et l'on met en pots, puis on laisse refroidir et l'on ne couvre les pots qu'au bout de quatre ou cinq jours. Les pots doivent être placés dans un endroit sec et frais.

MELONS

Il est difficile de bien choisir les melons ; cependant lorsqu'ils sont lourds, que la queue est cernée tout autour et que la partie opposée à la queue fléchit sous le doigt, il est rare, si le parfum est bon, que le melon soit de mauvaise qualité.

On mange le melon soit comme hors-d'œuvre, soit comme dessert. Comme hors-d'œuvre, on le sert après le potage, en même temps que le bœuf. On le coupe en tranches et on fait passer à chaque convive.

Confiture d'écorces de melon. – Il faut pour ces confitures prendre des melons à écorce épaisse. Vous pelez cette écorce et vous la coupez par morceaux de la grosseur d'une noix. Pour une livre d'écorces, mettez une livre de sucre.

Faites fondre ensuite le sucre dans une bassine avec un peu d'eau et mettez à feu doux. Lorsque le sucre est fondu, ajoutez l'écorce de melon et un zeste de citron. Laissez cuire environ deux heures jusqu'à ce que votre confiture ait l'aspect d'une gelée. Mettez en pots, laissez reposer trois ou quatre jours, couvrez de papier et mettez dans un endroit sec.

CRESSON DE FONTAINE

Le cresson s'emploie comme garniture pour biftecks, côtelettes et rôtis. On enlève les côtes, on garde les feuilles qu'on lave bien, on les secoue dans un torchon, on saupoudre d'un peu de sel blanc et on arrose de quelques gouttes de vinaigre. On le dispose autour des mets que l'on veut garnir.

Le cresson se mange aussi en salade, assaisonné de sel, poivre, huile et vinaigre.

L'été, les épinards sont âcres ; aussi les remplace-t-on par le cresson que l'on accommode de même. On enlève les côtes trop dures ainsi que les filaments et on fait cuire le cresson comme les épinards. *(Voy. épinards, page 247).*

ESTRAGON – PERSIL

L'estragon est rare en hiver, mais on peut le conserver en le récoltant au mois d'août, en le faisant sécher à l'ombre et en le retournant de temps en temps.

Le persil peut se conserver comme l'estragon, mais cela est moins nécessaire, car il est rare qu'on ne puisse s'en procurer toute l'année.

Estragon. – Eviter de le laver. Lorsqu'il est sec, le mettre dans un bocal bien bouché. On peut aussi mettre de l'estragon dans du vinaigre et se servir l'hiver de ce vinaigre pour les salades.

Persil frit. – Le persil frit s'emploie pour toutes les fritures salées. Enlevez les feuilles jaunes, ne laissez pas les queues trop longues, lavez et essorez dans un linge, et jetez dans la friture *(voy. friture, page 21)* très chaude. Retirez avec l'écumoire, égouttez et garnissez le plat que vous devez servir.

DIVERS

Macédoine de légumes *(ou jardinière)*. – Préparez une sauce blanche *(voy. sauce blanche, page 16)* que vous mouillez avec du bouillon au lieu d'eau. Mettez dans cette sauce deux carottes, un navet que vous coupez de l'épaisseur du petit doigt et du tiers de sa longueur, puis un oignon coupé en lames minces, une poignée de haricots flageolets, une poignée de petits pois et autant de haricots verts. Ajoutez un petit morceau de sucre et laissez cuire une heure et demie. Les haricots verts peuvent être mis un peu plus tard que les autres légumes, parce qu'ils demandent moins de temps pour la cuisson.

Avant de servir, liez votre sauce avec un jaune d'œuf que vous délayez avec un peu de crème ou de lait. Versez votre liaison dans la sauce que vous éloignez du feu et tournez vivement. Servez de suite.

Cette macédoine peut accompagner côtelettes, biftecks ou autres viandes. On peut ajouter de petits bouquets de choux-fleurs, des pois, des pointes d'asperges, cuits à l'eau séparément. On dispose tous ces légumes en petits tas autour des viandes que l'on veut garnir.

La macédoine peut être servie seule, comme entremets, accompagnée de croûtons frits.

Salade de légumes. – Prenez une poignée de pois, une poignée de haricots verts, une poignée de flageolets verts, un petit chou-fleur, une poignée de choux de Bruxelles, un fond d'artichaut, deux carottes, deux navets et deux pommes de terre. Faites cuire séparément tous ces légumes à l'eau bouillante avec un peu de sel. Lorsqu'ils sont cuits, égouttez et laissez refroidir. Coupez les carottes, navets et pommes de terre en ronds de l'épaisseur d'un sou, séparez le chou-fleur par petits bouquets et disposez vos légumes dans un saladier en ayant le soin de les entremêler.

Enfin, ajoutez quelques cœurs de laitue coupés en quatre et des œufs durs hachés un peu gros, puis couvrez avec une mayonnaise jaune ou verte. *(Voy. mayonnaise, page 22).*

ŒUFS – MACARONI

ŒUFS

Ce que l'on doit rechercher surtout dans les œufs, c'est la fraîcheur, car rien n'est mauvais comme un œuf qui n'est pas frais, cela peut gâter un mets parfaitement préparé. Il faut, en cassant les œufs, avoir le soin de les mettre à part et de les bien examiner. L'été, on peut encore avoir des œufs frais, mais l'hiver, ce sont généralement des œufs de conserve et c'est alors qu'il faut se méfier.

MANIÈRE DE CONSERVER LES ŒUFS. – Prenez des œufs aussi frais que possible ; faites votre provision vers le mois de septembre. Ayez une grande marmite ou une caisse en fer-blanc, emplissez-la de son ou de cendres et enfouissez vos œufs dedans ; couvrez-les entièrement, de manière que l'air ne puisse pas y pénétrer et prenez-les au fur et à mesure que vous en aurez besoin.

On peut aussi les conserver dans l'eau de chaux préparée ainsi :

Mettez dans un vase quelconque à peu près 10 litres d'eau et deux morceaux de chaux vive. Laissez l'eau et la chaux pendant huit jours, en ayant soin de remuer tous les jours, excepté celui où vous voulez y mettre les œufs.

Prenez des pots de grès, placez les œufs dedans et remplissez les pots avec de l'eau de chaux, faites attention de ne pas mettre le dépôt. Il faut que les œufs soient entièrement couverts d'eau. Lorsque vous prenez des œufs, maniez-les avec des ustensiles propres et ne remettez pas dans l'eau un œuf que vous auriez touché.

Placez les pots de grès dans un endroit frais.

Œufs à la coque. – Ayez de l'eau bouillante ; mettez vos œufs dedans, couvrez-les et laissez-les trois minutes sur le feu, puis retirez-les et servez dans une serviette pliée en fichu.

On peut aussi mettre les œufs dans un bol ou dans un légumier ; verser de l'eau bouillante dessus et les couvrir ; mais dans ce cas il faut un peu plus de temps ; ils doivent rester dans l'eau cinq minutes avant d'être servis.

Œufs sur le plat. – Mettez dans un plat de porcelaine, allant au feu et qui puisse être présenté à table, un morceau de beurre gros comme une noix ; laissez-le fondre ; lorsqu'il est chaud, cassez vos œufs dessus, salez, poivrez et dès que vous voyez le blanc pris, servez immédiatement. Il faut que le jaune soit un peu liquide.

Œufs mollets. – Faites cuire les œufs comme il est dit aux œufs à la coque *(voy. ci-dessus),* seulement laissez-les bouillir cinq minutes au lieu de trois et mettez-les de suite dans de l'eau froide : enlevez ensuite la coquille et servez ces œufs sur une purée de pois ou d'oseille *(voy. ces purées, pages 232 et 246)* ou avec telle sauce qu'il vous plaira. *(Voy. sauce blanche, page 16 ; sauce piquante, page 20 ; sauce Robert, page 21 ; sauce ravigote, page 24).*

Œufs à la béchamel. – Faites cuire des œufs dans l'eau bouillante, laissez-les dix minutes ; mettez-les ensuite dans l'eau froide, enlevez la coquille et coupez vos œufs en rondelles ou par quartiers, puis servez-les dans une sauce béchamel. *(Voy. sauce béchamel, page 15).*

Œufs durs. – Faites cuire des œufs pendant dix minutes à l'eau bouillante ; sortez-les de l'eau et remettez-les dans de l'eau froide, enlevez la coquille et servez-vous-en pour le plat que vous voudrez.

Œufs durs en salade. – Faites-les cuire comme ci-dessus *(voy. œufs durs),* coupez-les en ronds et assaisonnez-les comme une salade ordinaire.

Œufs pochés. – Remplissez d'eau, aux trois quarts, une casserole assez large ; mettez votre casserole sur le feu et, lorsque l'eau commencera à bouillir, cassez-y vos œufs en vous mettant très près de l'eau pour éviter qu'ils ne tombent de trop haut ; n'en mettez que deux ou trois à la fois pour empêcher qu'ils se touchent ; au bout de cinq minutes, enlevez-les avec une écumoire, laissez-les égoutter et servez-vous-en comme potage, ou comme œufs mollets. *(Voy. œufs mollets, page 264).*

Œufs au beurre noir. – Mettez dans une poêle un morceau de beurre gros comme un œuf, laissez-le noircir et cassez vos œufs un à un dedans ; salez et poivrez et laissez-les cuire cinq minutes. Lorsqu'ils sont cuits, détachez-les bien de la poêle et glissez-les sur un plat ; arrosez-les avec le beurre noir pendant que la poêle est chaude et mettez-y une cuillerée de vinaigre que vous versez aussi sur les œufs.

Œufs à la sauce blanche ou poulette. – Faites durcir cinq œufs ; enlevez les coquilles, coupez les œufs par quartiers et faites-les chauffer dans une sauce blanche ou poulette. *(Voy. ces sauces, pages 16 et 17).*

Œufs à l'oseille ou aux épinards. – Faites durcir des œufs comme il est dit plus haut et servez-les sur une farce d'oseille ou sur des épinards. *(Voy. œufs durs, page 264, purée d'oseille, page 246 et épinards, page 247).*

Œufs en matelote. – Mettez dans une casserole trois verres de vin rouge et trois verres d'eau, un oignon coupé en ronds, une gousse d'ail, un bouquet de persil, thym et laurier, sel et poivre. Laissez bouillir un quart d'heure, enlevez avec l'écumoire l'oignon, le bouquet et l'ail, et faites pocher vos œufs dans la sauce. *(Voy. œufs pochés, page 265).*

Retirez-les aussitôt cuits et laissez réduire votre sauce sur le feu ; liez-la avec un morceau de beurre gros comme deux noix, manié avec un peu de farine ; versez la sauce sur les œufs que vous avez eu le soin de tenir chauds et servez-les entourés de croûtons frits dans le beurre.

Œufs brouillés. – Mettez dans un plat un morceau de beurre, sel, poivre, persil haché ; prenez six œufs, battez-les comme pour une omelette ; versez-les dans le plat et mettez sur le feu vif en remuant toujours, de manière à ce que vos œufs soient bien brouillés ; si des lames épaisses se formaient, il faudrait les écraser avec la fourchette.

Œufs brouillés au fromage. – Faites comme ci-dessus *(voy. œufs brouillés)* en ajoutant du fromage de gruyère râpé que vous battez avec les œufs. Pour six œufs, mettez 75 grammes de fromage.

Œufs brouillés aux truffes. – Prenez pour six

œufs une petite truffe, brossez-la bien, épluchez-la, puis coupez-la en lames minces. Faites jaunir dans le beurre, salez et poivrez ; lorsque vos morceaux de truffes ont pris couleur, laissez refroidir et mêlez-les aux œufs, puis procédez comme pour les œufs brouillés. *(Voy. œufs brouillés, page 266).*

Œufs brouillés au hareng saur. – Prenez deux filets de hareng saur que vous hachez très fin, battez-les avec les œufs et continuez comme pour les œufs brouillés. *(Voy. œufs brouillés, page 266).*

Œufs brouillés aux pointes d'asperges. – Prenez une vingtaine de petites asperges vertes ; coupez-les en morceaux de la grosseur de petits pois. Mettez alors dans une casserole un demi-verre d'eau, sel, poivre et un petit morceau de beurre ; ajoutez vos morceaux d'asperges que vous laissez cuire vingt à vingt-cinq minutes. Lorsque les asperges sont cuites, mêlez-les à sept ou huit œufs et procédez comme il est dit pour les œufs brouillés. *(Voy. œufs brouillés, page 266).*

On peut prendre de jeunes pousses de houblon pour remplacer les asperges vertes.

Œufs brouillés aux champignons. – Procéder de même que pour les œufs brouillés aux truffes. *(Voy. page 266).*

Œufs farcis. – Faites durcir des œufs. *(Voy. œufs durs, page 264).* Coupez-les en deux dans le sens de la longueur ; enlevez les jaunes, écrasez-les avec un peu de beurre, un petit morceau de mie de pain trempé dans le lait, persil et ail hachés fin, sel et poivre ; mélangez bien le tout et remplissez vos œufs de cette farce.

Prenez ensuite un plat qui puisse être présenté sur la table et qui aille au feu, beurrez-le, mettez-y un peu de farce et rangez dessus vos moitiés d'œufs ; faites cuire à four chaud ou sous le four de campagne ; servez lorsqu'ils ont une belle couleur.

Omelette au naturel. – Prenez six œufs, cassez-les dans une terrine, salez, poivrez et battez avec une fourchette ; ajoutez une petite cuillerée d'eau, ce qui la rendra plus légère. Mettez ensuite dans une poêle un morceau de beurre gros comme la moitié d'un œuf, laissez-le bien chauffer, puis versez dedans vos œufs battus. Laissez prendre un moment sur le feu, puis soulevez les parties prises avec une fourchette pour faire glisser les œufs qui ne seraient pas encore pris, veillez aussi à ce que le feu ne soit pas trop vif.

Lorsque votre omelette est cuite au point voulu, sans être trop prise, repliez-la, c'est-à-dire qu'avec la fourchette vous prenez un côté que vous ramenez sur l'autre, de sorte qu'il n'y a plus que la moitié de la poêle d'occupée. Prenez le plat qui doit être présenté à table et renversez votre omelette dessus, de manière à ce que la partie qui tient à la poêle fasse le dessus de votre omelette.

Pour être bonne, une omelette ne doit pas être trop cuite, la partie qui est au milieu doit être un peu moins prise que le dessus.

Omelette aux fines herbes. – Faites une omelette au naturel *(voy. ci-dessus),* à laquelle vous ajoutez persil et civette hachés ; faites cuire de même.

Omelette aux champignons. – Prenez six œufs que vous battez comme pour l'omelette au naturel *(voy. ci-dessus),* salez et poivrez. Ayez un quart de champignons que vous épluchez et coupez en morceaux ; faites-leur prendre couleur dans une casserole avec un morceau de beurre, sel et poivre ; lorsqu'ils ont été dix minutes sur le feu, retirez-les, laissez-les refroidir et mêlez-les aux œufs battus. Faites cuire comme l'omelette au naturel.

On peut, au lieu de champignons, mettre des mousserons ou des morilles.

Omelette aux truffes. – Se fait comme celle aux champignons *(voy. ci-dessus),* seulement au lieu de champignons prenez une ou deux petites truffes, lavez-les, épluchez-les et coupez-les en lames minces.

Omelette au rognon de veau. – Lorsque, pour rôti, vous avez un morceau de veau qui tient au rognon, conservez ce dernier après qu'il a été rôti, car vous ferez avec une excellente omelette.

Pour cela, coupez le rognon par petits morceaux, ainsi qu'une partie du gras qui est autour, et mettez le tout dans la poêle ; laissez fondre le gras et, lorsque votre rognon aura pris couleur, versez vos œufs battus comme pour l'omelette au naturel. *(Voy. omelette au naturel, page 268).* Laissez cuire en ayant soin de veiller à ce que l'omelette ne s'attache pas, ce qui arrive assez souvent.

On peut aussi mettre des rognons de bœuf ou des rognons de mouton, mais alors il faut les faire sauter d'avance *(voy. rognons sautés, pages 65 et 77),* les mettre dans l'omelette avant de la replier, de manière à ce que les morceaux de rognons soient dans le milieu. *(Voy. omelette au naturel, page 268).*

Omelette au fromage. – Préparez vos œufs comme pour une omelette ordinaire et ajoutez-y 75 grammes de gruyère râpé ; mettez un peu de sel, du poivre et faites cuire comme l'omelette au naturel. *(Voy. omelette au naturel, page 268).* Servez très chaud.

Omelette au pain. – Prenez, gros comme un œuf, de la mie de pain que vous faites tremper dans un peu de lait ; lorsque le pain a bu le lait, cassez-y quatre œufs que vous battez avec le pain comme l'omelette au naturel *(voy. omelette au naturel, page 268) ;* faites cuire de même.

Fondue. – Prenez 75 grammes de beurre que vous faites fondre à feu doux, il ne faut pas qu'il bouille ; ajoutez 25 grammes de farine que vous mélangez bien avec le beurre, trois jaunes d'œufs, le tiers d'un verre de lait ; laissez sur le feu, il faut que cela bouille trois ou quatre minutes pendant lesquelles vous remuez toujours avec la cuiller de bois. Ajoutez ensuite 150 grammes de gruyère râpé, sel, poivre et un blanc d'œuf battu en neige ; mettez le tout dans une casserole et faites cuire à feu doux. Servez très chaud.

Votre fondue ne doit pas avoir trop de consistance.

Fondue au fromage. – Prenez une petite casserole assez jolie pour pouvoir être présentée à table. Cassez-y quatre œufs très frais. Salez légèrement, poivrez et mélangez bien. Ajoutez 20 grammes de beurre frais et 40 grammes de gruyère râpé. Tournez avec une cuiller de bois sur feu doux jusqu'à obtenir un mélange parfait et servez dans la casserole.

La fondue peut se faire aussi au parmesan. On met alors 40 grammes de beurre frais pour 60 grammes de parmesan râpé. On fait fondre sur feu doux et on ajoute trois œufs battus, légèrement salés et poivrés. On tourne continuellement avec une cuiller de bois et l'on sert dans la casserole quand la fondue est devenue épaisse.

Omelette mousseuse. – Prenez quatre œufs et séparez les jaunes des blancs ; battez ces derniers en neige et mêlez-les aux jaunes ; salez, poivrez et faites cuire comme l'omelette au naturel. *(Voy. omelette au naturel, page 268).*

Omelette au macaroni. – Prenez quatre œufs, battez-les comme pour l'omelette au naturel et mettez-y du macaroni de desserte coupé en petits morceaux ; ajoutez si vous le voulez un peu de fromage de gruyère râpé. Faites cuire comme l'omelette au naturel. *(Voy. omelette au naturel, page 268).* Veillez à ce qu'elle ne s'attache pas à la poêle.

Omelette au lard. – Prenez six œufs et un quart de lard de poitrine bien maigre, coupez le lard en morceaux gros comme le bout du petit doigt et faites-leur prendre couleur dans la poêle avec un morceau de beurre et un peu de beau saindoux. Lorsque le lard est jaune, versez dessus vos œufs battus et faites l'omelette comme celle au naturel. *(Voy. omelette au naturel, page 268).*

A cause du lard qui est ordinairement salé ne mettez pas de sel.

Omelette au jambon. – Faites comme pour l'omelette au lard *(voy. ci-dessus) ;* seulement coupez le maigre du jambon en petits morceaux, mêlez-les aux œufs, coupez le gras et faites-lui prendre couleur dans la poêle, puis versez vos œufs battus et laissez cuire.

Omelette à l'oignon. – Prenez un gros oignon que vous coupez en lames minces, faites-lui prendre couleur dans la poêle avec un morceau de beurre gros comme une noix, puis versez six œufs battus comme pour l'omelette au naturel et faites cuire de même. *(Voy. omelette au naturel, page 268).*

Omelette aux pointes d'asperges. – Préparez de petites asperges vertes comme il est dit plus haut *(voy. œufs brouillés aux pointes d'asperges, page 267) ;* mêlez avec les œufs battus comme pour l'omelette au naturel et faites cuire de même. *(Voy. omelette au naturel, page 268).*

Œufs à l'ail *(mets italien)*. – Faites cuire dans l'eau pendant dix minutes six ou sept gousses d'ail ;

lorsqu'elles sont cuites, écrasez-les avec un pilon et ajoutez-y deux anchois, quelques câpres que vous écrasez également, puis mettez-y deux ou trois cuillerées d'huile d'olive, un peu de vinaigre, sel et poivre. Prenez un plat creux, mettez-y cette sauce et placez dessus des œufs durs coupés en quatre.

Les œufs, préparés ainsi, peuvent remplacer une salade.

ENTREMETS SUCRÉS AUX ŒUFS

Omelette au sucre. – Pour trois ou quatre personnes, prenez cinq œufs. En cassant les œufs, séparez les blancs des jaunes et mêlez à ces derniers une bonne cuillerée à bouche de sucre en poudre et une petite pincée de sel ; battez bien ensuite les jaunes d'œufs et mêlez-les avec les blancs que vous avez battus à part. Faites cuire dans la poêle comme une omelette au naturel. *(Voy. omelette au naturel, page 268).*

Lorsque votre omelette est repliée et servie sur le plat, saupoudrez-la avec du sucre et glacez-la, en passant dessus une pelle rougie au feu. Servez bien chaud.

Omelette au rhum. – Faites une omelette au sucre *(voy. ci-dessus)* ; dès qu'elle est cuite, repliez-la, servez-la sur un plat en métal, saupoudrez-la de sucre et arrosez avec quelques cuillerées de rhum auxquelles vous mettez le feu avant de porter le plat sur la table.

Omelette aux confitures. – Faites une omelette

au naturel. *(Voy. omelette au naturel, page 268).* Mettez-y ensuite une bonne cuillerée de sucre en poudre et faites-la cuire pas trop épaisse ; l'intérieur de cette omelette doit être aussi cuit que la partie qui touche à la poêle. Avant de la replier, mettez-y une couche de confitures (abricots, prunes ou groseilles) ; repliez-la et servez bien chaud.

Omelette soufflée. – Prenez quatre œufs, séparez les jaunes des blancs et battez ces derniers en neige très ferme. Mêlez aux jaunes quatre cuillerées de sucre en poudre et un peu de zeste de citron ; battez bien de nouveau et mélangez légèrement les blancs avec les jaunes.

Beurrez ensuite un plat qui aille au four, versez votre omelette dedans et mettez à four très chaud ; laissez-la cuire dix minutes au plus et servez-la saupoudrée de sucre.

Cet entremets est excellent, mais il doit être servi aussitôt sorti du four, car sans cela, l'omelette retomberait.

Œufs à l'eau. – Prenez cinq œufs et pas tout à fait un demi-litre d'eau. Mettez l'eau dans une casserole avec un peu de zeste de citron ou un petit morceau de vanille et 75 grammes de sucre. Placez la casserole sur le feu et laissez bouillir 10 à 15 minutes. Cassez vos œufs en séparant les blancs des jaunes ; ne prenez que trois blancs et les cinq jaunes ; battez-les et mêlez doucement avec l'eau que vous avez laissé refroidir. Passez à la passoire fine, puis remplissez-en de petits pots à la crème, que vous mettez ensuite au bain-marie *(voy. bain-marie,* *page 7)* avec feu dessous. Dès que la crème est prise, retirez les petits pots de l'eau et servez-les froids.

Œufs au lait. – Prenez cinq œufs et pas tout à fait un demi-litre de lait et 75 grammes de sucre. Faites bouillir le lait avec le sucre et un petit morceau de vanille ou une petite cuillerée de fleurs d'oranger. Lorsque le lait a bouilli, laissez-le refroidir et ajoutez-y vos œufs, blancs et jaunes battus ensemble. Passez ce mélange à la fine passoire, mettez-le dans un plat ou dans des pots à crème et faites prendre au bain-marie avec le four de campagne dessus ou dans le four du fourneau de cuisine.

Pour le *bain-marie,* ayez une casserole assez grande dans laquelle vous mettrez un tiers d'eau, puis placez vos pots de crème dedans ; veillez à ce que l'eau, en bouillant, n'entre pas dans les pots. Couvrez avec un couvercle garni de charbons bien allumés ; lorsque vous voyez que la crème est prise dessus, retirez les pots avec précaution.

Si votre crème est dans un plat, il faut que le plat soit creux et que les rebords reposent sur la casserole ; mettez en outre suffisamment d'eau pour que le plat baigne presque tout entier. Placez dessus un couvercle garni de charbons allumés.

Œufs à la neige. – Prenez quatre œufs, cassez-les et séparez les blancs des jaunes ; mettez les blancs dans un plat demi-creux et battez-les avec une fourchette, jusqu'à ce qu'ils soient assez fermes pour se détacher tout à fait du plat dans lequel vous les aurez battus.

Faites bouillir alors un demi-litre de lait avec un quart de sucre et un petit morceau de vanille ; lorsqu'il bout, prenez avec une cuiller une partie de vos blancs battus que vous laissez tomber dans le lait ; mettez-en trois cuillerées à peu près ; il ne faut pas qu'ils soient serrés.

Lorsque vous voyez vos blancs bien gonflés retournez-les et laissez-les cuire un instant ; enlevez-les ensuite avec l'écumoire, laissez-les égoutter et posez-les sur le plat ou compotier qui doit être présenté à table.

Faites prendre tous vos blancs de la même manière, puis retirez le lait du feu et ajoutez-y celui qui sera égoutté dans le plat où vous aurez mis les blancs et laissez refroidir. Battez les jaunes et ajoutez-les au lait refroidi, en ayant soin de tourner vivement pour que le mélange se fasse bien ; passez à la fine passoire et remettez sur le feu en ayant soin de toujours tourner jusqu'à ce que vous voyez la crème arriver à une certaine épaisseur.

Il ne faut pas que la crème soit trop épaisse car elle se caillebotterait ; elle doit être comme celle qui accompagne les fromages à la crème.

Enfin, versez dans le plat où se trouvent les blancs en faisant attention de ne pas arroser ceux-ci, qui doivent rester bien blancs.

Dame blanche. – Cet entremets est d'un joli effet et fort peu coûteux.

Prenez quatre œufs, cassez-les en séparant les jaunes des blancs ; battez ces derniers en neige très ferme ; beurrez légèrement un moule uni et mettez-y les blancs ; ne l'emplissez qu'à moitié. Faites prendre ensuite au bain-marie *(voy. bain-marie, page 7) ;* avec feu dessous ; ôtez le couvercle si vous voyez que les blancs montent trop. Laissez cuire 15 à 20 minutes et renversez le moule sur un plat. Faites ensuite une sauce comme pour les œufs à la neige et versez-les autour du gâteau. *(Voy. œufs à la neige, page 275).* On peut enduire le moule de caramel *(voy. page 283)* avant d'y mettre les œufs, mais alors ce n'est plus une dame blanche, c'est un *gâteau d'œufs à la neige.*

Mousse au chocolat. – Prenez quatre blancs d'œufs, battez-les en neige ferme, puis mêlez-y 100 grammes de sucre en poudre et petit à petit deux tablettes de chocolat râpé fin. Cet entremets est très bon et peu coûteux.

Lait de poule. – Mettez dans un bol un jaune d'œuf que vous délayez avec une cuillerée de sucre en poudre et une petite cuillerée d'eau de fleurs d'oranger ; battez le tout jusqu'à ce que le mélange devienne presque blanc, puis versez doucement un grand verre d'eau bouillante, en ayant le soin de remuer pour que le jaune d'œuf ne tourne pas.

Le lait de poule est excellent pour les rhumes et les maux de gorge. On doit le prendre bouillant, et autant que possible, lorsqu'on est couché, parce qu'il provoque la transpiration.

MACARONI

Il faut prendre du macaroni de moyenne grosseur et d'un jaune clair. Le macaroni doit être cuit à l'eau bouillante ; il faut mettre au moins deux litres d'eau pour une demi-livre de macaroni. Une demi-heure de cuisson suffit. Lorsque l'eau bout à gros bouillons, mettez-y un peu de sel et le macaroni cassé en morceaux de 10 centimètres à peu près. Pour être cuit à point, il doit fléchir sous le doigt. Retirez alors du feu, laissez-le égoutter et accommodez-le à l'italienne, au gratin, au jus, à la financière. *(Voy. ci-dessous).*

Macaroni à l'italienne. – Après avoir fait cuire le macaroni comme il est dit ci-dessus, remettez-le, lorsqu'il est égoutté, dans une casserole avec un bon morceau de beurre (gros comme un œuf pour une demi-livre de macaroni). Lorsque le beurre est fondu, ajoutez un quart de fromage de gruyère râpé, mélangez bien, assurez-vous si c'est assez salé et servez très chaud. Vous pouvez aussi arroser ce macaroni d'une sauce tomate. *(Voy. cette sauce, page 23).*

Macaroni au gratin. – Préparez-le comme le macaroni à l'italienne, puis mettez-le dans un plat qui aille au four et qui puisse être présenté sur la table. Saupoudrez alors avec du fromage râpé et mettez de distance en distance de petits morceaux de beurre gros comme une noisette, faites prendre couleur dans le four ou sous le four de campagne que vous avez chauffé d'avance.

COQUILLE DE MACARONI. – Au lieu de placer le macaroni dans un plat, on peut en mettre dans des coquilles Saint-Jacques et servir une coquille par personne.

Macaroni au jus. – Faites-le comme le macaroni à l'italienne *(voy. ci-dessus),* seulement mettez un demi-verre de jus au lieu de beurre et ne servez que lorsque le macaroni a absorbé tout le jus ; à ce moment seulement ajoutez le fromage. *(Voy. jus, page 17).*

Macaroni à la financière. – Préparez-le comme le macaroni à l'italienne, seulement lorsque le beurre est fondu ajoutez une financière *(voy. financière, page 27),* et laissez quelques minutes sur le feu. Finissez en ajoutant le fromage et servez très chaud.

Timbale de macaroni. – Faites une timbale *(voy. pâtisserie, page 346)* et remplissez avec un macaroni soit au jus, soit à l'italienne, soit à la financière *(voy. ci-dessus) ;* couvrez avec un couvercle de la même pâte que celle de la timbale et faites cuire au four trois quarts d'heure à peu près. Le four ne doit pas être trop chaud.

Petits pâtés au macaroni. – *(Voy. à la pâtisserie, page 335).*

Timbale de macaroni à la Bekendorf *(mets russe)*. – Faites cuire une livre de macaroni comme il est dit plus haut *(voy. page 278) ;* ajoutez-y un quart de beurre, sel, poivre et parmesan râpé. Beurrez un moule uni ; saupoudrez le beurre de mie de pain et versez-y la moitié de votre macaroni, puis placez dessus quelques tranches de saumon fumé roulées dans une bonne sauce tomate *(voy. sauce tomate, page 23) ;* remplissez avec ce qui reste de macaroni et mettez à four chaud. Lorsque le macaroni est bien coloré partout, démoulez sur serviette et servez.

Tourte au macaroni. – Faites une pâte brisée *(voy. page 316) ;* aplatissez cette pâte avec le rouleau et donnez-lui l'épaisseur d'une pièce de 5 francs, puis garnissez-en une tôle beurrée. Remplissez ensuite cette pâte avec du macaroni à l'italienne *(voy. page 278)* auquel vous avez ajouté une sauce tomate. *(Voy. page 23).* Recouvrez ce macaroni avec une pâte semblable à celle qui fait le dessous ; mouillez les bords pour que les deux morceaux soient collés ensemble. Dorez à l'œuf et mettez à four chaud. Une demi-heure de cuisson suffit.

Caneloni. – Préparez un jour à l'avance une pâte à nouilles avec 400 grammes de farine, cinq œufs, une pincée de sel, deux cuillerées d'eau tiède. Faites une boule de cette pâte et mettez au frais.

Faites une farce avec des restes de viande, un peu de jambon, une cervelle de mouton, deux jaunes d'œufs, une cuillerée de fromage de gruyère ou de parmesan râpé. Salez, poivrez ; mettez un peu de muscade, hachez le tout et ajoutez-y les deux blancs d'œufs battus, puis un peu de lait. Aplatissez la pâte au rouleau jusqu'à ce qu'elle soit très mince et découpez-la en carrés de 8 à 10 centimètres de côté. Faites-les cuire dans l'eau bouillante et salée. Au bout de huit à dix minutes, retirez-les et égouttez-les sur un torchon. Mettez sur chaque carré de pâte une couche de farce, roulez et mettez sur un plat à gratin. Saupoudrez de fromage ; arrosez d'une sauce tomate claire et mettez un quart d'heure au four.

ENTREMETS SUCRÉS
CRÈMES – GELÉES
GLACES ET SORBETS

ENTREMETS SUCRÉS

CARAMEL. – Pour enduire les moules qui servent à certains entremets, on emploie souvent du caramel au lieu de beurre, ce qui donne un plus joli aspect au gâteau.

Pour cela, on met dans un moule deux ou trois morceaux de sucre, on les laisse fondre sans eau jusqu'à ce que le caramel ait une teinte brune pas trop foncée, puis on y ajoute une petite cuillerée d'eau et l'on remue le moule en tout sens pour qu'il soit enduit partout. On verse ensuite le riz, la semoule ou toute autre composition.

LAIT D'AMANDES. – Prenez 125 grammes d'amandes douces auxquelles vous ajoutez quelques amandes amères. Mettez ces amandes quelques instants dans l'eau bouillante afin de pouvoir enlever la peau. Lorsqu'elles sont ainsi décortiquées, mettez-les dans un mortier et pilez-les avec 100 grammes de sucre et une petite cuillerée de fleurs d'oranger. Ajoutez peu à peu un quart de litre de lait ; mettez dans une casserole sur le feu et laissez bouillir quelques minutes ; passez dans un linge en pressant bien, puis laissez refroidir et servez-vous-en pour parfumer la crème que vous voudrez.

Entremets sucrés aux œufs. – *(Voy. pages 273 à 277).*

Marmelade de pommes. – Pour trois ou quatre personnes, prenez huit pommes de moyenne grosseur, pelez-les, épluchez-les et coupez-les par quartiers ; mettez ces quartiers dans une casserole avec un petit morceau de beurre et 75 grammes de sucre, un peu de vanille ou quelques petits morceaux de zeste de citron, puis faites cuire avec une ou deux cuillerées d'eau. Le feu doit être doux et de plus il faut souvent remuer pour que la marmelade ne brûle pas. Lorsque celle-ci est bien cuite, passez-la à la passoire pour l'avoir plus unie et versez dans un compotier. Vous pouvez la saupoudrer de sucre et lui faire prendre couleur avec la pelle rougie que vous passez légèrement dessus. Entourez le plat avec des croûtons frits et quelques petits fruits confits.

On peut servir la marmelade froide et, dans ce cas, au lieu de sucre en poudre, on la couvre de gelée de groseilles ou d'abricots.

Charlotte de pommes. – Préparez une marmelade comme il est dit ci-dessus et prenez un moule de moyenne grandeur dont vous garnissez le fond avec des croûtons frits dans le beurre et coupés en forme de triangle (il faut que toutes les pointes se réunissent au centre du moule, de manière à couvrir le fond) ; prenez ensuite des croûtons taillés tout simplement et ayant la hauteur du moule ; vous en garnissez le tour et vous placez au milieu de ces croûtons la marmelade que vous avez préparée. Mettez à four chaud et servez renversé sur un plat.

Charlotte de pommes meringuées. – Préparez une marmelade de pommes comme celle ci-dessus, faites-la épaisse, mettez-la dans un plat qui aille au four et qui puisse être présenté sur la table. Prenez un blanc d'œuf, battez-le en neige très ferme, ajoutez une cuillerée de sucre en poudre et couvrez votre marmelade avec le blanc d'œuf battu ; saupoudrez de sucre et mettez à four chaud. Lorsque vous verrez le blanc bien monté et d'une belle couleur, servez promptement.

Ce mets ne doit pas attendre, parce que le blanc tomberait.

Pommes au riz. – Pour quatre personnes, il faut huit pommes de moyenne grosseur.

Faites cuire 100 grammes de riz dans un demi-litre de lait ; laissez-le bien crever et sucrez-le. Prenez d'abord quatre pommes ; pelez-les et enlevez les cœurs à l'aide d'un vide-pomme, puis faites-les cuire dans de l'eau sucrée (la valeur de deux verres) ; les pommes seront suffisamment cuites, lorsque la fourchette y entrera facilement. Retirez-les, faites-les égoutter, et mettez cuire les quatre autres pommes pelées et coupées en morceaux dans l'eau sucrée qui a servi à la cuisson des précédentes ; faites une marmelade épaisse et parfumez-la avec vanille ou zeste de citron.

Lorsque votre marmelade sera faite, ajoutez-y le riz que vous avez fait cuire et laissez refroidir ; au bout d'un quart d'heure, liez avec un jaune d'œuf. Mettez ce mélange dans un plat creux qui puisse contenir toute la marmelade et les quatre pommes entières que vous placez dedans, de manière à ce que le dessus des pommes soit seul découvert ; mettez dans le four pour faire prendre couleur ou sous le four de campagne.

Avant de présenter ce plat sur la table, remplissez le creux des pommes de confiture de groseilles ou d'abricots. Décorez la marmelade avec quelques fruits confits.

Pommes au beurre. – Prenez de bonnes pommes rainettes, pelez-les et videz-les avec le vide-pomme. Préparez des tranches de mie de pain de la grandeur des pommes, mettez-les dans un plat creux beurré d'avance et placez vos pommes sur chaque tranche de pain. Remplissez ensuite le creux des pommes avec du sucre en poudre et du beurre bien frais ; faites cuire à four doux en ayant soin d'arroser de temps en temps et de remettre une ou deux fois du beurre et du sucre. Ces pommes doivent être servies chaudes sur chaque tranche de pain dans un compotier. On les arrose avec le jus et le beurre de la cuisson.

Pommes portugaises. – Faites des pommes au beurre *(voy. ci-dessus),* et remplissez-les de confiture de groseilles ou d'abricots, mais seulement au moment de servir.

Pommes flambantes. – Prenez de petites pommes (une ou deux par personne) ; faites-les cuire dans de l'eau sucrée avec cannelle ou zeste d'orange ou de citron, mais veillez à ce qu'elles ne s'écrasent pas ; retirez-les l'une après l'autre et dressez-les en pyramide dans un plat qui aille au feu et qui puisse être présenté sur la table.

Le jus dans lequel on cuit les pommes doit être laissé sur le feu pour qu'il réduise ; lorsqu'il a pris la consistance de sirop, arrosez-en les pommes ; saupoudrez-les de sucre et versez sur le tout du rhum, auquel vous faites prendre feu. Les pommes devront être très chaudes, autrement le *rhum ne prendrait pas feu.*

Croûtes aux pêches. – Faites comme pour les pommes au beurre *(voy. page 286),* seulement coupez les pêches en deux et mettez chaque moitié sur une tranche de pain placée dans le fond du plat. La partie creuse doit être dessus, de manière à recevoir le sucre et le beurre. Mettez à four doux et arrosez souvent. Servez dans un compotier avec les tranches de pain placées au fond et les pêches dessus.

Beignets de pommes. – Faites la pâte suivante :

Prenez 250 grammes de farine ; faites un trou au milieu et mettez-y deux jaunes d'œufs et une cuillerée d'eau-de-vie, un peu de sel fin, puis délayez avec la farine en ajoutant, lorsque toute la farine est mêlée, un verre de lait que vous ne versez que peu à peu, de manière à ce que votre farine ne fasse pas de boule. La pâte étant bien unie, finissez-la en mettant deux blancs d'œufs battus en neige que vous mélangez doucement.

Prenez quatre pommes rainettes, pelez-les, videsles avec le vide-pomme, coupez-les en ronds de l'épaisseur d'un gros sou et trempez chacun de ces ronds dans la pâte ci-dessus, puis faites frire à friture chaude. *(Voy. friture, page 21).*

Servez les beignets saupoudrés de sucre.

Beignets d'abricots. – Se font comme les beignets de pommes *(voy. ci-dessus)* ; mais les abricots ne doivent pas être trop mûrs ; on les coupe en deux et on ne les pèle pas.

Beignets de pêches. – Se font comme les beignets de pommes *(voy. page 287)* ; on doit prendre des pêches pas trop mûres, les couper en deux et les peler.

Beignets de fraises. – Les beignets de fraises se font comme les beignets de pommes *(voy. page 287)* ; on les prend très grosses, pas trop mûres et on les laisse entières.

Crème frite. – Préparez une bouillie très épaisse, un quart de farine pour un demi-litre de lait *(voy. bouillie, page 37)* ; mettez une pincée de sel ; 75 grammes de sucre et du zeste d'orange ou de citron. Laissez refroidir un moment et ajoutez un jaune d'œuf ; versez sur une tôle beurrée et laissez refroidir tout à fait. Il faut que la couche de bouillie ait à peu près l'épaisseur du doigt. Lorsqu'elle est complètement froide, coupez-la en losanges ou en ronds ; trempez chacun des morceaux dans un jaune d'œuf battu et sucré, roulez ensuite dans de la mie de pain et mettez à friture bien chaude. *(Voy. friture, page 21).*

Beignets soufflés. – Mettez dans une casserole un verre d'eau, une pincée de sel, gros comme une noix de sucre et autant de beurre, puis un peu de zeste de citron râpé. Lorsque l'eau commence à bouillir, ajoutez-y de la farine que vous versez doucement en tournant de la main droite avec une cuiller de bois. Il faut que votre pâte soit très épaisse ; laissez-la sur le feu en remuant toujours ; lorsqu'elle ne tiendra plus aux doigts, elle sera cuite ; retirez-la alors du feu et laissez un peu refroidir, puis mettez un œuf entier et remuez vivement pour qu'il se mêle bien à la pâte ; vous ajoutez ensuite d'autres œufs, l'un après l'autre, en opérant de la même façon pour chacun d'eux jusqu'à ce que la pâte quitte lentement la cuiller.

Faites ensuite vos beignets en prenant pour chacun d'eux gros comme une noix de cette pâte avec une petite cuiller ; mettez cinq ou six de ces beignets à la fois dans la friture bien chaude *(voy. friture, page 21) ;* lorsqu'ils sont bien dorés, enlevez-les avec l'écumoire, saupoudrez de sucre et servez promptement.

Les beignets se mangent aussi froids. On peut, au lieu de zeste de citron, mettre une cuillerée à café d'eau de fleurs d'oranger, mais alors on ne l'ajoutera qu'avec le premier œuf.

Croûtes au madère. – Prenez de la brioche très légère, taillez-en des losanges grands comme le creux de la main et épais comme un gros sou. Faites chauffer du bon beurre et mettez-y les petites tartines de brioche auxquelles vous faites prendre couleur ; lorsqu'elles sont dorées, retirez-les et couvrez-les de marmelade d'abricots ou de prunes ; disposez-les en couronne sur un plat et versez au milieu une sauce faite avec un peu d'eau et de madère délayés avec de la marmelade d'abricots. Mettez le plat une minute dans le four et servez.

Roussettes. – Prenez une demi-livre de farine, un œuf, 75 grammes de beurre, un demi-verre d'eau, un peu de sel, une cuillerée à café de fleurs d'oranger et maniez le tout. Faites-en une pâte que vous laissez reposer une heure ; après ce temps, étendez votre pâte sur la table, aplatissez-la en lui donnant l'épaisseur d'un gros sou, puis, au moyen d'un coupe-pâte, faites-en des losanges, des carrés ou des ronds. Faites frire ensuite ces roussettes à friture chaude *(voy. friture, page 21)* et servez-les saupoudrées de sucre.

Les roussettes peuvent se manger chaudes ou froides ; elles se conservent cinq ou six jours.

Pain perdu. – Faites bouillir deux verres de lait avec du sucre, quelques gouttes d'eau de fleurs d'oranger ou du zeste de citron, une pincée de sel. Prenez de petites tartines de pain que vous coupez en losanges ou en ronds ; mettez-les tremper dans le lait bouilli et faites-les égoutter. Prenez ensuite deux œufs que vous battez en omelette ; trempez vos tartines dedans et tournez-les dans de la mie de pain ; enfin faites frire à friture chaude *(voy. friture, page 21),* saupoudrez de sucre et servez.

Crêpes. – Si vous voulez une vingtaine de crêpes, prenez une livre de farine que vous délayez peu à peu avec de l'eau ; faites attention qu'il n'y ait pas de grumeaux. Lorsque le mélange a l'épaisseur de pâte à frire, ajoutez-y un œuf et même deux si la pâte est encore trop épaisse, puis une cuillerée d'eau-de-vie et une cuillerée à café de sel blanc.

Battez bien votre pâte et laissez-la reposer deux ou trois heures.

Mettez ensuite dans la poêle, gros comme une noisette, du beurre ou du saindoux ; placez la poêle sur feu modéré et faites en sorte que le beurre ou la graisse en garnisse le fond. Lorsque vous voyez que votre poêle est bien chaude, versez dedans une cuillerée à ragoût de pâte, étendez cette pâte de manière à ce qu'elle couvre le fond de la poêle ; pour cela, prenez la queue de la poêle et imprimez-lui un mouvement de gauche à droite pour que la pâte s'étende bien, car plus les crêpes sont minces, plus elles sont bonnes. Après cela, laissez bien cuire un côté et retournez de l'autre au moyen d'une fourchette que vous glissez dessous.

Les crêpes doivent être mangées très chaudes ; tièdes ou froides, elles sont indigestes.

On peut, pour les jours maigres, faire les crêpes à l'huile au lieu de beurre ou de saindoux ; une cuillerée à café d'huile suffit pour chaque crêpe.

Galettes de sarrasin. – Les galettes de sarrasin se font surtout en Bretagne ; elles s'apprêtent comme les crêpes *(voy. crêpes, page 290)* et se font cuire de même, seulement on emploie de la farine de sarrasin au lieu de la farine de froment.

Gâteau de semoule. – Faites bouillir un demi-litre de lait avec 70 grammes de sucre et un peu de vanille ou de zeste de citron. Lorsque le lait bout, versez-y en pluie un quart de semoule ; faites cuire

25 minutes, retirez du feu, laissez refroidir et ajoutez trois œufs entiers, puis remuez le tout.

Beurrez ensuite un moule à gâteau de riz et saupoudrez le beurre de chapelure jaune très fine ; versez votre semoule et faites cuire au bain-marie *(voy. ci-dessous)* pendant trois quarts d'heure, soit au four pendant une demi-heure.

Lorsque votre gâteau est cuit, retirez-le du feu et attendez pour le démouler qu'il soit un peu froid ; renversez-le sur un plat ou dans un compotier, et accompagnez-le d'une crème comme celle des œufs à la neige. *(Voy. œufs à la neige, page 275).*

Pour le bain-marie, vous mettez de l'eau dans une casserole ou dans un chaudron, vous y placez votre moule qui ne doit tremper qu'à moitié et vous couvrez avec un couvercle en tôle sur lequel vous mettez des charbons allumés.

Gâteau de riz. – Vous faites cuire un quart de riz dans un demi-litre de lait avec zeste de citron et un quart de sucre. Lorsque le riz est bien crevé, retirez-le du feu et faites comme pour le gâteau de semoule. *(Voy. ci-dessus).*

Croquettes de riz. – Faites cuire comme il est dit ci-dessus *(voy. gâteau de riz),* ajoutez un œuf entier ou deux, faites ensuite des boulettes de la grosseur d'une pomme de terre de Hollande ordinaire, farinez-les et trempez-les dans un œuf battu en omelette ; roulez-les après dans de la mie de pain émiettée fin et faites frire à friture chaude *(voy. fri-*

ture, page 21) ; enfin, égouttez-les et servez-les en pyramide, saupoudrées de sucre.

Soufflé à la fécule. – Prenez pour cinq ou six personnes un demi-litre de lait, 125 grammes de sucre, trois œufs et deux cuillerées de fécule, un petit morceau de vanille ou du zeste de citron.

Faites d'abord bouillir le lait avec le parfum que vous préférez et les 125 grammes de sucre ; lorsqu'il a bouilli, retirez-le du feu et laissez-le refroidir, puis délayez votre fécule en versant doucement le lait de manière à ne pas faire de grumeaux. Ajoutez alors une pincée de sel, remettez sur feu un peu vif et remuez jusqu'à ce que la bouillie devienne épaisse, puis retirez du feu et laissez de nouveau refroidir.

Un peu avant de faire cuire votre soufflé, ajoutez-y trois jaunes d'œufs, puis les blancs battus en neige très ferme ; versez le tout dans un moule ou un plat creux ; ne remplissez qu'à moitié à cause des blancs qui monteront, faites cuire à four pas trop chaud ou sous le four de campagne chauffé d'avance. Une fois votre soufflé bien monté, saupoudrez de sucre et servez aussitôt.

Soufflé au riz. – Vous mettez un quart de riz pour un demi-litre de lait, avec vanille ou citron et, lorsque le riz est crevé, vous procédez comme pour le soufflé à la fécule. *(Voy. ci-dessus).*

Soufflé au chocolat. – Prenez une ou deux tablettes de chocolat, faites-les fondre avec une demi-cuillerée d'eau et remuez jusqu'à ce que le chocolat soit bien fondu et très épais. Préparez alors de la fécule comme il est dit ci-dessus *(voy. soufflé à la fécule)* et lorsque votre bouillie est bien épaisse, ajoutez-y le chocolat que vous remuez doucement ; retirez ensuite du feu et laissez refroidir.

Au moment de faire cuire votre soufflé, mettez trois jaunes d'œufs et les blancs battus en neige très ferme ; beurrez un plat creux ou un moule, versez-y votre soufflé, mais n'emplissez qu'à moitié pour que les blancs puissent monter ; faites cuire ensuite à four pas très chaud ou sous le four de campagne chauffé d'avance ; 15 à 20 minutes suffisent.

Lorsque vous voyez votre soufflé bien monté, saupoudrez-le de sucre et servez aussitôt.

Tôt-fait. – Mettez dans une casserole trois jaunes d'œufs que vous mélangez avec 60 grammes de farine ; ajoutez-y ensuite, en remuant doucement, un quart de litre de lait, 125 grammes de sucre, un peu de vanille ou de zeste de citron. Battez en neige bien ferme les trois blancs d'œufs et mêlez-les à la bouillie. Beurrez ensuite un moule ou un plat creux, versez-y votre bouillie et faites cuire à four très chaud ou sous le four de campagne chauffé d'avance. Saupoudrez de sucre et versez de suite.

Il faut à peu près 20 à 25 minutes de cuisson.

Fromage à la vanille. – Faites une sauce comme celle des œufs à la neige *(voy. œufs à la neige, page 275)* mais n'employez que la valeur d'un verre de lait avec un quart de sucre ; ajoutez un morceau de vanille et laissez bouillir. Retirez ensuite du feu et ajoutez à ce lait refroidi cinq jaunes d'œufs ; passez à la fine passoire et remettez sur feu doux en remuant avec une cuiller de bois jusqu'à ce que votre crème épaississe ; lorsque vous voyez cette dernière avoir la consistance de celle des œufs à la neige, retirez-la et laissez-la refroidir.

Ayez aussi un litre de crème très épaisse appelée *crème double,* ajoutez-y un quart de sucre en poudre et une petite cuillerée à café de gomme adragante. Battez cette crème ainsi préparée avec une fourchette ou une verge d'osier jusqu'à ce qu'elle devienne mousseuse, puis arrêtez-vous, car si vous battiez davantage, elle formerait des grumeaux.

Prenez 30 grammes de gélatine que vous faites fondre à feu doux dans une très petite quantité d'eau ; lorsque la gélatine est fondue, retirez-la du feu et laissez-la refroidir, sans cependant la laisser épaissir, ajoutez-y peu à peu et en battant bien la crème à la vanille que vous avez faite d'abord, puis la crème fouettée.

Mettez toute cette préparation dans un moule que vous placez dans un endroit bien frais ou sur de la glace pilée. Il faut bien 3 ou 4 heures pour que votre fromage soit pris.

Avant de servir, plongez le moule une demi-minute dans l'eau bouillante. Préparez une serviette pliée en carré ; mettez-la sur un plat rond et posez le plat avec la serviette sur le moule, renversez et servez de suite.

On peut ajouter à la crème, avant de la mettre dans le moule, du raisin de Corinthe épluché ou de Smyrne, de l'angélique coupée en petits morceaux, de l'écorce d'orange confite coupée de même. Ces fruits font un joli effet et rendent les mets plus délicats.

Crème fouettée *(ou fromage à la Chantilly)*. – Pour six personnes, prenez un demi-litre de crème, ajoutez-y la moitié d'une cuiller à café de gomme adragante et 75 grammes de sucre en poudre. Battez cette crème avec une fourchette ou une verge d'osier jusqu'à ce qu'elle devienne mousseuse ; faites attention qu'elle ne se mette pas en grumeaux, vous en feriez du beurre. Mettez cette crème au frais et servez-vous-en pour garnir des choux ou une charlotte russe.

Pour faire mousser la crème plus vite et la maintenir ferme plus longtemps, on peut ajouter avant de la battre 12 grammes de gélatine fondue sur le feu dans très peu d'eau. On ne mêle cette gélatine à la crème que lorsque la première est refroidie. Cette quantité est pour un demi-litre de lait.

Cette crème peut être parfumée soit avec un peu de poudre de vanille, soit avec une cuillerée à bouche d'essence de café, soit avec de la fraise en ajoutant le jus de 75 gr de fraise et un peu de laque rose pour colorer ou un peu de carmin écrasé et délayé avec une petite quantité d'eau.

Bavarois au café. – Prenez un litre de crème fouettée et faites-la refroidir sur de la glace pilée ou mettez-la au frais plusieurs heures avant de vous en servir. Faites bouillir un litre de lait et jetez dedans trois ou quatre cuillerées à bouche de moka avec 250 grammes de sucre. Laissez un peu refroidir et ajoutez quatre jaunes d'œufs bien battus. Mélangez bien et faites cuire au bain-marie en tournant, sans faire bouillir. Quand la crème est un peu épaissie, versez-la sur 30 grammes de gélatine fine ramollie dans un peu d'eau.

Laissez refroidir et ajoutez la crème fouettée. Versez dans un moule beurré et mettez au frais dans l'eau ou la glace. Pour démouler, plongez rapidement le moule dans l'eau chaude, au moment de servir.

Charlotte russe. – Prenez un moule uni ; garnissez le fond et les côtés avec des biscuits à la cuiller bien serrés les uns contre les autres et remplissez avec la crème Chantilly indiquée ci-dessus. Posez un plat sur le moule, renversez et servez.

Diplomate au rhum. – Prenez une demi-livre de biscuits à la cuiller ; couvrez chacun des biscuits de marmelade d'abricots et trempez-les dans un sirop fait de sucre, de rhum et d'eau. Beurrez bien ensuite un moule, placez vos biscuits par lits, et, entre chaque lit, mettez des raisins de Smyrne, du cédrat, de l'écorce d'oranges et de l'angélique, coupés en petits dés ; finissez par une couche de biscuits et faites cuire au bain-marie *(voy. bain-marie, page 7)* une heure et demie à peu près. N'emplissez pas tout à fait le moule parce qu'en cuisant les biscuits gonfleront.

Diplomate à la crème. – Prenez une demi-livre de biscuits à la cuiller et couvrez chacun des biscuits de marmelade d'abricots. Beurrez ensuite comme il faut un moule et placez vos biscuits par lits ; entre chaque lit mettez des raisins de Corinthe lavés et essuyés, du cédrat, de l'écorce d'oranges, de l'angélique, coupés en petits dés, et finissez par un lit de biscuits.

Préparez alors une crème comme celle des œufs à la neige, mais ne la faites pas prendre sur le feu *(voy. œufs à la neige, page 275) ;* prenez-en la moitié et remplissez-en le moule.

Enfin faites prendre au bain-marie *(voy. bain-marie, page 7),* démoulez et servez entouré de l'autre moitié de crème que vous avez fait prendre sur le feu en tournant jusqu'à ce qu'elle épaississe. Vous pouvez décorer ce gâteau avec des fruits confits, dès qu'il est démoulé.

On peut, au lieu de biscuits, employer de la mie de pain, mais le gâteau est bien moins délicat.

Fromage à la crème *(Entremets et dessert).* – Prenez un litre de bon lait et faites-le tiédir sur le feu ; ajoutez-y, en ayant soin de remuer, gros comme un pois de présure *(voy. présure, page 10)* que vous avez délayée d'avance avec du lait tiède ; mettez le tout sur de la cendre chaude et laissez cailler. Placez ensuite votre caillé dans un panier d'osier en forme de cœur, que vous avez d'abord garni d'un linge de mousseline claire ; laissez égoutter, dressez dans un compotier et servez avec un demi-litre de bonne crème épaisse.

Restes de gâteau de riz. – Coupez votre gâteau en tranches de l'épaisseur du petit doigt, trempez-les dans une pâte à frire *(voy. pâte à frire, page 319)* et mettez dans la friture chaude. *(Voy. friture, page 21).*

Servez ces tranches saupoudrées de sucre et de cannelle en poudre.

On peut aussi, lorsque les tranches sont coupées, les tremper dans le rhum, les disposer autour d'un plat en métal, les saupoudrer de sucre et verser au milieu du rhum auquel on met le feu. Servez aussitôt allumé.

On peut encore prendre le riz, en former des croquettes longues comme le petit doigt et grosses comme un œuf de pigeon. Roulez-les alors dans la farine, trempez-les dans un œuf battu en omelette, auquel vous ajoutez une cuillerée à café d'huile d'olive, puis tournez-les dans la mie de pain émiettée et faites frire à friture chaude. Servez-les saupoudrées de sucre.

Restes de gâteau de semoule. – Se préparent comme les restes de gâteau de riz. *(Voy. ci-dessus).*

Plum-pudding *(plat anglais)*. – Pour dix personnes, achetez un quart de raisin de Smyrne, un quart de graisse de rognon de bœuf ou un quart de beurre, 60 grammes de farine, 60 grammes de mie de pain, 50 grammes de sucre en poudre, 45 grammes de fruits confits (cédrat, 15 grammes ; écorce d'oranges, 15 grammes ; angélique, 15 grammes), plus un demi-verre de lait, trois cuillerées à bouche de rhum, deux œufs, la moitié d'un citron, une pincée de gingembre en poudre, une pincée de muscade et une pincée de cannelle et de sel fin.

Prenez ensuite de la graisse de bœuf, débarrassez-la de toutes les peaux et filaments et hachez-la très fin. Mêlez cette graisse hachée avec la mie de pain émiettée fin et avec la farine, puis délayez la graisse, le pain et la farine avec le demi-verre de lait. Battez après les deux œufs avec le gingembre, la muscade, la cannelle et le sel et mêlez-les avec la graisse, le pain, la farine et le lait ; ajoutez les fruits confits coupés en filets, puis le raisin de Corinthe nettoyé et lavé et le raisin de Smyrne épluché. Remuez et finissez en incorporant à votre pâte le rhum, la moitié d'un jus de citron et le sucre. Battez avec une cuiller de bois jusqu'à ce que celle-ci tienne debout dans cette pâte.

La pâte doit être faite le soir pour n'être employée que le lendemain.

Cuisson du plum-pudding. – Prenez un moule uni ou à côtes et beurrez-le bien (si vous n'avez pas de moule, prenez un grand bol). Une fois beurré, mettez-y la pâte, qui doit remplir le moule complètement, puis couvrez avec un torchon trempé dans l'eau chaude, attachez le torchon avec une ficelle que vous serrez bien. Mettez ensuite le moule dans l'eau bouillante ; le dessus du moule en bas ; soutenez-le en l'attachant après la marmite pour qu'il soit suspendu dans l'eau ; si on négligeait cette précaution, le pudding risquerait de s'attacher au fond de la marmite. Il faut que l'eau continue de bouillir pendant quatre heures au moins ; si elle se tarissait, il faudrait ajouter de l'eau chaude, pour qu'elle ne cesse pas de bouillir. Au bout de quatre heures, retirez le moule et plongez-le un quart d'heure dans l'eau froide. Enfin, enlevez le plum-pudding, et arrosez ce dernier de rhum auquel vous mettez le feu en servant.

Pudding au pain *(plat anglais)*. – Prenez une demi-livre de mie de pain que vous faites tremper dans du lait pendant 10 minutes ; retirez-la sans la presser et ajoutez-y un peu de sel fin et de cannelle, une cuillerée de farine, trois œufs (blancs et jaunes), un quart de raisin de Corinthe bien nettoyé, un quart de raisin de Smyrne et un quart de beurre. Mélangez le tout de manière à former une pâte.

Trempez un torchon dans l'eau bouillante, tordez-le, étendez-le sur une table et saupoudrez-le de farine, puis versez-y votre pudding qui doit tenir le milieu du torchon dont vous relevez les bords sans trop serrer la pâte. Attachez les bords du torchon avec une ficelle que vous serrez fortement, puis plongez votre pudding, ainsi attaché, dans l'eau bouillante ; il faut avoir soin de le tenir suspendu dans l'eau sans que le torchon touche au fond de la marmite parce qu'il pourrait brûler, vous devez pour cela attacher le pudding après l'anse de la marmite. A partir du moment où le pudding est dans l'eau, cette dernière ne doit pas cesser de bouillir et cela pendant deux heures et demie. Au bout de ce temps, retirez le pudding, laissez-le un moment dans le torchon pour qu'il prenne consistance, puis au bout de vingt minutes, sortez-le du torchon et faites une sauce comme suit :

Mettez un quart de beurre dans une casserole avec une cuillerée à café de farine ; ajoutez trois cuillerées d'eau et autant de rhum, 60 grammes de sucre et une pincée de sel ; laissez sur feu doux pendant sept ou huit minutes mais ne cessez pas de tourner. Enfin versez votre sauce sur le pudding et servez. Ce pudding se mange chaud.

Pudding aux pommes *(plat anglais).* – Faites une pâte brisée *(voy. page 316)* et étendez-la de l'épaisseur de deux pièces de 5 francs ; prenez une partie de cette pâte et garnissez le fond et les bords d'un moule uni, puis conservez ce qui reste de la pâte (en l'étendant plus mince) pour faire le couvercle. Mettez ensuite au milieu de votre pâte des pommes pelées, épluchées et coupées en morceaux minces ; saupoudrez d'un peu de cannelle, girofle, muscade et d'un quart de sucre également en poudre ou de cassonade et de zeste de citron haché fin.

Recouvrez alors avec le couvercle de pâte préparée d'avance, soudez les bords de la pâte avec un peu d'eau, de manière que votre pudding soit hermétiquement fermé ; couvrez avec un torchon et faites cuire comme il est dit ci-dessus, pour le pudding au pain. Ce pudding se mange chaud.

Pour faire chauffer les restes de pudding, on fait une petite sauce avec de l'eau sucrée et du rhum.

Ce pudding peut se faire avec des groseilles rouges, des abricots, des groseilles à maquereaux et de la rhubarbe. Ces deux derniers puddings demandent à être très sucrés.

Kache *(plat polonais)*. – Faites cuire une demi-livre d'orge mondé avec deux bouteilles de lait et un morceau de beurre de la grosseur d'un œuf ; laissez cuire en ayant soin de remuer pour que l'orge ne brûle pas. Lorsque l'orge est cuit, retirez-le du feu et ajoutez un quart de beurre, trois œufs bien frais battus en omelette, du sel et un demi-verre de crème aigre. Beurrez un moule uni, remplissez-le avec l'orge et, un quart d'heure avant de servir, mettez à four bien chaud. Lorsque votre kache a pris couleur, entourez le moule d'une serviette et servez avec une saucière de crème double très épaisse.

Mousse à la russe. – Prenez quatre ou cinq blancs d'œufs, battez-les en neige très ferme, incorporez-y une demi-livre de marmelade d'abricots ou de pommes, mêlez légèrement et mettez le tout dans un plat en lui donnant une forme de pyramide ; unissez avec la lame mouillée d'un couteau ; saupoudrez après de sucre fin et cuisez à four doux. Lorsque la mousse est cuite, servez avec une saucière de crème double très épaisse.

CRÈMES

Les crèmes sont d'une grande ressource dans les intérieurs modestes, car elles constituent un entremets excellent et peu coûteux.

La finesse de la crème dépend surtout du lait et des œufs employés. Il faut donc en premier lieu s'assurer si les œufs sont bien frais et si le lait est de bonne qualité. Pour un dîner intime, on peut faire prendre la crème dans un plat creux que l'on posera sur de l'eau bouillante de manière à ce que le fond du plat baigne entièrement et ce plat sera servi à table.

Si l'on a du monde, il vaut mieux servir la crème dans des petits pots faits exprès, que l'on met également prendre à l'eau bouillante en ne les trempant qu'à moitié. On peut aussi faire prendre les pots de crème au four, ce qui est plus facile. Quant aux crèmes prises au bain-marie *(voy. bain-marie, page 7),* elles doivent être recouvertes d'un couvercle en tôle que l'on garnit de charbons allumés. Un quart d'heure de cuisson suffit.

Crème à la vanille. – Pour 8 à 10 pots de crème, faites bouillir un litre de lait avec un morceau de vanille et 100 grammes de sucre. Retirez le lait du feu lorsqu'il a bouilli et laissez-le refroidir. Prenez ensuite trois jaunes d'œufs et un blanc que vous battez ensemble et que vous versez dans le lait refroidi, en ayant soin de remuer ; passez après à la fine passoire et versez dans de petits pots ou dans un plat creux ; faites prendre ces derniers au bain-marie *(voy. bain-marie, page 7)* ou dans le four.

Le morceau de vanille que vous avez employé peut servir une autre fois ; pour cela, retirez-le lorsque vous passez le liquide et laissez-le sécher. La seconde fois que vous l'employez, coupez-le en deux pour qu'il ait plus de parfum.

Crème à la fleur d'oranger. – Faites bouillir un demi-litre de lait avec 100 grammes de sucre. Retirez le lait du feu lorsqu'il a bouilli et versez dedans une cuillerée à bouche de fleurs d'oranger puis laissez refroidir.

Battez ensuite trois jaunes d'œufs et un blanc et versez-les en remuant dans le lait refroidi ; passez à la fine passoire et remplissez de petits pots ou un plat creux. Faites prendre ces derniers au bain-marie *(voy. bain-marie, page 7)* ou dans le four.

Crème au café. – Faites bouillir un demi-litre de lait avec 100 grammes de sucre et, lorsqu'il a bouilli, ajoutez-y deux cuillerées d'essence de café très fort. Laissez refroidir et ajoutez à votre café au lait, refroidi, trois jaunes d'œufs et un blanc battus ensemble en ayant soin de remuer en versant. Remplissez avec votre crème des petits pots ou un plat creux et faites prendre au bain-marie *(voy. bain-marie, page 7)* en couvrant avec un couvercle en tôle, garni de charbons allumés ; 15 à 20 minutes de cuisson suffisent.

On peut aussi faire prendre les crèmes au four.

Crème au chocolat. – Faites bouillir un demi-litre de lait avec 100 grammes de sucre ; lorsque le lait a bouilli, retirez-le du feu et mettez-en deux cuillerées dans une casserole avec deux tablettes de chocolat que vous laissez fondre en ayant soin de l'écraser, pour qu'il n'y ait pas de grumeaux. Lorsque le chocolat est fondu, ajoutez le reste du lait que vous avez fait bouillir avec le sucre et laissez refroidir. Après cela, battez ensemble trois jaunes d'œufs et un blanc et versez-les en remuant dans le chocolat au lait, refroidi ; passez ensuite à la fine passoire et versez dans de petits pots ou dans un plat creux. Faites prendre au bain-marie *(voy. bain-marie, page 7)* ou dans un four modérément chaud. Il faut compter 15 à 20 minutes pour la cuisson.

Crème au caramel. – Faites bouillir un demi-litre de lait avec 100 grammes de sucre et laissez refroidir.

Mettez ensuite dans une casserole 50 grammes de sucre, remuez jusqu'à ce que le sucre en fondant prenne une couleur marron foncé, puis ajoutez 3 cuillerées d'eau ; laissez encore sur le feu pour que le caramel soit bien fondu, puis laissez-le refroidir et *versez-le dans le lait* en ayant soin de remuer pendant que vous versez. Enfin battez ensemble trois jaunes d'œufs et un blanc que vous ajoutez au lait caramélisé ; passez à la fine passoire et mettez dans de petits pots ou dans un four modérément chaud.

Crème renversée. – Prenez un demi-litre de lait que vous faites bouillir avec 100 grammes de sucre et un morceau de vanille grand comme la moitié du petit doigt ; lorsque le lait a bouilli, retirez-le du feu et laissez-le refroidir. Battez alors ensemble quatre œufs entiers, que vous mêlez peu à peu au lait refroidi et passez à la fine passoire.

Prenez ensuite un moule ou un bol assez grand pour contenir le lait que vous avez fait bouillir, enduisez-le de caramel *(voy. caramel, page 283)* et versez-y votre crème. Faites prendre au bain-marie *(voy. bain-marie, page 7)* avec feu dessus et feu dessous, ou au four.

Lorsque votre crème est prise, laissez-la refroidir, et renversez-la sur un plat, en ayant soin de poser d'abord le plat sur le moule et de retourner ensuite.

On peut ajouter à cette crème une sauce comme celle des œufs à la neige. *(Voy. œufs à la neige, page 275).*

Crème Sambaglione. – Prenez six œufs ; mettez les jaunes dans une casserole avec un quart de sucre et un verre de rhum ; mêlez ensemble et mettez sur le feu, en ayant soin de tourner tout le temps avec une cuiller de bois jusqu'à ce que la crème épaississe. Retirez ensuite du feu et ajoutez les six blancs d'œufs battus en neige ; remuez vivement pour que la crème soit mousseuse et versez dans des pots à crème. Servez de suite.

On peut au lieu de rhum mettre du vin blanc ou du Madère ; dans ce cas, on ajoute une pincée de cannelle en poudre.

Blanc-manger. – Prenez 250 grammes d'amandes dont quelques-unes amères pour donner plus de goût. Laissez-les tremper dans l'eau bouillante pendant quelques minutes et enlevez la peau brune ; pilez-les dans un mortier, faites-en une pâte et mêlez-y peu à peu deux verres d'eau froide. Mettez ensuite ce lait d'amandes dans un linge de toile et pressez fortement, puis ajoutez 175 grammes de sucre, un verre de lait, une cuillerée d'eau de fleurs d'oranger, 25 grammes de gélatine fondue dans un quart de verre d'eau. Ayez aussi un moule à côtes, versez-y votre préparation et faites prendre dans un endroit froid ou sur de la glace.

Crème bachique. – Versez dans une casserole un demi-litre de bon vin blanc, 100 grammes de sucre et une pincée de cannelle, puis faites bouillir et retirez du feu.

Prenez ensuite six jaunes d'œufs que vous remuez bien ; ajoutez-y le vin que vous versez peu à peu ; passez à la fine passoire et mettez ce mélange dans des pots à crème en faisant prendre au bain-marie *(voy. bain-marie, page 7)* avec feu dessus et dessous.

GELÉE D'ENTREMETS

Les gelées sont les plus jolis entremets à offrir lorsqu'on a du monde. Elles ne sont pas difficile à faire et demandent relativement peu de temps ; on peut les mettre dans des moules ou des petits pots. Il faut surtout avoir du beau sucre, de la gélatine sans odeur ni mauvais goût et bien transparente. L'hiver, il suffit de mettre les gelées dans un endroit bien froid pendant 3 ou 4 heures. L'été, il faut les faire prendre sur de la glace pilée.

PRÉPARATION DE TOUTES LES GELÉES. – Pour un demi-litre de gelée, faites tremper une heure dans l'eau froide 10 grammes de colle de poisson ou 20 grammes de gélatine ; faites ensuite fondre à feu doux cette colle ou gélatine avec un peu d'eau (un quart de verre) et passez dans un linge.

Faites ensuite un sirop avec 450 grammes de sucre que

vous ferez fondre à feu doux dans un peu d'eau ; au premier bouillon, écumez et retirez du feu.

Mélangez bien ensuite le sirop et la gélatine et ajoutez le parfum que vous désirez (anisette, noyau, marasquin, kirsch, rhum, sucre de fruits).

Si l'on veut faire des gelées dans des moules, on augmentera la dose de gélatine ou de colle, et celle de sucre, ainsi on mettra 15 grammes de colle de poisson ou 30 grammes de gélatine et 500 grammes de sucre. L'été, on doit prendre aussi ces proportions pour les jus de fruits. Les sucs de fruits ne doivent pas être mis dans un vase étamé et on ne doit jamais se servir de cuiller d'étain. On colore les gelées rouges avec un peu de carmin que l'on écrase dans une soucoupe, puis qu'on détrempe avec un peu d'eau. Pour démouler les gelées prises dans des moules, on devra tremper ces derniers une seconde dans l'eau chaude.

Gelée au kirsch. – Après avoir préparé une gelée comme il est dit ci-dessus, ajoutez-y un verre de kirsch mélangé avec un peu d'eau ; remuez bien et mettez dans des pots ou un moule. Faites prendre dans un endroit froid ou sur de la glace pilée.

Gelée à l'anisette. – Préparez une gelée comme il est dit ci-dessus *(voy. préparation de toutes les gelées),* ajoutez-y un verre d'anisette mêlée à un peu d'eau ; remuez bien et versez dans des pots ou dans un moule. Faites prendre dans un endroit froid ou sur de la glace pilée.

Gelée au rhum. – Se fait comme la gelée au kirsch *(voy. ci-dessus) ;* seulement on ajoute du rhum au lieu de kirsch.

Gelée au citron. – Préparez une gelée comme il est dit page 308 *(voy. préparation de toutes les gelées) ;* ajoutez-y le jus de trois citrons que vous avez le soin de passer, parce qu'autrement votre gelée serait trouble. Mettez dans de petits pots et faites prendre dans un endroit froid.

Gelée aux groseilles. – Préparez une gelée *(voy. préparation de toutes les gelées, page 308),* puis prenez 250 grammes de petites groseilles bien rouges, exprimez-en le jus et passez-le ; il faut en avoir à peu près la valeur d'un verre que vous ajoutez à la gelée.

Mettez ensuite dans de petits pots et faites prendre dans un endroit froid.

Gelée de fraises, framboises et autres fruits. – Ces gelées sont d'abord préparées comme il est dit page 308 *(voy. préparation de toutes les gelées) ;* puis on opère exactement comme pour la gelée de groseilles. *(Voy. ci-dessus).*

GLACES ET SORBETS

Les glaces sont préparées avec un liquide sucré et parfumé et on les travaille de manière à obtenir une pâte onctueuse que l'on fait prendre au moyen de glace.

Pour faire des glaces, il faut avoir : 1° une sorbetière ; 2° un seau en bois suffisamment vaste pour contenir la sorbetière et de la glace pilée en assez grande quantité ; 3° une spatule en bois pour détacher la glace des parois de la sorbetière.

Glace à la vanille. – Préparez une crème à la vanille comme il est dit pour les œufs à la neige *(voy. page 275) ;* versez cette crème dans une sorbetière que vous placez sur la glace dans un seau en bois et ajoutez à la glace du sel gris pour aider à la congélation. Il faut à peu près la huitième partie de sel ; ainsi pour 800 grammes de glace, il faudrait 100 grammes de sel. Entourez la sorbetière de glace pilée et de sel et fermez-la avec son couvercle. Prenez l'anse de ce couvercle et tournez la sorbetière de droite à gauche pendant 7 à 8 minutes. Ouvrez la sorbetière et détachez avec la spatule les parties de crème prise attachées aux parois et battez le tout avec la spatule. Remettez le couvercle et recommencez la même opération jusqu'à ce que votre glace soit complètement prise ; servez dans des verres ou mettez un moule à côtes ou uni que vous posez sur de la glace. Au moment de servir, trempez le moule une minute dans l'eau bouillante et renversez sur un plat garni d'une serviette.

Cette glace, prise dans un moule, prend le nom de *fromage glacé.*

Glace à la fraise. – Prenez 250 grammes de sucre, mettez-les dans une casserole avec un demi-verre d'eau, laissez bouillir et écumez ; lorsqu'il ne donne plus d'écume, retirez-le du feu et laissez refroidir. Prenez des fraises et des groseilles, pressez-les dans un torchon et retirez-en 125 grammes de jus que vous ajoutez à votre sirop refroidi ; mettez dans la sorbetière et procédez comme pour la glace à la vanille. *(Voy. ci-dessus.)*

Sorbet au kirsch ou au rhum. – Les sorbets diffèrent des glaces en ce qu'ils sont moins pris. Prenez une livre de sucre que vous mettez dans une casserole avec un verre d'eau. Faites bouillir et écumez ; lorsque le sucre ne donnera plus d'écume, retirez du feu et laissez refroidir. Versez lorsqu'il est froid dans la sorbetière et travaillez comme il est dit pour la glace à la vanille.

Lorsque votre glace est prise, ajoutez au moment de servir un demi-verre de kirsch ou de rhum. Remuez et servez dans des verres à bordeaux.

Bombe glacée. – Prenez six jaunes d'œufs, délayez-les dans une casserole avec 500 grammes de sucre fondu d'avance dans un peu d'eau.

Remuez ce mélange sur le feu jusqu'à ce qu'il épaississe, puis retirez-le du feu et battez-le avec une spatule pendant vingt minutes au moins. Ajoutez-y alors un litre de crème fouettée *(voy. crème fouettée, page 296)* et le parfum que vous désirez (si c'est au rhum ou à l'anisette, un petit verre à liqueur suffit ; si c'est au café, un petit verre de café, et si c'est au chocolat, trois ou quatre tablettes de chocolat fondu dans très peu d'eau). Versez ensuite votre mélange dans un moule que vous avez placé dans le seau à glace trois quarts d'heure à l'avance ; mettez le couvercle et garnissez le tour et le dessus du moule avec de la glace pilée et du sel. Laissez dans un endroit froid et servez comme il est dit pour la glace à la vanille. *(Voy. page 311).*

PÂTISSERIE

PÂTISSERIE

Il est bon qu'une Maîtresse de maison sache faire la pâtisserie, ou tout au moins qu'elle puisse guider une domestique qui, sous ses ordres, fera pâtés, galettes, tartes, etc.

En Angleterre, presque toutes les jeunes filles préparent elles-mêmes les gâteaux, et aujourd'hui, en France, cette partie de la cuisine leur est réservée. Les jeunes filles ne se doutent pas du bon effet que cela produit quand on annonce que tels ou tels gâteaux présentés sur la table ont été confectionnés par elles. Cela indique chez elles un souci des soins de l'intérieur.

Les ustensiles nécessaires pour faire la pâtisserie sont un *rouleau* pour étendre la pâte, une *roulette,* un *coupe-pâte,* une *planche* ronde ou carrée sur laquelle la pâte est étendue, des *moules* grands et petits et surtout un *bon four.* On peut, il est vrai, si on se trouve près d'un boulanger, avoir recours au four à pain, mais il vaut mieux faire sa pâtisserie chez soi, de manière à pouvoir en surveiller la cuisson, ce qui est du reste facile, grâce aux fourneaux économiques dont sont pourvus presque tous les intérieurs.

Dans un *four à pain,* il faut attendre au moins une heure lorsqu'il est à sa plus grande chaleur, avant de mettre pâtés, galettes, tartes ou vol-au-vent. Pour les biscuits de toutes sortes, on doit attendre deux ou trois heures, et davantage encore pour les meringues et massepains.

Dans les *fourneaux économiques,* on met la pâtisserie lorsque le four est bien chaud et l'on rapproche ou l'on éloigne la pièce que l'on veut faire cuire, suivant qu'elle prend trop de couleur ou pas assez. Dans le cas où la pâtisserie prendrait trop de couleur, on la garantirait avec une feuille de papier beurrée ou huilée.

On peut encore se servir d'*un four de campagne* en mettant le moule sur un feu doux et en couvrant avec le four de campagne bien chaud, mais il est rare que l'on réussisse aussi bien qu'avec les autres fours.

LEVURE. – La levure est une préparation qui se vend chez tous les boulangers et que l'on emploie souvent dans la pâtisserie pour faire monter la pâte. Il faut avoir le soin de la prendre toujours très fraîche ; sans cette précaution, elle ne produirait pas l'effet voulu.

DIFFÉRENTES ESPÈCES DE PÂTES

PÂTE BRISÉE. – La pâte brisée est celle qui a le plus de consistance ; on s'en sert pour les pâtés, les galettes, les tartes et les timbales. Pour une livre de farine, on prend une demi-livre de beurre ou de saindoux, un verre d'eau ou de lait et une cuillerée à café de sel fin.

On fait un trou au milieu de la farine que l'on met dans un saladier ou dans une terrine, et dans ce trou on place le beurre, l'eau et le sel. On délaye ensuite le beurre avec l'eau et le sel et on y mêle la farine petit à petit ; ce mélange se fait avec la main. Quand on voit que la farine est bien mêlée à la pâte, on la travaille avec la paume de la main droite *(voy. figure ci-contre) ;* un ou deux foulages suffisent ; on étend ensuite la pâte sur la planche au moyen d'un rouleau.

PÂTE FEUILLETÉE. – Pour faire la pâte feuilletée, prenez 500 grammes de farine et 350 grammes de beurre. Mettez la farine dans un saladier ou dans une terrine ; faites un trou au milieu et placez-y, gros comme une noix, du beurre avec un verre d'eau et deux cuillerées à café de sel fin. Maniez le

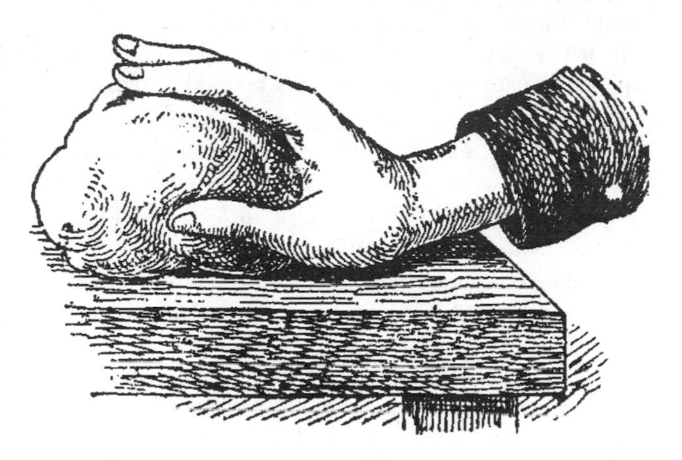

Manière de fouler la pâte.

beurre avec l'eau et le sel et mêlez-y peu à peu la farine ; lorsque la pâte est faite, travaillez-la et rassemblez-la en boule, puis couvrez-la et laissez-la reposer 15 à 20 minutes. (Il faut que votre pâte soit assez molle).

Au bout de ce temps, farinez votre planche et étendez votre pâte dessus avec le rouleau, jusqu'à ce qu'elle n'ait plus que l'épaisseur d'un gros sou. Prenez ensuite le beurre qui vous reste, mettez-le dans un linge mouillé et aplatissez-le de manière à ce qu'il couvre la moitié de votre pâte ; posez le beurre aplati dessus et repliez la pâte en quatre, puis aplatissez de nouveau avec le rouleau (c'est ce qu'on appelle un *tour).* Laissez alors reposer une seconde fois votre pâte pendant 15 minutes ; repliez-la et aplatissez-la encore avec le rouleau (c'est ce qu'on appelle un *second tour).* Vous pouvez recommencer cette manœuvre jusqu'à cinq ou six fois en été et un peu plus en hiver, toujours en laissant un quart d'heure d'intervalle entre chaque tour et en saupoudrant de farine la planche pour que la pâte ne s'y attache pas. On peut employer la pâte cinq minutes après le dernier tour.

Avec moins de tours et sans mettre d'intervalle entre chaque tour, on aura une pâte moins feuilletée mais plus légère que la pâte brisée.

La pâte feuilletée doit être mise au four aussitôt terminée, autrement elle ne lèverait pas.

La pâte feuilletée, une fois cuite, doit se séparer en feuillets ; elle s'emploie pour vol-au-vent, galettes et divers petits gâteaux ou tartelettes.

PATE SABLÉE. – Travaillez ensemble une demi-livre de farine, un quart de beurre, un œuf, la moitié d'une petite cuillerée à café de sel blanc et 125 grammes de sucre en poudre.

Ne foulez pas cette pâte et étendez-la une seule fois avec un rouleau.

La pâte sablée sert pour les gâteaux bretons.

PÂTE À NOUILLES. – Faites une pâte un peu épaisse avec 250 grammes de farine, six jaunes d'œufs, deux blancs, un peu de sel et d'eau. Saupoudrez de farine votre planche à pâtisserie et étendez-y votre pâte avec le rouleau ; il faut qu'en allongeant cette pâte, elle ne se casse pas et qu'une fois aplatie, elle ne soit pas plus épaisse qu'une feuille de papier. Dès qu'elle est arrivée à cette épaisseur, laissez-la reposer au moins deux heures, puis coupez des petites bandes pas plus larges que des fétus de paille ; posez ces bandes sur un linge blanc et laissez-les sécher dans un endroit un peu chaud.

Pour employer les nouilles, faites-les cuire une demi-heure dans du bouillon gras bouillant ou de l'eau avec du sel. Lorsque les nouilles sont cuites, accommodez-les au beurre comme le macaroni *(voy. page 278),* mais ne mettez pas de fromage.

PÂTE À FRIRE. – Mettez un quart de farine dans une terrine ; faites un trou au milieu de la farine et versez-y un demi-verre d'eau, un œuf (blanc et jaune), une cuillerée d'eau-de-vie, une petite cuillerée d'huile et un peu de sel. Mélangez le tout de manière à faire une pâte qui soit assez épaisse pour tenir aux mets que vous voulez faire frire. La pâte sera plus légère si vous battez le blanc d'œuf avant de l'y incorporer.

FRANGIPANE. – La frangipane est une crème qui s'emploie pour les flans ou pour les tartelettes ; aussi donnons-nous sa recette ici :

Mettez dans une casserole trois cuillerées de farine que vous délayez avec trois œufs entiers ; ajoutez-y peu à peu un demi-litre de lait en faisant attention qu'il n'y ait pas de grumeaux. Mettez la casserole sur le feu et faites prendre en ayant soin de toujours remuer ; ajoutez 70 grammes de sucre et un peu de vanille en poudre.

FRANGIPANE AUX AMANDES. – Se fait comme celle indiquée ci-dessus, mais on y ajoute 90 grammes d'amandes hachées et pilées au mortier jusqu'à ce qu'elles soient réduites en pâte. Il faut, en les pilant, avoir le soin d'y ajouter quelques gouttes de fleurs d'oranger pour éviter qu'elles rendent leur huile.

PÂTÉS EN TERRINE

Pour les pâtés en terrine, on prend des vases en terre ronds ou ovales, on fait cuire les pâtés dedans et on les y laisse pour les présenter sur la table.

FARCE POUR GARNIR LES PÂTÉS GRAS. – Pour garnir les pâtés gras en terrine, on emploie de la chair à saucisse, à laquelle on peut ajouter des restes de viande hachés (veau, bœuf ou porc frais). Pour rendre ce hachis plus délicat, on y ajoute un morceau de mie de pain trempé dans du lait ou du bouillon et bien égoutté, du sel, du poivre, des épices, de l'ail et du persil hachés fin (on peut supprimer l'ail si ce parfum ne convient pas).

On met ensuite cette farce sur le feu avec un peu de beurre, on laisse prendre couleur et l'on saupoudre d'un peu de farine pour que le tout soit bien lié, puis on ajoute une ou deux cuillerées de bouillon.

FARCE DE POISSON POUR LES PÂTÉS MAIGRES. – Pour les pâtés maigres, on emploie de la chair de poisson cru, auquel on a ôté les arêtes ; on hache et on ajoute autant de mie de pain et de beurre qu'il y a de poisson. La mie de pain doit être trempée dans du lait et bien égouttée, on mêle ensuite le poisson, la mie de pain et le beurre, on en fait une pâte ; on sale, on poivre, puis on l'additionne d'un jaune d'œuf et de persil haché fin. On peut ajouter aux pâtés des truffes bien épluchées et coupées en lames minces ; dans ce cas, les épluchures seront hachées et mêlées à la farce.

Pâté-terrine de volaille. – Ayez un beau poulet, plumez-le et videz-le comme il est dit page 108 ; enlevez tous les os. Hachez une demi-livre de veau et une demi-livre de porc frais, puis le foie, le cœur et les poumons du poulet ; ajoutez un morceau de mie de pain trempé dans du lait et bien égoutté et faites une pâte.

Laissez au poulet les ailes, la chair des cuisses et les filets, étendez le poulet, la peau du côté de la table, et remplissez toutes les cavités faites par les os des ailes et des cuisses, puis mettez une couche de farce, une de jambon coupé en tranches minces, une de veau coupé de même et remettez une couche de farce et ainsi de suite, jusqu'à ce quc le poulet soit rempli ; redonnez-lui ensuite sa forme première.

Ayez alors une terrine assez grande pour le contenir et mettez dans le fond une petite feuille de laurier, une petite branche de thym cassée en morceaux et une barde de lard ; posez votre poulet dans la terrine et remplissez tous lcs creux avec de la farce ; couvrez d'une barde de lard et mettez un peu de sel, de poivre, de thym et de laurier. Pressez avec la main de manière qu'il n'y ait aucune place vacante, passez les doigts entre la farce et la terrine, ce qui permet de mettre un peu d'eau et un verre à bordeaux d'eau-de-vie. Posez le couvercle sur la terrine et collez les bords avec un peu de farine délayée avec de l'eau.

Mettez à four pas trop chaud ; deux heures et demie à trois heures suffisent.

Un peu avant la cuisson, vous pouvez introduire par le trou du couvercle de la terrine un peu de jus fait avec les os du poulet et les débris de viande. Il ne faut ouvrir la terrine que lorsqu'elle est tout à fait froide et au moment de la servir.

Pâté-terrine de lapin. – Dépouillez et videz un lapin comme il est dit page 133 et désossez-le entièrement. Ayez alors une demi-livre de veau débarrassé des os et de la peau et coupez lapin et veau en morceaux de la longueur et de l'épaisseur du petit doigt.

Prenez ensuite une demi-livre ou trois quarts de chair à saucisse, à laquelle vous ajoutez le cœur et le foie du lapin hachés ; assaisonnez le tout de poivre, sel et épices. Mettez après dans le fond d'une terrine : sel, poivre, une petite feuille de laurier, une branche de thym coupée en morceaux et une couche de chair à saucisse. Rangez sur cette farce des morceaux de lapin et de veau les uns contre les autres ; remettez une couche de farce et ainsi de suite jusqu'à ce que la terrine soit pleine. Pressez fortement et placez dessus une barde de lard bien mince de manière à couvrir le pâté en entier. Salez, poivrez, et ajoutez encore une petite feuille de laurier.

Enfin arrosez avec un demi-verre d'eau et un verre à bordeaux d'eau-de-vie ; faites de petits trous de distance en distance pour que le liquide puisse pénétrer ; fermez hermétiquement avec le couvercle en le soudant avec de la farine délayée dans de l'eau, et faites cuire à four pas trop chaud environ trois heures.

On peut mariner les viandes pendant deux ou trois jours, ce qui rend le pâté plus savoureux. *(Voy. marinade, page 30).*

Pâté-terrine de perdreaux. – Préparez les perdreaux comme il est dit à *pâté-terrine de volaille, page 321.*

Pâté-terrine de lièvre. – Se fait comme le pâté-terrine de lapin. *(Voy. page 322).*

Pâté-terrine de veau et jambon. – Prenez une demi-livre de veau (de la rouelle de préférence), os et peau non compris, puis un quart de jambon fumé et une demi-livre de chair à saucisse.

Prenez ensuite quelques morceaux de veau et de jambon, que vous hachez et pilez avec un morceau de mie de pain trempé dans de l'eau ou du bouillon et bien égoutté ensuite ; salez et poivrez.

Piquez le veau qui vous reste avec des lardons gros comme le petit doigt ; enlevez la couenne du jambon et coupez ce dernier en tranches minces.

Faites attention en salant la chair à saucisse de ne pas trop mettre de sel, à cause du jambon qui est salé lui-même.

Mettez alors, dans le fond d'une terrine à couvercle faite exprès pour les pâtés, une barde de lard mince qui couvre entièrement le fond ; sur cette barde, placez une couche de veau et de jambon et de la farce entremêlée ; emplissez ainsi votre terrine que vous recouvrez avec une barde de lard mince, finissez par une petite feuille de laurier, une branche de thym coupée en petits morceaux, sel et poivre. Arrosez avec un demi-verre d'eau et un verre à bordeaux d'eau-de-vie ; couvrez hermétiquement avec le couvercle que vous soudez à la terrine avec un peu de farine délayée dans de l'eau. Faites cuire à four pas trop chaud pendant trois heures.

Enfin, un peu avant la fin de la cuisson, versez par le petit trou du couvercle de la terrine, du jus que vous avez fait pendant la cuisson de votre pâté avec la couenne de jambon, les débris et les os de veau, un oignon, deux clous de girofle et un bouquet de thym, de laurier et persil ; mouillez avec deux verres d'eau ; passez à la fine passoire après avoir laissé bouillir deux heures et demie. Ne couvrez pas et laissez réduire.

Ne découvrez la terrine que lorsqu'elle sera tout à fait froide et au moment de la servir.

Autant que possible, on ne doit servir une terrine que le lendemain du jour où on l'a préparée.

Pâté-terrine de pigeons, de cailles. – Ces deux pâtés se préparent comme celui de volaille. *(Voy. page 321).*

Pâté-terrine de foie gras. – Prenez une livre de foie de veau, une livre de foie gras, 125 grammes de porc frais sans couenne ni nerfs, 250 grammes de panne de porc frais, un morceau de mie de pain et trois ou quatre belles truffes.

Coupez ensuite le foie gras en tranches de l'épaisseur du petit doigt ; faites tremper la mie de pain dans un verre d'eau pendant vingt minutes, puis mettez-la un moment sur le feu et pressez-la. Hachez le foie de veau, le porc, la panne, la mie de pain, du persil et des épluchures de truffes ; assaisonnez de sel, poivre et épices. Mélangez bien le tout.

Ayez aussi une terrine faite exprès pour ces sortes de pâtés ; étendez une couche de farce dans le fond de l'épaisseur du doigt, mettez sur cette couche de farce des tranches de foie gras et des tranches de truffes, du sel, poivre et épices. Remettez une couche de farce, de tranches de foie gras, des truffes et ainsi de suite jusqu'à ce que la terrine soit pleine ; terminez par une couche de farce, puis couvrez avec une barde de lard mince et mettez dessus une feuille de laurier. Couvrez la terrine avec son couvercle.

Enfin, faites cuire au bain-marie trois heures et demie au moins et laissez refroidir complètement. *(Voy. bain-marie, page 7)*.

Vous pouvez démouler votre pâté au moment de le servir en trempant la terrine une ou deux minutes dans l'eau bouillante. Posez ensuite un plat sur la terrine et renversez-la. Couvrez le pâté démoulé avec une feuille de papier de plomb et présentez-le ainsi sur la table.

Pâté-terrine de foie de veau. – Se fait exactement comme celui de foie gras *(voy. page 324)* en conservant les mêmes proportions.

Pâté-terrine de foie de veau haché. – Hachez ensemble une livre de foie de veau et une livre de porc frais, sel, poivre et épices. Mettez dans le fond d'une terrine une barde de lard très mince et couvrez cette barde d'une couche de farce ; remettez une barde, une couche de farce et ainsi de suite jusqu'à ce que votre terrine soit pleine ; finissez par une barde, saupoudrez de sel et poivre et mettez une feuille de laurier.

Fermez ensuite hermétiquement avec le couvercle en soudant les bords avec de la farine délayée dans un peu d'eau. Faites cuire à four doux pendant trois heures au moins et laissez bien refroidir. Ne découvrez la terrine que lorsqu'elle est tout à fait froide et au moment de vous en servir.

Pâté-terrine de foie de cochon haché. – Se fait comme le pâté-terrine de foie de veau haché. *(Voy. ci-dessus).*

Pâté-terrine de poisson. – Prenez de préférence de l'esturgeon, du thon, du saumon, de la barbue ou du turbot, parce que ces poissons ont peu d'arêtes.

Préparez une farce de poisson. *(Voy. farce de poisson pour pâtés maigres, page 320).* Enlevez la peau et les arêtes du poisson que vous voulez mettre en terrine et coupez en tranches ou en morceaux de l'épaisseur du doigt. Etendez de la farce au fond d'une terrine ronde ou ovale faite exprès pour ces sortes de pâtés, puis une couche de tranches de poisson, sel, poivre et épices ; remettez une couche de farce, des tranches de poisson, sel, poivre, épices et ainsi de suite jusqu'à ce que la terrine soit pleine. Finissez par une couche de farce.

Mettez ensuite de distance en distance de petits morceaux de beurre gros comme des noisettes. Fermez avec le couvercle de la terrine dont vous soudez les bords avec un peu de farine mêlée à de l'eau. Faites cuire à four doux pendant deux heures et demie, puis laissez refroidir et n'enlevez qu'au moment de servir et lorsque la terrine est tout à fait froide.

PÂTÉS EN CROÛTE

Les pâtés en croûte se garnissent absolument de la même manière que les pâtés en terrine, seulement la terrine est remplacée par une pâte brisée.

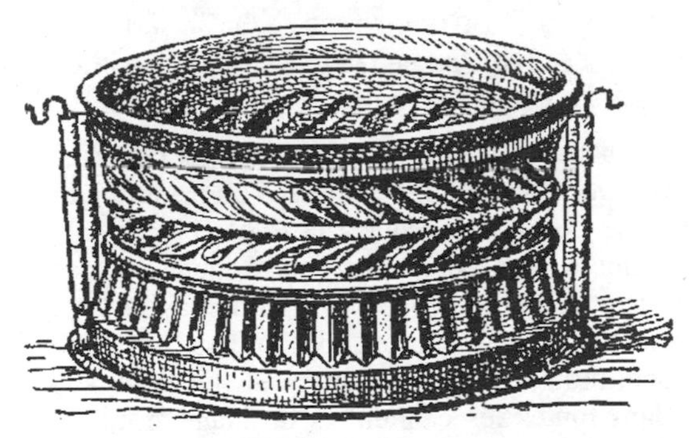

Moule ovale.

On se sert souvent de moules ronds ou ovales pour donner aux pâtés un plus joli aspect *(voy. la figure ci-dessous et la figure page 327)* ; on les trouve chez tous les quincailliers.

On peut aussi faire les pâtés sans moules, ce qui est plus prompt, mais d'un moins joli effet ; toutefois, les pâtés de *Pithiviers* sont ainsi préparés.

Moule rond.

PÂTÉ POUR CROÛTE DE PÂTÉ. – On se sert pour les pâtés de pâte brisée *(voy. page 316)* ; il est donc inutile de répéter ici comment elle est préparée.

MANIÈRE DE DRESSER LA PÂTE AUTOUR DU MOULE. – Ayez une tôle quelconque, mettez dessus un papier beurré (le côté beurré ne doit pas toucher à la tôle) ; placez sur ce papier votre moule dont vous avez beurré toutes les cannelures à l'intérieur ; placez-y votre pâte qui doit avoir l'épaisseur de votre petit doigt ; étendez-la d'abord sur toute la superficie du fond, montez-la le long du moule en ayant soin de l'entrer dans toutes les cannelures de manière que votre pâté, une fois démoulé, soit bien façonné.

Coupez ensuite la pâte qui dépasse, mais pas trop près du moule : il faut la laisser dépasser d'au moins deux centimètres ; placez les viandes et le hachis comme il est dit pour les pâtés-terrine *(voy. page 320),* recouvrez avec une barde mince, mais ne mettez ni eau, ni eau-de-vie, cela amollirait la pâte. Prenez un peu de la pâte qui vous reste ou faites un peu de pâte feuilletée *(voy. pâte feuilletée, page 317)* pour faire un couvercle que vous souderez à la pâte en mouillant les bords et en plaçant ceux-ci avec le pouce et l'index. Faites quelques incisions au couvercle, un trou au milieu pour que la vapeur s'échappe pendant la cuisson.

Dorez ensuite à l'eau et à l'œuf ; pour cela prenez un jaune d'œuf auquel vous ajoutez un peu d'eau ; battez comme pour une omelette, trempez un pinceau dans cette préparation et dorez votre pâté (le couvercle seulement bien entendu).

Avant la fin de la cuisson, glissez par l'ouverture du couvercle un peu de jus *(voy. jus, page 17)* fait avec les rognures de viandes. Le pâté tout à fait cuit, attendez pour démouler qu'il soit complètement froid ; bouchez avec un peu de pâte le trou du couvercle et servez.

Quelques personnes aiment mieux les pâtés chauds, mais il est préférable cependant de les manger froids ; ils sont moins indigestes.

PÂTÉS SANS MOULE. – Préparez une pâte brisée *(voy. pâte brisée, page 316),* étendez-la de l'épaisseur du petit doigt et coupez-la suivant la forme indiquée ci-dessous *(voy. page 330) ;* placez la viande au milieu ; couvrez-la d'une barde de lard mince et repliez la pâte dessus, le n° 1 d'abord, le n° 2 sur le n° 1, puis le n° 3 et enfin le n° 4 ; faites ensuite avec les rognures de pâte un couvercle comme le dessin représentant le pâté terminé ; soudez les bords avec un peu d'eau et dorez avec de l'œuf.

Ces pâtés peuvent être faits avec de la chair de poisson et être servis les jours maigres. Dans ce cas, on supprimerait la

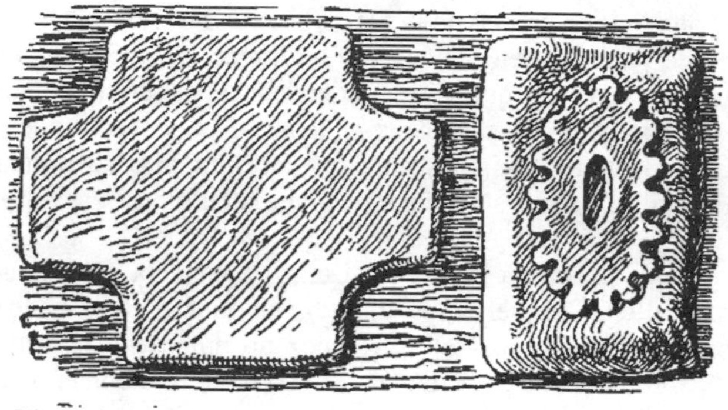

Pâte préparée pour recevoir la viande. Pâté terminé.

barde de lard et on mettrait de petits morceaux de beurre de distance en distance avant de refermer le pâté.

Pâté de foie gras. – Le pâté de foie gras se prépare absolument comme la terrine de foie gras avec les mêmes quantités de viande, de pain et de truffes. *(Voy. terrine de foie gras, page 324).*

Faites ensuite une pâte brisée *(voy. pâte brisée, page 316),* aplatissez-la avec le rouleau et garnissez-en un moule fait exprès pour ces sortes de pâtés ; pour cela, étendez d'abord votre pâte dans le fond et montez-la le long des parois du moule, en la laissant dépasser de deux centimètres à peu près.

Remplissez alors la pâte avec le foie gras et la farce comme il est dit pour la terrine, et couvrez avec un couvercle de pâte brisée que vous soudez au pâté avec un peu d'eau. Enfin, faites quelques incisions sur le couvercle et dorez à l'eau seulement. Faites cuire trois heures à four chaud.

Pour un pâté ordinaire, il faut bien une livre de farine, une demi-livre de saindoux ou du beurre et deux cuillerées à café de sel fin.

Pâté de saumon. – Pour deux livres de saumon, préparez une pâte brisée *(voy. pâte brisée, page 316)* que vous ferez avec une livre de farine et une demi-livre de beurre ou de saindoux. Faites ensuite une farce avec une livre de poisson (merlan ou esturgeon). Enlevez toutes les arêtes et les peaux. Ajoutez à ce poisson haché cru un bon morceau de mie de pain trempé dans de l'eau et égoutté, une demi-livre de beurre et les épluchures de quatre ou cinq truffes. Hachez et mêlez le tout, puis salez et poivrez.

Prenez alors un moule assez grand pour contenir le poisson et la farce ; garnissez le fond et les parois du moule avec la pâte que vous avez préparée d'avance en laissant dépasser la pâte de 2 centimètres. Mettez une couche de farce au fond, puis une couche de saumon coupé en tranches, quelques tranches minces de truffes, une couche de farce, une couche de saumon, des tranches de truffes, et ainsi de suite jusqu'à ce que le pâté soit rempli ; finissez par une couche de farce.

Fermez avec un couvercle de pâte que vous soudez au pâté avec un peu d'eau, faites un trou dans le milieu et dorez à l'eau seule, avec un pinceau ; enfin mettez cuire à four chaud pendant trois heures. Un peu avant la cuisson, introduisez par le trou du couvercle un demi-verre d'eau et deux cuillerées de bon cognac.

Ce pâté doit être mangé froid. Il faut le faire un ou deux jours à l'avance.

PÂTÉS CHAUDS

On appelle pâtés chauds des croûtes de pain garnies d'un ragoût ou d'un mets quelconque. Les vol-au-vent, les tourtes d'entrée, les timbales sont des pâtés chauds.

GARNITURE DES PÂTÉS CHAUDS. – On garnit les pâtés chauds de ragoût de volaille, de foie, de crêtes et rognons de coq, de ris de veau, de cervelles, de filets de poisson, de quenelles *(voy. quenelles, page 28),* de boulettes de différentes viandes, d'écrevisses, de crevettes, etc.

On remplit la croûte avec n'importe quel ragoût préparé de manière à ce que la garniture en dépasse un peu le bord, puis on recouvre avec le couvercle qui ne doit pas cacher complètement la garniture.

Tourte d'entrée. – La tourte d'entrée se fait avec une pâte brisée *(voy. pâte brisée, page 316)* pour le fond et le couvercle, et une pâte feuilletée *(voy. pâte feuilletée, page 317)* pour le bord.

Faites une pâte feuilletée avec une livre de farine et une livre de beurre ; cette quantité est bien suffisante pour une tourte ordinaire. Lorsque votre pâte feuilletée est faite, aplatissez-la avec le rouleau à pâte, de sorte qu'elle ait l'épaisseur de deux doigts. Donnez-lui une forme ronde et, au moyen d'un couvercle plus étroit que le rond de votre pâte, enlevez le milieu de manière à faire un bord large de trois centimètres.

Prenez ensuite toutes les rognures de pâte, pétrissez-les de nouveau et foulez-les avec la paume de la main comme pour la pâte brisée. Faites deux ronds, aussi grands que le bord que vous avez préparé, un des ronds formera le fond et l'autre le couvercle. Posez, sur le rond du fond, du papier ou un linge auquel vous donnerez la forme de boule, puis placez le second rond en ayant soin de le souder au rond du dessous avec un peu d'eau.

Faites alors quelques incisions pour que la vapeur puisse s'échapper ; c'est le second rond qui fera le couvercle. Posez en dernier lieu la bande de pâte au bord des deux ronds réunis et mouillez-la pour qu'elle soit soudée à la tourte. Posez cette bande légèrement pour qu'elle puisse bien renfler. Dorez à l'œuf et faites cuire trois quarts d'heure à four chaud.

Lorsque la croûte est cuite, retirez-la du four et détachez le couvercle en suivant le tour intérieur du bord de la tourte ; enlevez le papier ou le chiffon que vous avez mis à l'intérieur, puis garnissez la tourte avec le ragoût préparé, mettez le couvercle et servez.

Vol-au-vent. – Après avoir préparé de la pâte feuilletée *(voy. pâte feuilletée, page 317)*, aplatissez-la avec le rouleau et donnez-lui l'épaisseur de deux doigts. Posez sur cette pâte un rond de bois ou un couvercle plus ou moins grand, suivant la grandeur que vous voulez donner au vol-au-vent. Coupez autour du couvercle la pâte qui dépasse ; enlevez le couvercle et, avec un couteau, faites un cercle à trois centimètres du bord de la pâte, en ayant soin que votre couteau n'entre pas trop profondément ; il faut aussi laisser assez d'épaisseur pour que le fond tienne au bord. A la cuisson, le rond indiqué par le couteau formera le couvercle.

Faites ensuite quelques incisions sur le milieu, dorez à l'œuf et laissez cuire aussitôt à four pas trop chaud. Il faut à peu près trois quarts d'heure de cuisson. La pâte étant bien faite renflera au bout d'un quart d'heure ; elle doit avoir au moins 7 à 8 centimètres au bord.

Retirez le vol-au-vent du four lorsqu'il a pris une belle couleur, détachez le couvercle et enlevez à l'intérieur la pâte non cuite en laissant assez d'épaisseur pour le fond. Garnissez l'intérieur avec n'importe quel ragoût préparé ; puis remettez le couvercle et servez.

Petits vol-au-vent. – Les petits vol-au-vent se font comme les grands, mais au lieu de prendre un couvercle pour former les ronds, on se sert d'un verre ou d'un bol et l'on coupe autour. La pâte qui tombe peut servir à faire de petites tartelettes.

Pour garnir les petits vol-au-vent, on doit couper en morceaux menus les viandes, le poisson, les champignons.

Pâtés au jus. – Les pâtés au jus se font avec de la pâte feuilletée *(voy. pâte feuilletée, page 317)*, mais on l'aplatit beaucoup plus mince et on la met dans de petits moules à côtes. On bourre ensuite le moule, on met la pâte et on fait cuire à four pas trop chaud. On fait de petits ronds pour les couvercles et on les met cuire au four sur une tôle beurrée. Les pâtés étant cuits, on les démoule et on les emplit de viandes, champignons, quenelles *(voy. page 28)*, truffes, le tout coupé en très petits morceaux. Enfin l'on couvre avec le couvercle et l'on sert chaud.

Petits pâtés. – Préparez une pâte feuilletée *(voy. pâte feuilletée, page 317) ;* prenez un coupe-pâte ou un verre et découpez des rondelles en mouillant chacune d'elles à la surface et en mettant au milieu du macaroni, une petite boulette de godiveau *(voy. godiveau, page 28)* ou des crevettes à la béchamel *(voy. page 193)*. Recouvrez ensuite d'une autre rondelle et, avec un verre plus petit que le premier, appuyez sur les bords de manière à les souder ensemble ; dorez à l'œuf et faites cuire à four bien chaud. Lorsqu'ils sont montés et bien dorés, servez aussitôt, car ces pâtés doivent être mangés très chauds.

On peut, au lieu de deux rondelles, n'en faire qu'une plus grande, et la replier sur la viande de manière à former un chausson ; on mouille alors les bords pour les souder ensemble et l'on fait cuire à four bien chaud après avoir doré à l'œuf. Si au lieu d'une pâte feuilletée on se servait d'une pâte brisée, on ferait frire ces petits pâtés à friture bien chaude *(voy. friture, page 21)*, on les égoutterait et on les servirait saupoudrés de sel fin. Cette méthode est plus expéditive que la cuisson au four.

Timbale de macaroni. – Faites une pâte brisée *(voy. pâte brisée, page 316)* ; étendez cette pâte avec le rouleau en lui donnant l'épaisseur d'un gros sou.

Beurrez ensuite une casserole ou bien un moule droit sans cannelures ; garnissez le fond et les contours avec la pâte, coupez ce qui dépasse en laissant un bord de deux centimètres.

Remplissez alors avec le macaroni, cuit d'avance, en mettant une couche de macaroni, une couche de fromage de gruyère ou parmesan râpé, quelques truffes épluchées et coupées en lames minces ; recommencez par une couche de macaroni, une de fromage et ainsi de suite jusqu'à ce que la timbale soit pleine. Enfin, fermez avec un couvercle fait de rognures de pâte, soudez les bords avec de l'eau, dorez à l'eau seule et faites cuire à four chaud deux heures environ. Après ce temps, démoulez en posant un plat sur le moule, renversez ce dernier et donnez un peu de couleur à la timbale en la remettant cinq ou dix minutes à four doux. Servez très chaud.

Au lieu de macaroni, on peut mettre un ragoût financière. *(Voy. financière, page 27)*

Timbale milanaise. – Préparez votre timbale comme il est dit ci-dessus ; lorsque la pâte est dans le moule, emplissez-la de papier chiffonné ou de farine, couvrez avec un couvercle fait de la même pâte que celle de la timbale, dorez à l'œuf et faites cuire à four chaud. Votre timbale étant cuite, retirez-la du four, détachez le couvercle, enlevez le papier ou la farine que vous avez mise à l'intérieur, retirez du moule et remplissez avec le ragoût suivant :

Faites cuire, à l'eau bouillante avec sel, une demi-livre de macaroni fin appelé *aiguillette* ; dès qu'il est cuit, retirez-le de l'eau, faites-le égoutter, remettez-le dans une casserole avec un morceau de beurre, sel, poivre, et un quart de fromage de gruyère râpé, une demi-livre de champignons (coupés en morceaux et cuits à l'eau de sel), une truffe ou deux coupées en lames minces et la moitié d'un ris de veau cuit *(Voy. ris de veau, page 88)*.

Lorsque votre ragoût est prêt, finissez en ajoutant trois ou quatre cuillerées à bouche de bonne sauce tomate *(voy. sauce tomate, page 23) ;* laissez un moment sur le feu et remplissez votre timbale ; posez le couvercle dessus et servez bouillant.

Rissoles. – Prenez de la pâte brisée, étendez-la très mince et allongez-la. Faites une farce de restes de viandes, volailles ou poissons ; mettez des petits tas de cette farce à distances égales sur la moitié de la pâte que vous avez mouillée d'avance ; recouvrez avec l'autre moitié et appuyez entre chaque tas de viande et sur les bords pour que les deux morceaux de pâte soient soudés ensemble.

Coupez ensuite la pâte entre chaque tas marqué, de manière à faire des petits carrés de 2 ou 3 centimètres ; placez ces petits carrés sur une tôle et faites frire à friture chaude *(voy. friture, page 21) ;* lorsqu'ils ont une belle couleur, retirez-les, égouttez-les et servez-les saupoudrés de sel.

Koulibiac aux choux (*Pâté russe*). – Faites roussir dans le beurre un gros oignon haché ; prenez deux choux blancs, hachez-les pas trop fin et mettez-les avec l'oignon jusqu'à ce que les choux fléchissent sous le doigt ; hachez aussi trois ou quatre œufs durs, mêlez-les aux choux, salez et poivrez. Faites ensuite une pâte comme suit :

Mettez dans une casserole un verre de lait tiède et un peu de levure ; ajoutez une demi-livre de farine, battez cette pâte avec une cuiller de bois, formez-en un levain bien lisse que vous mettez dans un endroit chaud. Lorsque la pâte est levée, ajoutez encore une demi-livre de farine et une demi-livre de beurre fondu en pommade, six œufs entiers et un peu de sel ; battez de nouveau jusqu'à ce que vous ayez une pâte très lisse.

Saupoudrez après de farine votre planche à pâtisserie ; versez votre pâte dessus, maniez-la un peu jusqu'à ce qu'elle ne tienne plus aux doigts, puis mettez-la dans une terrine et laissez-la reposer dans un endroit chaud pendant trois quarts d'heure ; après ce temps, servez-vous de votre pâte en l'étendant avec le rouleau, donnez-lui l'épaisseur d'un demi-doigt et posez-la sur une serviette saupoudrée de farine. Garnissez ensuite le milieu de votre pâte avec la farce de choux préparée ci-dessus et recouvrez avec la pâte que vous soudez avec de l'eau. Posez sur cette pâte une tôle beurrée, de manière que la fermeture du pâté se trouve sur la plaque et le beau côté en dessus. Laissez le koulibiac une demi-heure dans un endroit chaud, puis mettez-le cuire à feu doux ; lorsqu'il est cuit, barbouillez le dessus avec un pinceau trempé dans du beurre fondu, coupez en long et en large pour en former une douzaine de morceaux et servez ces derniers sur un plat ovale garni d'une serviette.

Koulibiac de saumon *(pâté russe)*. – Faites une pâte à koulibiac *(voy. ci-dessus)*, puis garnissez l'intérieur de tranches de saumon épluché et débarrassé des arêtes. Passez ces tranches de poisson dans du beurre chaud, retournez chaque tranche et laissez 10 minutes sur feu doux. Ayez aussi de la grosse semoule que vous faites cuire à l'eau avec du sel ; pour une demi-livre de semoule ne mettez qu'un demi-litre d'eau. Il faut, qu'étant cuite, votre semoule ait de la consistance. Laissez-la refroidir, puis mettez un lit de cette semoule dans votre pâte, recouvrez avec des tranches de saumon et quelques champignons épluchés et passés dans le beurre ; recouvrez de semoule, remettez du saumon et ainsi de suite. Lorsque vous avez employé ce que vous aviez, en poisson et semoule, ramenez la pâte sur le milieu en la pliant de manière à former une espèce de bourse ; laissez une petite ouverture et repliez-en le bord. Enfin dorez votre gâteau avec du beurre fondu et un jaune d'œuf délayé avec un peu de lait, mettez cuire une heure à four chaud et servez sur un plat rond garni d'une serviette.

Ce plat est un excellent mets de carême.

TARTES ET GÂTEAUX

Les tartes se font généralement soit avec la pâte brisée, soit avec la pâte feuilletée *(voy. pages 316 et 317)* ; il est donc inutile de donner de nouveau les indications pour ces deux sortes de pâtes.

Tarte aux pommes. – Faites une pâte brisée *(voy. pâte brisée, page 316)*, garnissez-en une tôle beurrée et remplissez avec une marmelade de pommes *(voy. marmelade de pommes, page 283)* ; faites cuire ensuite à four chaud pendant trois quarts d'heure.

On peut garnir le dessus de la tarte avec de petites bandes de pâte que l'on dispose en triangles et que l'on dore à l'eau avant de les mettre au four.

Autre tarte aux pommes. – Faites la pâte comme celle qui est indiquée ci-dessus ; taillez-la en carré et posez-la sur une feuille de papier beurrée. Pelez ensuite une ou deux pommes rainettes, coupez-les en tranches minces et disposez ces tranches sur la pâte en les superposant l'une sur l'autre par moitié. Saupoudrez alors de sucre et faites cuire à four chaud trois quarts d'heure. Enfin délayez de la marmelade d'abricots avec un peu d'eau et, lorsque votre tarte est cuite, retirez-la du four et enduisez le dessus de la marmelade préparée.

Tarte aux abricots. – Faites une pâte brisée *(voy. pâte brisée, page 316) ;* garnissez-en une tôle beurrée et faites cuire votre pâte d'avance en ayant soin de faire quelques petites incisions dans le fond et de soutenir les bords avec une bande de fort papier ou de carton mince. Faites cuire ensuite à four chaud 20 ou 25 minutes, préparez une compote d'abricots *(voy. compote d'abricots, page 365)* et, lorsque la pâte est cuite, garnissez-la avec la compote.

Tarte aux pêches. – Se prépare comme celle d'abricots. *(Voy. ci-dessus).*

Tarte aux prunes. – Faites une pâte brisée *(voy. pâte brisée, page 316),* puis beurrez une tôle, garnissez-la de pâte, enlevez ce qui dépasse et mettez au milieu des prunes de reine-Claude coupées en deux, auxquelles vous aurez enlevé les noyaux. Si vous prenez les mirabelles, vous ôterez les noyaux mais vous ne les séparerez pas : elles devront figurer entières. Saupoudrez bien les prunes de sucre et faites cuire trois quarts d'heure à four chaud.

Tarte aux cerises. – Se fait comme la tarte aux abricots *(voy. ci-dessus),* seulement lorsque les cerises sont cuites, retirez-les et laissez réduire le jus qui doit avoir la consistance d'un sirop un peu clair.

On peut aussi faire cette tarte comme celle aux prunes *(voy. ci-dessus),* ce qui est plus prompt, mais la pâte sera moins croquante.

Tarte aux poires. – Se fait comme celle aux abricots *(voy. page 341)*. Une fois les poires cuites (entières ou en morceaux), il faut laisser réduire le jus.

Tarte aux fraises. – Faites une pâte brisée *(voy. pâte brisée, page 316) ;* garnissez-en une tôle beurrée, coupez ce qui dépasse des bords et laissez cuire à four chaud une demi-heure, en ayant soin de faire quelques incisions sur le fond et de soutenir les bords avec une bande de papier épais ou de carton mince. Une fois votre pâte cuite, retirez du four et garnissez l'intérieur avec des fraises bien fraîches ; serrez-les les unes contre les autres et arrosez d'un sirop de sucre ou d'un sirop de groseille. *(Voy. sirops, page 383).*

On peut mettre les fraises dans la tarte et les faire cuire au four, puis saupoudrer de sucre, mais la pâte sera bien moins friande et les fraises perdront leur parfum.

Tarte à la bouillie. – Délayez deux cuillerées de farine avec un demi-litre de lait que vous mêlez peu à peu, en ayant soin qu'il n'y ait pas de grumeaux ; ajoutez ensuite du sucre gros comme un œuf, un petit morceau de beurre et un peu de sel. Mettez alors dans une casserole sur feu doux et remuez jusqu'à ce que votre bouillie épaississe ; ôtez du feu et laissez refroidir. Liez aussi avec un jaune d'œuf.

Enfin, faites une pâte brisée *(voy. pâte brisée, page 316)* et posez-la sur une tôlerie beurrée ; coupez les bords qui dépassent et remplissez avec la bouillie. Faites cuire 20 à 25 minutes à four chaud.

On peut faire aussi cette tarte à la frangipane *(voy. frangipane, page 319).*

Tarte au riz. – Faites une pâte brisée *(voy. pâte brisée, page 316),* et remplissez-la de riz cuit et préparé comme pour le gâteau de riz *(voy. gâteau de riz, page 292).* Faites cuire ensuite trois quarts d'heure à four doux.

Dartois aux pommes. – Faites une pâte feuilletée *(voy. page 317) ;* étendez-la bien mince, coupez-la en carrés de la largeur de la main et mettez dessus de la marmelade de pommes délayée *(voy. marmelade de pommes, page 283)* avec un peu de gelée de groseilles ou de marmelade d'abricots *(voy. gelée de fruits, pages 269 et 375).* Recouvrez ensuite avec une autre pâte feuilletée aussi mince que celle de dessous, puis collez les bords avec un peu d'eau. Dorez alors à l'œuf délayé avec un peu d'eau, faites quelques incisions sur chacun des gâteaux, saupoudrez de sucre et mettez à four bien chaud. Une demi-heure de cuisson suffit.

Ces gâteaux, mangés chauds, sont délicieux.

Quatre-quarts. – Prenez quatre œufs ; pesez-les et mettez le même poids de farine, de sucre en poudre et de beurre. Cassez les œufs, séparez les blancs des jaunes et mêlez à ces derniers le sucre en poudre, du jus de citron, puis le beurre tiédi et fondu en pommade et enfin la farine. Remuez avec une cuiller de bois, afin que le mélange soit bien fait. Battez ensuite les blancs d'œufs en neige très ferme, incorporez-les à la préparation ci-dessus et mêlez-les légèrement, mais faites en sorte qu'il n'en reste pas à la surface. Beurrez alors un moule ou un plat creux allant au four, remplissez-le à moitié avec la pâte et mettez à four pas trop chaud pendant une heure. Votre gâteau doit gonfler de près de moitié.

On peut, avant de mettre ce gâteau au four, le saupoudrer d'amandes douces débarrassées de leur peau et hachées fin. Pour enlever la peau des amandes, il suffit de les tremper un moment dans l'eau chaude.

Choux sans crème. – Faites une pâte comme celle indiquée pour les beignets soufflés *(voy. page 288)*. Lorsque votre pâte est terminée et qu'elle est maniable, prenez une tôle ou une feuille de papier que vous beurrez et laissez tomber dessus de petits morceaux, gros comme une noix de pâte, en mettant trois centimètres d'intervalle entre chacun d'eux. Dorez ensuite à l'œuf et ne les mettez au four que vingt minutes après. Lorsqu'ils ont pris une belle couleur, saupoudrez-les de sucre et remettez-les un moment à four chaud pour les glacer.

On peut, avant de les mettre au four, les saupoudrer d'amandes hachées fin comme pour le *quatre-quarts. (Voy. ci-dessus)*.

Choux à la crème. – Faites les choux comme ci-dessus et enlevez à la sortie du four une petite partie du dessus, puis emplissez la cavité avec une crème fouettée. *(Voy. crème fouettée, page 296).*

Saint-Honoré. – Faites une pâte comme il est dit pour les beignets soufflés *(voy. page 288),* puis préparez un papier beurré et mettez dessus un rond de pâte comme un couvercle de casserole ordinaire et épais comme la moitié du petit doigt. Mettez ensuite cuire une demi-heure à four chaud, retirez et laissez refroidir.

Vous préparez aussi à part avec la même pâte de petits choux gros comme des noisettes, vous les mettez au four où ils gonflent du double. Après parfaite cuisson, retirez ces boules et glacez-les avec un sirop de sucre blond *(voy. sirop de sucre, page 383),* puis laissez-les refroidir.

Cette préparation terminée, garnissez votre galette tout autour avec les petites boules que vous collez avec le sirop et entre lesquelles vous placez quelques fruits confits. Enfin remplissez votre gâteau avec une crème fouettée. *(Voy. crème fouettée, page 296).*

Brioche. – Prenez une demi-livre de farine, mettez-la dans une terrine ; faites un trou au milieu et mettez-y cinq grammes de levure que vous délayez avec trois cuillerées d'eau dégourdie. Mêlez votre farine peu à peu à la levure, jusqu'à ce que la pâte soit assez ferme, puis pétrissez cette dernière et faites-en une boule.

Placez ensuite cette boule dans la terrine et couvrez-la avec la farine qui reste, puis avec un torchon, et laissez reposer quatre ou cinq heures, dans un endroit chaud mais éloigné du fourneau. Votre pâte devra pendant ce temps gonfler du double.

Lorsque votre levain est bien gonflé, retirez-le de la farine et mettez au milieu de cette même farine trois ou quatre cuillerées de lait, une bonne cuillerée à café de sel fin et 160 grammes de bon beurre. Mêlez peu à peu avec la farine en remuant et en fouettant la pâte avec la main, et cela d'une façon continue ; ajoutez aussi un œuf entier ; mêlez de nouveau, puis ajoutez un autre œuf et fouettez encore la pâte.

Replacez ensuite le levain et, à partir de ce moment, ne travaillez plus autant la pâte ; mêlez-la bien cependant, donnez-lui la forme d'un petit monticule, farinez un torchon, mettez-le sur un saladier ou sur une terrine, placez-y la pâte et laissez-la reposer 12 ou 13 heures dans un endroit chaud.

Au bout de ce temps, prenez la pâte, aplatissez-la sur votre planche saupoudrée de farine et ramenez les bords vers le milieu ; répétez cette opération jusqu'à quatre fois. Laissez ensuite votre pâte, recouverte d'un linge, reposer trois heures, puis recommencez à aplatir et repliez encore quatre fois.

Enfin prenez un morceau de pâte pour faire la tête, donnez à l'autre pâte la forme voulue, posez la tête au milieu et collez-la avec un peu d'eau, posez ensuite la brioche sur une tôle beurrée et enfournez de suite à four très chaud. Il faut à peu près une heure de cuisson. Si la brioche prenait trop de couleur il faudrait la couvrir avec un papier beurré.

Comme on le voit, la brioche demande beaucoup de temps ; on devra donc faire son levain le matin, la pâte le soir et terminer la brioche le lendemain.

Baba. – Préparez le levain comme il est dit ci-dessus pour la brioche ; faites aussi la même pâte, mais un peu plus claire, pour la mêler au levain après que ce dernier a reposé 4 ou 5 heures.

Lorsque pâte et levain sont mêlés ensemble, faites un trou dans le milieu de la pâte et mettez-y 60 grammes de sucre en poudre, un verre de rhum, 60 grammes de raisins de Corinthe, un peu de cédrat confit coupé en petits filets et une toute petite pincée de safran en poudre, puis mêlez bien le tout.

Ayez aussi un moule ou plusieurs petits, fabriqués exprès pour ces sortes de gâteaux ; beurrez-le, mettez-y la pâte, mais ne remplissez qu'à moitié, parce que votre gâteau, s'il est bien fait, devra gonfler. Laissez le moule dans un endroit chaud et lorsque vous verrez que la pâte a gagné les bords, mettez cuire à four doux. Il faut presque deux heures de cuisson. Lorsque le baba est cuit, démoulez-le et arrosez-le d'un sirop de sucre *(voy. sirop de sucre, page 383)* parfumé avec un peu de vanille, de kirsch ou de rhum.

On peut aussi arroser le baba avec un peu de lait d'amandes. *(Voy. lait d'amandes, page 283).*

Savarin. – Faites le même levain que pour la brioche *(voy. page 345)* ; lorsqu'il a gonflé du double, ajoutez-y la moitié d'un verre de lait, un quart de sucre en poudre, 150 grammes de bon beurre fondu en pommade, un œuf (blanc et jaune) et un peu de sel ; mêlez ensuite peu à peu avec le reste de farine, faites une pâte pas trop ferme et battez-la avec la main jusqu'à ce qu'elle vous paraisse mousseuse.

Beurrez alors un moule en couronne fait exprès pour ces sortes de gâteaux, saupoudrez-le à l'intérieur d'amandes hachées très fin, puis versez la pâte dans le moule mais en ne l'emplissant qu'à moitié. Placez ensuite le moule dans un endroit chaud.

Au bout de quatre ou cinq heures, la pâte, si elle est bien faite, doit avoir gagné les bords du moule. Enfournez alors à four chaud et laissez cuire à peu près deux heures. Démoulez lorsque le Savarin est cuit et arrosez-le d'un sirop de sucre *(voy. sirop de sucre, page 383)* et de rhum ou, ce qui est préférable, de lait d'amandes. *(Voy. lait d'amandes, page 283).*

Galette de ménage. – Prenez une livre de farine, faites un trou dans le milieu et mettez-y une demi-livre de saindoux, du sel et un demi-verre d'eau. Mélangez bien le tout ensemble avec la main et faites-en une pâte pas trop dure que vous réunissez en boule. Laissez reposer alors la pâte trois quarts d'heure, puis aplatissez-la de l'épaisseur du petit doigt ; enfin faites des incisions en carrés ou en losanges ; dorez à l'œuf, placez votre galette sur une tôle graissée et saupoudrée de farine et faites cuire une demi-heure à four chaud.

Petites galettes pour le thé. – Faites une pâte comme ci-dessus *(voy. galette de ménage),* et ajoutez-y une cuillerée à bouche de sucre en poudre. Aplatissez ensuite la pâte en lui donnant l'épaisseur d'un gros sou et, avec un verre ordinaire, coupez de petites rondelles sur lesquelles vous faites des incisions en carrés. Enfin dorez à l'œuf et mettez cuire à four chaud sur une tôle beurrée. Vingt minutes de cuisson suffisent.

Ces petites galettes doivent être servies toutes chaudes.

Gâteau de madeleine. – Faites comme pour les quatre-quarts *(voy. page 343),* seulement mettez les blancs d'œufs sans les battre en neige. Beurrez ensuite de petits moules faits exprès et remplissez-les de pâte. Faites cuire trois quarts d'heure à four pas trop chaud.

Quiche. – Prenez une demi-livre de farine, 75 grammes de beurre, la moitié d'une cuillerée à café de sel fin. Mélangez bien le tout. Lorsque votre pâte est faite, aplatissez-la de l'épaisseur d'un gros sou, puis beurrez une tôle haute de bords, placez-y la pâte et faites cuire à four chaud vingt ou vingt-cinq minutes.

Retirez ensuite du four et battez un œuf (blanc et jaune) avec un demi-verre de bonne crème et un peu de sel. Versez cette composition sur la pâte, placez de distance en distance de petits morceaux de lard et remettez à four chaud pendant vingt minutes.

Galette strasbourgeoise. – Mettez dans une terrine une demi-livre de farine, ajoutez-y un verre de lait que vous avez fait tiédir et dans lequel vous avez mis gros comme un œuf de beurre. Vous mélangez le tout : farine, lait et beurre. Mettez un morceau de sucre gros comme deux noix et du raisin de Smyrne en petite quantité. Votre pâte faite doit filer en tombant ; si elle était trop épaisse, il faudrait ajouter un peu de lait ; si au contraire elle était trop claire, il faudrait ajouter un peu de farine. Dès que la pâte a l'épaisseur voulue, il faut la battre avec la main et y mettre ensuite de la levure que vous avez d'abord délayée dans deux ou trois cuillerées de lait et que vous avez laissée reposer. Mêlez bien et versez votre pâte dans une tôle beurrée ; ne l'emplissez qu'à moitié et laissez reposer deux heures dans un endroit tiède, puis mettez cuire à four chaud en ayant soin de bien surveiller la cuisson qui ne doit durer qu'une demi-heure.

Gâteau nantais. – Mettez dans une terrine une livre de farine, faites un trou au milieu et mettez-y une demi-livre de sucre en poudre, un quart de beurre et cent grammes d'amandes auxquelles on a enlevé la peau et que l'on a hachées fin et pilées ; ajoutez aussi la moitié d'un zeste de citron haché et quatre œufs entiers, puis mélangez le tout.

Cette pâte doit être assez ferme ; étendez-la avec le rouleau à pâte de l'épaisseur d'un sou et, avec un verre ordinaire ou un coupe-pâte, découpez de petits ronds. Enfin mettez sur chacun des ronds des amandes hachées ; saupoudrez de sucre et mettez cuire à feu doux.

Gâteau d'amandes. – Prenez une demi-livre d'amandes douces, et faites-les tremper dans l'eau chaude pendant un moment pour pouvoir les débarrasser de leur peau. Pilez-les ensuite avec un pilon en y mêlant une demi-livre de sucre en poudre et du zeste de citron haché fin ; mélangez avec les amandes et le sucre, 70 grammes de fécule de pommes de terre, quatre œufs entiers, plus un jaune et mettez une pincée de sel.

Prenez ensuite le blanc d'œuf qui vous reste, fouettez-le en neige bien ferme et mélangez-le avec la préparation première. Enfin, beurrez un moule, mettez-y votre pâte et faites cuire à four doux pendant une heure.

Biscuit de Savoie. – Prenez quatre œufs ; séparez les blancs des jaunes ; mettez ces derniers dans une terrine avec deux cents grammes de sucre et la moitié d'un zeste de citron ; battez ensemble jusqu'à ce que le mélange soit blanc et mousseux ; ajoutez-y cent grammes de farine et mélangez bien. Fouettez aussi à part les blancs d'œufs battus en neige très dure, mêlez-les avec la préparation première, c'est-à-dire jaunes d'œufs, sucre et farine. Faites ce mélange doucement sans battre. Prenez ensuite un moule, beurrez-le, saupoudrez-le de sucre, chauffez-le un peu et remplissez-le à moitié avec la pâte. Faites cuire une heure à four doux. Lorsque votre gâteau est d'une belle couleur et qu'il semble assez ferme, retirez-le, puis laissez-le refroidir avant de le démouler et remettez-le un moment au four pour le rendre plus ferme.

Si on veut un gâteau à la vanille, on mettra de la poudre de vanille au lieu de citron.

Ne pas mettre d'eau de fleurs d'oranger qui empêcherait le gâteau de monter.

Biscuits à la cuiller. – Prenez de la pâte à biscuit de Savoie *(voy. ci-dessus)* et mettez-en sur un papier beurré, en la disposant de la longueur du doigt et de la largeur de deux centimètres. Saupoudrez de sucre au moyen d'une petite passoire fine. Mettez cuire à four doux pendant une demi-heure.

Gâteau au rhum. – Faites un biscuit de Savoie *(voy. ci-dessus)* et coupez-le en trois parties égales dans le sens de l'épaisseur ; faites ensuite un sirop de sucre, de rhum et d'eau *(voy. sirop de sucre, page 383) ;* trempez chaque morceau dans ce sirop ; la tranche du milieu doit être de chaque côté recouverte de marmelade d'abricots *(voy. marmelade d'abricots, page 375).* Redonnez ensuite au gâteau sa forme première et glacez-le avec un sirop de sucre auquel vous ajouterez quelques cuillerées à café de fécule. Laissez refroidir et parez le dessus du gâteau de fruits confits que vous disposez en dessins.

Gâteau de Pithiviers. – Préparez une pâte feuilletée *(voy. page 317) ;* divisez-la en deux parties et aplatissez avec le rouleau chacun des morceaux, auxquels vous donnerez l'épaisseur d'un gros sou ; de plus, au moyen d'un couvercle de moyenne grandeur, donnez à chaque morceau une forme ronde et coupez avec un couteau la pâte qui dépasse.

Mouillez ensuite le dessus de chaque morceau et versez sur l'un d'eux, en ménageant un petit bord, une couche de frangipane aux amandes *(voy. frangipane aux amandes, page 319),* puis recouvrez avec l'autre morceau, en mettant le côté mouillé sur la frangipane. Appuyez les bords pour les souder ensemble, faites quelques incisions sur le dessus pour décorer le gâteau ; dorez à l'œuf et faites cuire à four pas trop chaud pendant trois quarts d'heure au moins.

Massepains. – Prenez une demi-livre d'amandes (qu'il y en ait quelques-unes d'amères) ; mettez-les tremper un quart d'heure dans l'eau chaude, enlevez la peau et pilez-les dans une terrine en y ajoutant de temps en temps un peu de blanc d'œuf pour empêcher les amandes de faire de l'huile. Il faut pour une demi-livre d'amandes employer à peu près deux blancs.

Râpez ensuite un zeste de citron que vous ajoutez aux amandes et 250 grammes de sucre en poudre.

Lorsque votre pâte est faite, disposez-la en petites boulettes que vous posez sur des feuilles de papier huilé ; aplatissez chaque boulette avec la main mouillée et mettez encore quinze minutes à four très doux. Il doit y avoir entre chaque boulette au moins deux doigts d'intervalle. Evitez d'ouvrir le four pendant la cuisson. Enfin retirez du four et laissez un peu refroidir avant de détacher les massepains du papier. Mettez dans un endroit sec.

Petits-fours aux blancs d'œufs. – Prenez deux blancs d'œufs et battez-les en neige très ferme ; ajoutez, lorsqu'ils sont pris, quatre cuillerées à bouche de sucre en poudre et le zeste d'un citron haché fin. Battez le tout ensemble. Lorsque cette préparation est faite, laissez-en tomber des gouttes grosses comme la moitié d'une noix sur un papier huilé en ménageant un intervalle entre chaque boulette. Faites cuire ensuite à four doux 15 à 20 minutes.

Ces petits-fours peuvent se conserver longtemps enfermés dans des boîtes de fer-blanc.

Nougat. – Prenez 250 grammes d'amandes, faites-les tremper dans l'eau chaude pendant un quart d'heure pour pouvoir enlever la peau. Coupez-les en filets et hachez-les, puis faites-les sécher dans un four très doux ou dans une casserole sur de la cendre chaude. Remuez-les pour qu'elles ne brûlent pas.

Mettez ensuite dans une casserole non étamée 180 grammes de sucre, et posez la casserole sur le feu ; lorsque vous verrez votre sucre devenir blond, mettez les amandes chaudes dedans et retirez du feu. Vous avez aussi huilé à l'avance un moule, uni de préférence, parce qu'il est très difficile de monter le nougat dans les moules façonnés. Prenez ce moule et mettez dans le fond un peu de la composition préparée, aplatissez vivement avec un citron ou une carotte bien nettoyée et séchée. Reprenez de la composition pour garnir le tour du moule et faites en sorte que votre nougat soit monté très mince. On est obligé quelquefois de remettre la composition sur le feu parce qu'elle se durcit et ne peut plus être travaillée.

Meringues. – Pour 12 meringues, prenez trois blancs d'œufs que vous battez en neige très dure et ajoutez-y trois cuillerées de sucre en poudre. Prenez une cuiller à bouche pleine de cette composition que vous faites tomber sur un papier beurré ou huilé ; faites aussi plusieurs petits tas ovales que vous espacez l'un de l'autre pour qu'ils aient assez de place pour gonfler du double ; saupoudrez-les de sucre et enfournez-les à four très doux ; laissez cuire longtemps. Il ne faut pas que les meringues prennent couleur. On doit les laisser dans le four jusqu'à ce qu'elles soient sèches ; quand elles sont froides, garnissez la partie plate de crème fouettée, et de deux meringues n'en faites qu'une, sans cependant presser la crème.

Tarte à la rhubarbe *(gâteau anglais).* – Préparez une pâte brisée *(voy. pâte brisée, page 316)* ; aplatissez-la avec le rouleau en lui donnant l'épaisseur d'un gros sou et garnissez-en une tôle beurrée en coupant la pâte qui dépasse.

Prenez ensuite les côtes et les tiges de la rhubarbe, pelez-les et coupez-les en morceaux de la longueur du doigt et de l'épaisseur d'un demi-centimètre. Garnissez votre pâte avec ces bâtons placés à côté les uns des autres, faites-en une couche de l'épaisseur du doigt et saupoudrez de sucre en poudre ou de cassonade ; mettez de distance en distance du zeste de citron râpé ou haché fin et faites cuire à four chaud pendant trois quarts d'heure. Pour une demi-livre de rhubarbe, il faut au moins un quart de sucre.

La rhubarbe est une plante peu connue en France, mais les Anglais et les Américains l'emploient beaucoup pour confectionner des tartes et des puddings. Cependant on peut en trouver en France sur certains marchés. Cette plante a l'avantage de venir en avril, de sorte qu'elle permet de remplacer les fruits qui ne sont encore qu'en fleurs. On n'emploie que les côtes et nervures de feuilles ; ces parties de la plante n'ont pas les propriétés des racines qui sont, comme on le sait, un purgatif assez puissant.

Crakinoskis à la rhubarbe *(gâteau russe).* – Faites une pâte comme pour le quatre-quarts *(voy. quatre-quarts, page 343),* mais ne battez pas les blancs d'œufs en neige ; mettez les blancs en même temps que les jaunes et ajoutez une pincée d'épices.

Prenez de petits moules et beurrez-les. Aplatissez la pâte de l'épaisseur d'un demi-centimètre, garnissez-en vos moules et remplissez-les de rhubarbe (côtes et nervures des feuilles coupées en tout petits morceaux).

Saupoudrez fortement de sucre en poudre et faites cuire trois quarts d'heure au moins à four chaud.

Plum-cake *(gâteau anglais)*. – Mettez dans une terrine ou un saladier 175 grammes de sucre en poudre avec 175 grammes de beurre que vous avez fait tiédir, puis battez bien jusqu'à ce que le mélange devienne blanc. Ajoutez après 175 grammes de raisins de Corinthe, 45 grammes de raisins de Smyrne, du zeste de citron haché, un peu d'écorces d'oranges confites coupées en petits morceaux et une pincée d'anis. Incorporez à cette pâte quatre œufs entiers en les mettant l'un après l'autre et battez vivement avec une cuiller de bois. Finissez en mêlant à la pâte 350 grammes de farine et une cuillerée de bonne levure de bière.

Garnissez ensuite l'intérieur du moule uni avec du papier beurré ; le côté beurré ne doit pas toucher au moule. Remplissez aux trois quarts avec la pâte ci-dessus et faites cuire une heure un quart à four pas trop chaud. Au bout de ce temps, sortez le plum-cake du four, attendez un quart d'heure avant de le démouler. Ce gâteau se mange froid ou chaud.

Tarte de groseilles à maquereaux *(gâteau anglais).* – Faites une pâte brisée *(voy. pâte brisée, page 316) ;* étendez-la un peu épaisse, beurrez une tôle ou tourtière, placez-y votre pâte et garnissez l'intérieur avec des groseilles à maquereaux en mettant un lit de groseilles, un lit de sucre, puis de nouveau un lit de groseilles et un lit de sucre. Faites cuire trois quarts d'heure ou une heure à four doux.

Dampfnoudel. – Prenez quatre jaunes d'œufs, délayez-les avec quatre cuillerées de levure, 35 grammes de sucre en poudre et un quart de beurre fondu dans un verre de lait tiède. Ajoutez 500 grammes de farine et faites-en une pâte consistante dont vous puissiez faire un rouleau de la grosseur d'un pain allongé. Coupez ce rouleau en tranches de l'épaisseur d'un doigt, placez les tranches sur une tôle beurrée et laissez-les reposer pendant une demi-heure à chaleur modérée. Quand vous les voyez lever, placez votre tôle dans un four pas trop chaud et laissez les Dampfnoudel prendre couleur. Lorsqu'ils sont dorés et que vous jugez la pâte cuite, versez dessus un verre et demi de lait sucré bien chaud. Laissez bien gonfler les Dampfnoudel qui auront bien vite absorbé le liquide et saupoudrez-les de sucre et de cannelle.

On peut aussi servir les Dampfnoudel après qu'ils ont pris la couleur au four et qu'ils sont refroidis ; c'est excellent avec le thé.

Kougelhoff. – Prenez un verre de lait, faites-le

tiédir et ajoutez-y une cuillerée à bouche de levure. Faites fondre alors un quart de beurre, mettez-y de la farine autant qu'il en faut pour former une pâte épaisse, travaillez-la bien avec une cuiller de bois, ajoutez-y deux œufs, 100 grammes de raisins de Smyrne ou de Corinthe épluchés et lavés et la moitié d'un zeste de citron haché fin, puis finissez la pâte en mettant le lait avec la levure.

A partir de ce moment, battez la pâte avec la main pendant au moins 20 minutes ; il faut qu'elle soit un peu filante en la laissant tomber d'une certaine hauteur. Beurrez ensuite un moule à côtes ou uni ; mettez à l'intérieur des amandes hachées fin et remplissez votre moule aux trois quarts avec la pâte que vous aviez préparée. Posez le moule dans un endroit chaud.

Lorsque la pâte aura monté assez pour remplir à peu près le moule, mettez ce dernier à four doux et laissez cuire le Kougelhoff une heure ; veillez à ce qu'il ne brûle pas. Lorsqu'il est cuit, sortez-le du four et démoulez-le pendant qu'il est chaud. Dans le cas où il n'aurait pas pris couleur autour, il faudrait le remettre au four mais sans le moule ; 10 minutes suffiraient pour le dorer.

Cannelle-cake *(gâteau anglais)*. – Faites une pâte sablée comme il est dit page 318 et ajoutez-y deux cuillerées à café de cannelle en poudre. Etendez cette pâte de l'épaisseur d'un gros sou ; beurrez une tôle et placez-y votre pâte en ne la laissant dépasser que très peu. Mettez dans cette pâte de la marmelade d'abricots que vous recouvrez avec de petites bandes de pâte de la largeur du petit doigt, croisez les bandes de manière à former des losanges. Votre tarte étant prête, faites-la cuire une demi-heure à four chaud.

Tarte au fromage *(gâteau suisse).* – Beurrez une tôle ; garnissez-la avec une pâte feuilletée *(voy. pâte feuilletée, page 317) ;* piquez cette pâte au fond de distance en distance et remplissez-la à moitié avec de la farine. Faites cuire à four chaud. Lorsque votre pâte est cuite, retirez-la du four et videz-la.

Mettez ensuite dans une casserole une cuillerée de farine et quatre cuillerées de fromage de gruyère râpé fin, délayez farine et fromage avec un verre de lait ou de crème, ajoutez un peu de sel, une pincée de sucre, 50 grammes de beurre et un peu de muscade. Posez la casserole sur le feu et tournez jusqu'à ce que le beurre soit fondu ; retirez du feu, laissez refroidir et ajoutez quatre blancs d'œufs fouettés. Remplissez votre pâte avec cette préparation et faites cuire un quart d'heure à four chaud. Servez aussitôt cuit.

COMPOTES – CONFITURES
CONSERVES DE FRUITS
BONBONS
SIROPS – LIQUEURS
FRUITS A L'EAU-DE-VIE
THÉ – CAFÉ
CHOCOLAT – BOISSONS
NETTOYAGES – VINS

COMPOTES

On fait deux espèces de compotes, celle que l'on confectionne pour s'en servir (compotes de pommes, de poires, d'abricots, de cerises, de pêches) et celle que l'on garde pour l'hiver (compotes de conserves).

Pour les compotes de conserves, on doit choisir les fruits pas trop mûrs, nouvellement cueillis et surtout bien sains. Il faut avoir des flacons à goulot large, de manière à pouvoir faire sortir les fruits facilement.

CUISSON DES CONSERVES DE FRUITS. – Les fruits et le sirop étant dans les flacons, bouchez avec de bons bouchons que vous maintenez avec de la ficelle. Placez ensuite vos flacons dans une bassine, en ayant soin de mettre du foin entre chacun d'eux pour qu'ils ne cassent pas pendant l'ébullition ; remplissez la bassine d'eau de telle sorte que les flacons soient recouverts, puis laissez bouillir cinq minutes.

Enlevez la bassine du feu, mais ne retirez les flacons que lorsqu'ils seront froids, parce que le contact de l'air les ferait casser. Placez-les en sûreté et, au bout de deux jours, enduisez les bouchons avec de la cire. Mettez vos flacons dans un endroit sec. Evitez de les enfermer dans une armoire. On doit employer presque tout de suite un flacon entamé.

Compote de pommes. – Prenez de belles pommes rainettes bien saines ; pelez-les ; coupez-les par quartiers, enlevez les cœurs et plongez-les dans de l'eau fraîche. Mettez ensuite dans un poêlon un quart de sucre cassé avec un verre d'eau et du zeste de citron ; faites fondre à feu doux. Lorsque le sucre est fondu, placez-y les quartiers de pommes, laissez-les cuire sans qu'ils perdent leur forme et, une fois cuits, placez-les dans un compotier. Laissez alors le sirop sur le feu pour le faire réduire et versez-le sur les pommes.

Vous pouvez placer de distance en distance un peu de gelée de groseilles, ce qui est une jolie décoration, mais ne faites cela que lorsque les pommes sont tout à fait froides.

Compote de poires. – Prenez sept ou huit poires de moyenne grosseur, pelez-les et mettez-les au fur et à mesure dans l'eau froide ; n'enlevez pas la queue. Faites fondre ensuite à feu doux dans un poêlon un quart de sucre cassé avec un peu d'eau ; dès que le sucre est fondu, placez-y les poires, arrosez-les de jus de citron pour qu'elles restent blanches ; faites cuire doucement et, lorsqu'elles sont cuites, placez-les dans un compotier, en ayant soin de couper un peu de côté du nœud pour faire tenir la poire droite. Activez alors le feu et faites réduire le sirop que vous versez ensuite sur vos poires.

Dans le cas où vous voudriez que les poires soient rouges, il faudrait les faire cuire dans une casserole de cuivre étamé et ne pas les arroser de jus de citron.

On peut encore préparer les poires avec du vin, mais pour cela on fait cuire les poires comme ci-dessus et un peu avant la fin de la cuisson on ajoute un verre de vin rouge. Les poires étant cuites, on les retire et on laisse cuire le jus jusqu'à ce qu'il soit un peu épais, puis on le verse sur les poires.

Pour les poires cuites dans le vin, on peut, au lieu de zeste de citron, mettre un petit morceau de cannelle.

Compote d'abricots. – Prenez huit ou dix abricots, coupez-les en deux ou laissez-les entiers en ôtant toutefois les noyaux. Faites fondre à feu doux un quart de sucre, avec un verre d'eau ; lorsque le sucre est fondu, placez-y vos abricots, laissez-les cuire un quart d'heure et mettez-les dans un compotier. Faites cuire ensuite un moment le sirop pour qu'il épaississe et versez-le sur les abricots.

Compote de prunes. – Mettez dans une casserole ou dans un poêlon un quart de sucre et un verre d'eau et laissez faire deux ou trois bouillons. Prenez alors une livre de prunes (mirabelles ou reines-claudes) et faites-les cuire dans le sirop de sucre jusqu'à ce qu'elles fléchissent sous le doigt. Mettez ensuite vos prunes, une fois cuites, dans le compotier, écumez le sirop et laissez-le réduire sur feu un peu vif pour qu'il épaississe, puis versez sur les prunes.

Compote de cerises. – Se fait comme celle de prunes *(voy. ci-dessus),* mais quelques minutes de cuisson suffisent.

Compote de pêches. – Se fait comme celle d'abricots. *(Voy. page 365).*

Conserves de prunes de reine-claudes. – Prenez des prunes de reine-claudes pas trop mûres, piquez-les de distance en distance avec une aiguille à brider et coupez le petit bout de la queue. Ayez de l'eau bouillante, jetez-y les prunes, laissez-leur faire un bouillon et retirez-les, puis faites-les égoutter et rangez-les dans des flacons, enfin faites un sirop de sucre en prenant comme proportion 400 grammes de sucre pour un demi-litre d'eau. Lorsque le sirop a jeté un bouillon, écumez-le, retirez-le du feu et, aussitôt qu'il est froid, versez-le dans les flacons sans les emplir complètement. Bouchez, ficelez et faites cuire comme il est dit plus haut. *(Voy. cuisson des conserves, page 363).*

Conserves de mirabelles. – Rangez de suite dans les flacons des prunes de mirabelles pas trop mûres auxquelles vous aurez coupé un peu la queue ; préparez ensuite un sirop comme pour les conserves de reine-claudes *(voy. ci-dessus),* en mettant toutefois un peu moins de sucre. Une fois le sirop cuit et refroidi, versez-le sur les mirabelles. Bouchez, ficelez et faites cuire comme il est dit plus haut. *(Voy. cuisson des conserves de fruits, page 363).*

Conserves d'abricots. – Les abricots de plein vent sont ceux que l'on choisit pour conserves, parce qu'ils ont plus de parfum.

Coupez ces abricots en deux, ôtez les noyaux et cassez-les pour retirer les amandes que vous faites tremper un moment dans l'eau chaude afin de leur enlever leur pellicule. Mettez dans des flacons les moitiés d'abricots bien rangées et quelques amandes.

Faites ensuite un sirop de sucre en mettant 750 grammes de sucre par litre d'eau, laissez jeter un bouillon, écumez-le, retirez-le du feu, et lorsqu'il est froid, versez-le sur les abricots mais en n'emplissant pas complètement les flacons. Bouchez, ficelez et faites cuire comme il est dit plus haut. *(Voy. cuisson de conserves de fruits, page 363).*

Conserves de cerises. – Prenez des cerises qui ne soient pas bien mûres ; après avoir coupé les queues à moitié, placez-les dans des flacons à goulets larges.

Faites ensuite un sirop de sucre et d'eau en mettant 550 grammes de sucre par litre d'eau. Laissez jeter un bouillon à ce sirop, retirez-le du feu, et, lorsqu'il est refroidi, versez-le sur les cerises. N'emplissez pas complètement les flacons. Bouchez, ficelez et faites cuire comme il est dit plus haut. *(Voy. cuisson des conserves de fruits, page 363).*

AUTRES CONSERVES DE CERISES. – Voici une recette beaucoup plus simple pour les personnes qui veulent se servir du four à pain.

Prenez des bouteilles à larges goulots, remplissez-les de cerises pas trop mûres auxquelles vous aurez coupé les queues à moitié ; couvrez avec du sucre en poudre et tassez les fruits et le sucre en tapant de temps en temps la bouteille sur une table. Bouchez avec de bons bouchons que vous ficelez fortement. Enveloppez chaque bouteille d'un linge mouillé et mettez dans le four le soir du jour où l'on a cuit le pain. Laissez deux jours dans le four. Au bout de ce temps, retirez les bouteilles et placez-les dans un endroit sec. Evitez de les mettre dans une armoire fermée.

Conserves de groseilles. – Une fois les groseilles égrenées, procédez comme pour les conserves de cerises. *(Voy. page 367).*

Conserves de framboises. – Se font comme les conserves de cerises, en enlevant les queues complètement. *(Voy. page 367).*

Pruneaux. – Prenez de belles prunes longues dites prunes à pruneaux ; qu'elles soient saines et bien mûres. Posez-les sur des claies les unes à côté des autres sans qu'elles se touchent, et mettez-les dans un four à boulanger aussitôt après la sortie du pain et jusqu'à ce que l'on cuise de nouveau. Retournez chacune de vos prunes et remettez-les au four jusqu'à trois fois. Lorsque vous les jugerez sèches à point, déposez-les dans un endroit bien sec et, au bout de quelques jours, placez-les dans des boîtes garnies de papier, en mettant de temps en temps une feuille de laurier.

Pour faire cuire les pruneaux, mettez-les dans un poêlon en terre en les couvrant moitié eau et moitié vin rouge ; mettez aussi un quart de sucre pour une livre de pruneaux. Laissez ensuite cuire une demi-heure ou trois quarts d'heure, retirez du feu, puis laissez réduire le sirop sur le feu pour qu'il épaississe un peu. Versez après sur les pruneaux.

Cerises sèches ou cerisettes. – Les cerisettes se préparent et se font cuire comme les pruneaux *(voy. ci-dessus),* mais on ne met pas de laurier dans les boîtes.

GELÉES DE FRUITS, CONFITURES ET MARMELADES

Les confitures sont une grande ressource pour les desserts d'hiver ; toute Maîtresse de maison doit savoir faire les confitures et c'est avec la pâtisserie et les liqueurs la partie qui lui est réservée.

Les confitures doivent être faites dans une bassine ou un chaudron en cuivre non étamé. On ne doit pas quitter les confitures pendant la cuisson parce qu'elles brûlent facilement ; il faut les remuer souvent avec l'écumoire qui doit être aussi en cuivre. Après la cuisson des confitures, on les verse dans des pots et on les laisse quatre ou cinq jours se raffermir. Après ce temps, on les couvre d'un premier rond de papier trempé dans de l'eau-de-vie et d'un autre qui couvre les bords du pot. On ficelle ce dernier papier et on met les confitures dans un endroit sec. Il arrive quelquefois qu'au bout d'un certain temps les confitures fermentent ; on peut alors enlever le premier papier et le remplacer par un autre que l'on trempe dans de l'eau-de-vie. Dans le cas où ce procédé n'arrêterait pas la fermentation, il faudrait faire recuire les confitures et y ajouter un peu de sucre fondu d'avance.

Gelée de groseilles. – Prenez des groseilles à grappes, rouges et blanches, égrenez-les et mettez-les dans une bassine, arrosez-les d'un peu d'eau et laissez-les fondre à feu doux ; lorsqu'elles sont bien crevées, jetez-les sur un tamis que vous avez posé sur une terrine en grès. Lorsque vos groseilles ont rendu tout leur jus, pesez ce dernier et mettez trois quarts de sucre par livre de jus. Mettez alors dans la bassine le sucre et le jus, laissez bouillir, écumez (gardez cette écume qui est très bonne à manger) et laissez cuire à peu près une demi-heure. Prenez un peu de confiture avec une petite cuiller et faites-la tomber sur une assiette ; si elle prend consistance, la confiture est suffisamment cuite. Retirez alors la bassine du feu et versez dans des pots. Laissez vos confitures se raffermir pendant quatre ou cinq jours et couvrez d'abord avec un papier trempé dans de l'eau-de-vie, puis ensuite avec un second papier que vous ficelez autour du pot. Mettez-les dans un endroit sec.

On peut ajouter aux groseilles une demi-livre de framboises qu'on épluche et qu'on met en même temps que les groseilles.

Gelée de pommes. – Prenez des pommes blanches appelées *pommes d'août,* pelez-les, coupez-les par quartiers, enlevez les cœurs et mettez-les au fur et à mesure dans l'eau fraîche. Lorsque toutes vos pommes sont épluchées, mettez-les dans une bassine avec assez d'eau pour qu'elles baignent ; lorsque vous les sentirez fléchir sous le doigt, retirez-les et jetez-les sur un tamis placé sur une terrine en grès ; pour que le jus soit bien clair, passez-le une seconde fois à travers un torchon. Pesez ensuite votre jus, et mettez 500 grammes de sucre par livre de jus ; remettez le tout dans la bassine et laissez bouillir, en ayant soin de remuer de temps en temps. Lorsque la confiture tombe en nappe, c'est-à-dire lorsqu'elle forme une gelée en tombant de l'écumoire, elle est arrivée à son degré de cuisson ; retirez-la alors du feu et versez-la dans des pots, dans chacun desquels vous avez mis à l'avance un peu de zeste de citron. Laissez plusieurs jours avant de les couvrir. Couvrez comme il est dit ci-dessus pour la gelée de groseilles.

On peut avec les pommes qui ont servi à confectionner la gelée faire des tartes ou des pommes au riz. *(Voy. page 285).*

Gelée de coings. – La gelée de coings se fait comme celle de pommes *(voy. page 370),* seulement au lieu de zeste de citron on met un peu de vanille en même temps que le sucre.

Gelée de framboises. – Se fait comme celle de groseilles. *(Voy. page 370).*

Confiture de ménage. – Prenez des prunes de reine-claudes, des mirabelles, des pêches et des abricots ; enlevez les noyaux, pesez votre fruit et mettez une demi-livre de sucre par livre de fruits. Prenez une bassine en cuivre non étamée, versez-y vos fruits avec le sucre et laissez cuire à feu pas trop vif jusqu'à ce que vos confitures tombent en masse de l'écumoire et qu'elles soient bien brillantes. Il faut à peu près trois quarts d'heure de cuisson. Retirez la bassine du feu, mettez en pots et laissez plusieurs jours avant de les couvrir. Couvrez comme il est dit plus haut pour la gelée de groseilles. *(Voy. gelée de groseilles, page 370).*

Gelée d'épine-vinette. – Ayez de l'épine-vinette bien mûre et, après l'avoir égrenée, mettez-la dans une bassine avec assez d'eau pour qu'elle baigne. Mettez la bassine sur le feu et laissez bouillir une demi-heure. Retirez du feu, écrasez les graines avec l'écumoire et jetez le tout sur un tamis placé sur une terrine. Pesez le jus et ajoutez une livre de sucre par livre de jus. Remettez le liquide et le sucre dans la bassine et lorsqu'en bouillant vous le verrez mousser, écumez-le et versez dans des pots. Laissez plusieurs jours sans couvrir et couvrez ensuite comme il est dit pour la gelée de groseilles. *(voy. page 370).*

Confitures de cerises. – Enlevez les queues et les noyaux, pesez votre fruit et ajoutez une livre de jus de groseilles préparé comme il est dit plus haut *(voy. page 370).* Mettez ensuite dans la bassine les cerises, le jus et trois quarts de sucre par livre de fruits et de jus pesés ensemble. Faites cuire 25 à 30 minutes ; écumez, retirez la bassine du feu et versez dans des pots, puis couvrez après quelques jours comme il est dit à la gelée de groseilles. *(Voy. page 370).*

Gelée de quatre-fruits. – Prenez cerises, groseilles, framboises et fraises (la même quantité de chaque espèce de fruits). Mettez tous ces fruits dans un torchon et pressez fortement pour extraire tout le jus que vous pesez et auquel vous ajoutez trois quarts de sucre par livre de jus. Mettez sucre et jus dans une bassine de cuivre non étamée et laissez bouillir une demi-heure. Retirez du feu et versez dans des pots. Couvrez après plusieurs jours comme il est dit pour la gelée de groseilles. *(Voy. page 370).*

On peut, au lieu de presser le jus, ôter les noyaux des cerises, égrener les groseilles, éplucher les fraises et les framboises et faire fondre le tout dans la bassine sur feu doux. On verse les fruits sur un tamis placé au-dessus d'une terrine et une fois qu'ils sont égouttés, on procède comme il vient d'être dit.

Confitures de fraises. – Prenez des fraises bien mûres et mettez une livre de sucre pour une livre de fraises.

Mettez le sucre dans une bassine de cuivre non étamée, arrosez-le d'un peu d'eau, un verre à peu près pour un kilo. Laissez fondre le sucre sur le feu ; lorsqu'il est bien épais et qu'il fait de grosses bulles, jetez-y les fraises épluchées. Laissez faire quelques bouillons, retirez les fraises avec l'écumoire et emplissez-en chaque pot à moitié. Laissez le jus sur le feu pour qu'il épaississe un peu et remplissez les pots.

Confitures de raisins. – Prenez du beau raisin bien mûr, égrenez-le et, avec un bec de plume d'oie, enlevez les pépins de chaque grain ; mettez dans une bassine une demi-livre de sucre pour une livre de raisin, arrosez le sucre d'un peu d'eau (un verre pour un kilo). Laissez bouillir le sucre à grand feu ; lorsqu'il devient épais et qu'il monte en bulles, écumez-le et jetez-y les raisins. Laissez jeter quelques bouillons, mettez les grains dans les pots en n'emplissant qu'à moitié, laissez réduire le jus et, lorsqu'il est assez épais, versez dans chaque pot de manière à l'emplir tout à fait. Couvrez au bout de quelques jours comme il est dit pour la gelée de groseilles. *(Voy. page 370).*

Confitures d'abricots. – Prenez des abricots de plein vent peu mûrs, fendez-les en deux et enlevez les noyaux. Pesez vos fruits et mettez une livre de sucre par livre de fruit ; mettez le sucre dans une bassine de cuivre non étamée, arrosez-le d'un peu d'eau, laissez-le bouillir et écumez-le. Lorsque le sucre monte en grosses bulles, jetez-y vos morceaux d'abricots et laissez-les cuire une demi-heure. Retirez-les ensuite, placez-les dans les pots que vous n'emplissez qu'aux deux tiers ; laissez cuire le sirop pour qu'il épaississe, puis versez-le sur les abricots et emplissez les pots complètement. Couvrez après plusieurs jours comme il est dit pour la gelée de groseilles. *(Voy. page 370).*

Après avoir mis les abricots dans les pots, cassez les noyaux, prenez les amandes, laissez-les tremper un moment dans l'eau chaude pour enlever la peau, séparez chaque amande en deux et mettez quatre ou cinq morceaux dans chaque pot avant de remplir avec le sirop.

Confitures de pêches. – Prenez des pêches de vigne peu mûres, pelez-les, enlevez les noyaux, coupez les pêches en deux ou en quatre et continuez comme il est dit pour la confiture d'abricots. *(Voy. ci-dessus)*.

Marmelade de pommes. – *(Voy. page 283)*.

Marmelade d'abricots. – Prenez des abricots de plein vent pas trop mûrs, enlevez la peau et les noyaux. Pesez vos fruits et mettez trois quarts de sucre par livre de fruit. Mettez sucre et fruits dans une terrine et laissez 24 heures dans un endroit frais. Au bout de ce temps, mettez le tout sur le feu dans une bassine de cuivre non étamée. Remuez la marmelade pendant la cuisson, car elle s'attache facilement. Lorsque vous la voyez bien brillante et qu'en mettant une goutte sur une assiette elle se fige au bout d'un moment, la marmelade est assez cuite. Retirez du feu et emplissez les pots. Employez une partie des noyaux comme il est dit à la confiture d'abricots. *(Voy. page 374)*.

Marmelade de prunes de reine-claudes. – Se fait comme celle d'abricots *(voy. ci-dessus)*. On n'enlève pas la peau et on n'emploie pas les noyaux.

Marmelade de prunes de mirabelles. – Se fait aussi comme celle d'abricots *(voy. ci-dessus)*. On n'enlève pas la peau et on n'emploie pas les noyaux.

Confitures de poires. – Prenez des poires d'Angleterre, ce sont les meilleures pour les confitures. Pelez-les, enlevez les queues et les cœurs ainsi que les parties pierreuses qui pourraient s'y trouver. Coupez chaque poire en quatre ; mettez au fur et à mesure les morceaux dans de l'eau fraîche. Pesez votre fruit une fois épluché et ajoutez une demi-livre de sucre par livre de fruit. Mettez le sucre dans une bassine de cuivre non étamé et arrosez-le d'un peu d'eau (un verre pour un kilo). Laissez fondre le sucre à feu doux et, aussitôt fondu, jetez-y les poires. Laissez cuire jusqu'à ce que les poires deviennent transparentes, puis versez dans les pots. Couvrez au bout de quelques jours comme il est dit pour la gelée de groseilles. *(Voy. page 370).*

Confitures de groseilles de Bar. – Egrenez les groseilles, puis prenez chaque grain et, avec un bec de plume d'oie, enlevez les pépins sans écorcher la peau. Pesez vos grains une fois préparés et mettez une livre et demie de sucre par livre de fruit.

Faites fondre le sucre dans une bassine de cuivre non étamé après l'avoir arrosé d'eau ; un verre pour une livre de sucre. Laissez cuire le sucre jusqu'à ce qu'il ait atteint le degré de cuisson appelé *petit boulé* *(voy. page 380).* Ecumez ensuite, mettez vos grains de groseilles, laissez-leur faire un ou deux bouillons et versez dans de petits pots fabriqués exprès par ces sortes de confitures. Enfoncez les grains avec le bec de plume jusqu'à ce qu'ils ne remontent plus. Cette confiture a un goût exquis.

Confitures d'écorces de melon. – *(Voy. page 258).*

Raisiné de Bourgogne. – Prenez du beau raisin noir bien mûr et bien sucré, égrenez-le et pressez les grains dans un torchon. Mettez le jus dans une bassine de cuivre non étamé et laissez-le bouillir jusqu'à ce qu'il se réduise de moitié ; écumez et remuez pour qu'il ne brûle pas. Ajoutez alors des poires (les poires de messire-Jean sont les meilleures pour cette confiture) ; coupez-les en quartiers après les avoir épluchées. Laissez réduire d'un tiers et ne cessez pas de remuer. On peut ajouter avec les poires quelques tranches de melon bien épluchées et coupées en petits morceaux et même des carottes tendres coupées en biais pour simuler des morceaux de poires.

Lorsque votre jus est réduit d'un tiers, mettez la confiture en pots et couvrez quelques jours après.

FRUITS CONFITS

Nous ne croyons pas devoir faire figurer ici les recettes pour confire les fruits, car cela exige beaucoup de préparations. Du reste, tout compte fait, nous trouvons qu'il n'y a pas d'économie à le faire soi-même ; nous ne donnons donc que les recettes pour les pâtes de fruits.

Pâte de coings. – Prenez de beaux coings bien mûrs, pelez-les, coupez-les en quatre et enlevez les cœurs. Mettez ces derniers au fur et à mesure dans de l'eau fraîche pour qu'ils ne noircissent pas. Une fois épluchés, mettez-les dans une bassine de cuivre avec assez d'eau pour qu'ils baignent. Faites-les cuire sur feu doux ; lorsqu'ils fléchiront sous le doigt, ils seront assez cuits. Versez-les ensuite sur un tamis posé sur une terrine de grès. Lorsqu'ils sont bien égouttés, servez-vous du jus pour faire de la gelée comme il est dit page 370. Prenez alors les coings, pressez-les et ajoutez-y une livre de sucre en poudre par livre de fruit.

Mettez les coings et le sucre dans une terrine, pilez avec un pilon jusqu'à ce que le sucre soit bien mêlé aux coings. Prenez de cette pâte et garnissez-en des assiettes en lui donnant 2 centimètres d'épaisseur, puis saupoudrez de sucre. Laissez sécher quatre ou cinq jours ; coupez les bandes de 3 centimètres de largeur, mettez en boîtes fermées que vous placez dans un endroit sec.

Ces pâtes se conservent toute une année et trois bandes coupées par morceaux font une jolie assiette de dessert.

Pâte d'abricots. – Préparez les abricots comme les coings *(voy. ci-dessus) ;* lorsqu'ils fléchissent sous le doigt, retirez-les du feu, faites-les égoutter sur un tamis et ajoutez du sucre en poudre (le même poids de sucre que de fruit). Pilez au pilon jusqu'à ce que le sucre soit bien mêlé à la pâte de fruit. Etendez alors cette pâte sur des assiettes en lui donnant un centimètre d'épaisseur, unissez le dessus et saupoudrez de sucre. Laissez sécher et découpez des bandes de 2 ou 3 centimètres que vous mettez en boîtes. Séparez-les par des feuilles de papier et conservez-les dans un endroit sec.

BONBONS

CUISSON DU SUCRE. – Les principaux degrés de cuisson du sucre sont désignés sous les noms de : la nappe, – le petit et le grand lissé, – le petit et le grand cassé, – et le petit boulé.

CUISSON À LA NAPPE. – Lorsque le sucre a jeté deux ou trois bouillons, trempez-y l'écumoire, enlevez-le, et si vous voyez que le sirop tient à l'écumoire, le sucre est cuit au point appelé la nappe. C'est ainsi qu'il doit être pour les confitures, lorsque le sucre est cuit d'avance.

PETIT LISSÉ. – On reconnaît que le sucre est cuit au petit lissé lorsqu'en en prenant un peu avec le pouce et l'index, il se forme comme un fil qui se casse de suite en éloignant les doigts l'un de l'autre. Si le fil s'étend sans se rompre, la cuisson est au *grand lissé.*

Le petit lissé sert pour confectionner les pastilles.

PETIT ET GRAND CASSÉS. – Si, lorsque le sucre est cuit, vous pouvez, ayant d'abord trempé le pouce et l'index dans l'eau fraîche, prendre du sirop sur l'écumoire, en former une boulette qui, en se cassant sous la dent, s'y attache, vous aurez ce qu'on appelle le petit cassé. Si en mettant cette boulette sous la dent elle se casse sans s'y attacher, en produisant un petit bruit, vous avez le *grand cassé* qui sert pour faire le sucre d'orge.

PETIT BOULÉ. – Trempez l'écumoire dans le sirop, secouez-la, soufflez à travers les trous et vous verrez sortir des gouttelettes. Mettez votre doigt dans l'eau fraîche, prenez une de ces gouttes et faites-en une petite boulette. C'est ce qu'on appelle *petit boulé.*

Pralines. – Prenez une livre d'amandes, pistaches ou avelines, frottez-les dans un linge pour enlever la poussière et mette-les dans un poêlon de cuivre non étamé avec une livre de sucre et un demi-verre d'eau. Placez le poêlon sur le feu. Lorsque les amandes pétillent, retirez le poêlon du feu et remuez jusqu'à ce que le sucre devienne comme du sable. Retirez alors les amandes du poêlon et la moitié du sucre ; gardez l'autre moitié que vous laissez sur le feu jusqu'à ce qu'il ait une odeur de caramel ; à ce moment, jetez les amandes dedans et tournez-les pour qu'elles se garnissent de sucre. Retirez-les encore une fois et mettez dans le poêlon l'autre moitié de sucre avec un demi-verre d'eau. Lorsqu'il est à l'état de caramel, mettez les amandes dedans, puis retirez le poêlon du feu et remuez jusqu'à ce que les amandes aient pris tout le sucre. Posez-les sur des feuilles de papier blanc et laissez-les sécher.

Si vous voulez parfumer les pralines, vous pouvez avec la dernière cuisson du sucre ajouter un peu de vanille en poudre.

Pastilles de fleurs d'oranger. – Faites fondre à feu doux dans une casserole non étamée du sucre cassé en petits morceaux, arrosez-le d'un peu d'eau et laissez cuire jusqu'à ce qu'il atteigne le degré de cuisson appelé *petit boulé (voy. page 380)*. Lorsqu'il est arrivé à ce degré de cuisson, versez-y des pétales de fleurs d'oranger coupées en filets. Laissez cuire, et lorsqu'en versant une goutte de sirop sur une assiette, vous la verrez prendre, votre sucre sera à point. Huilez légèrement un marbre et versez goutte par goutte votre composition. Vous pourrez donner aux pastilles la grandeur que vous voudrez en laissant tomber plus ou moins de sirop.

Fleurs d'oranger pralinées. – Prenez des pétales de fleurs d'oranger, jetez-les une ou deux minutes dans l'eau bouillante pour les faire blanchir, retirez-les, égouttez-les et versez-les dans un sirop de sucre cuit au *petit boulé (voy. page 380)*. Remuez jusqu'à ce que le sucre ait repris de la consistance, retirez du feu et agitez les pétales jusqu'à ce que le sucre soit comme du sable, arrivé à ce point retirez la fleur d'oranger et faites-la sécher sur des feuilles de papier. On se sert de la fleur d'oranger pralinée pour parfumer certains mets dans lesquels on ne peut employer l'eau de fleur d'oranger. Il faut pour s'en servir la hacher bien fin.

Sucre d'orge. – Faites crever un quart d'orge mondé dans un litre d'eau. Lorsqu'il est cuit, passez-le et mettez l'eau dans une bassine ; ajoutez à cette eau une livre et demie de cassonade. Mettez la bassine sur feu vif jusqu'à ce que votre sucre soit arrivé à la cuisson du *grand cassé (voy. page 379).* Versez alors sur un marbre que vous avez préalablement huilé, et, lorsque la pâte est maniable, coupez-la avec des ciseaux en faisant des morceaux longs de huit centimètres à peu près ; roulez ces morceaux avec la paume de la main et faites-en des bâtons.

Kalougas *(bonbons russes).* – Mettez dans une casserole non étamée un bol de crème et un bol de sucre en poudre. Posez votre casserole sur feu doux et remuez jusqu'à ce que la crème prenne une teinte café au lait.

Versez alors sur un marbre que vous avez d'abord huilé et coupez la pâte en petits carrés. Vos bonbons doivent être un peu mous et tenir aux dents.

Bonbons au caramel. – Ces bonbons se font à peu près comme les kalougas *(voy. ci-dessus),* seulement on emploie de l'eau au lieu de crème et on n'en met qu'un verre pour une demi-livre de sucre. On laisse sur le feu jusqu'à ce que le sucre ait une teinte de caramel et on finit comme pour les kalougas.

Caramels mous au chocolat. – Prenez 125 grammes de sucre en morceaux, et mettez-les dans une casserole de cuivre non étamé. Laissez fondre et ajoutez, très lentement, la moitié d'un jus de citron, puis une cuillerée à bouche de miel, et un verre de crème double. Tournez continuellement sur le feu pour épaissir la pâte et la blondir. Quand elle est très compacte, ajoutez 125 grammes de chocolat râpé très fin. Mélangez bien, puis coulez la pâte dans un moule divisé par des lames qui la coupent, et que vous aurez beurré ou huilé.

A défaut de moule vous pouvez couler la pâte sur un morceau de marbre (sur une cheminée) précédemment enduit de beurre ou d'huile.

SIROPS

Sirop de sucre. – Prenez 50 grammes de sucre en morceaux, mettez ce sucre dans un poêlon avec deux cuillerées à bouche d'eau ; ajoutez alors le parfum qui vous conviendra : vanille, citron, rhum ou kirsch. Laissez bouillir à feu doux pendant environ 10 minutes, écumez et servez-vous de cette préparation pour glacer les gâteaux pour lesquels le sirop de sucre est nécessaire.

Ne l'employez que presque froid.

Sirop de groseille. – Prenez un kilo de groseilles rouges et 250 grammes de cerises aigres ; écrasez-les et mettez-les dans une terrine que vous laissez vingt-quatre heures à la cave. Au bout de ce temps, versez sur un tamis et pressez les fruits pour en faire sortir tout le jus. Pesez ce jus et mettez 870 grammes de sucre par livre de jus ; versez dans une bassine et remuez de temps en temps. Lorsque le sucre est fondu et que votre sirop a jeté quatre ou cinq bouillons, écumez, retirez du feu et, après l'avoir laissé un peu refroidir, versez dans les bouteilles ; attendez le lendemain pour les boucher et mettez-les dans un endroit frais. Vous pouvez employer plus de groseilles et plus de cerises, mais toujours dans les mêmes proportions.

Sirop de groseille framboisée. – Faites comme ci-dessus *(voy. sirop de groseille),* seulement ajoutez un quart de framboises par livre de groseilles et de cerises réunies.

Sirop de cerise. – Prenez des cerises bien saines et pas trop mûres ; enlevez les queues ; mettez les cerises dans une terrine, écrasez-les et laissez-les fermenter pendant vingt-quatre heures à la cave. Après ce temps, versez les fruits sur un tamis et pressez-les pour qu'ils rendent tout leur jus. Pesez ce jus et ajoutez-y 870 grammes de sucre par livre de jus. Versez dans une bassine que vous posez sur le feu et remuez de temps en temps. Lorsque le sucre est presque fondu, laissez jeter un ou deux bouillons, écumez, retirez du feu, faites un peu refroidir et remplissez les bouteilles que vous ne bouchez que le lendemain.

Sirop d'orgeat. – Pesez deux livres et demie d'eau et cinq livres de sucre. Prenez une livre et demie d'amandes douces et un quart d'amandes amères. Passez-les dans l'eau bouillante ; au bout de dix minutes, retirez-les et enlevez la peau ; lorsque toutes les amandes sont débarrassées de leur pellicule, trempez-les dans l'eau fraîche, égouttez-les, pilez-les dans une terrine en n'en prenant que peu à la fois et ajoutez de temps en temps quelques gouttes d'eau de fleurs d'oranger pour les empêcher de tourner en huile. Lorsque toutes les amandes sont pilées et qu'elles ne forment plus qu'une pâte, prenez à peu près la moitié de l'eau que vous avez pesée, délayez peu à peu vos amandes avec cette eau, mettez le tout dans un linge de forte toile et pressez bien pour extraire le liquide. Ouvrez le linge de toile, remettez les amandes dans la terrine, pilez-les de nouveau, ajoutez cinq ou six morceaux de sucre et, petit à petit, l'autre moitié de l'eau pesée ; passez encore dans le chiffon de toile et réunissez ce dernier liquide au premier.

Mettez le sucre sur le feu, arrosez-le d'un peu d'eau, laissez-lui faire quelques bouillons, écumez, ajoutez à ce sirop de sucre votre lait d'amandes et remuez jusqu'à ce qu'il jette un bouillon ; retirez la bassine du feu et ajoutez-y un verre à bordeaux d'eau de fleurs d'oranger. Laissez refroidir un peu avant de mettre en bouteilles et ne bouchez que le lendemain. Mettez dans un endroit frais.

Sirop de mûre. – Ce sirop se fait comme celui de cerise. *(Voy. page 384).*

LIQUEURS

Il y a économie réelle à faire les liqueurs chez soi. On n'aura pas sans doute des liqueurs distillées comme chez les distillateurs, mais elles seront bonnes quand même et rendront les mêmes services que celles que l'on achète.

CLARIFICATION DES LIQUEURS. – Lorsque les liqueurs ne sont pas claires, il faut les passer au filtre de papier. On peut se servir d'une *chausse,* espèce d'entonnoir en feutre, mais nous ne conseillons pas de le faire, parce que cela donne presque toujours un goût de laine qui n'est pas agréable.

Cassis. – Prenez du beau cassis, bien mûr, égrenez-le, écrasez-le un peu et mettez-le dans une cruche. Couvrez avec de l'eau-de-vie de manière à remplir la cruche. Il faut à peu près deux litres d'eau-de-vie pour une livre de cassis ; au bout de deux ou trois mois, versez votre cassis sur un tamis, placez sur une terrine ; filtrez ce jus et mettez 170 grammes de sucre par litre de jus ; remettez la liqueur dans la cruche avec le sucre et au bout de quelques jours remuez et mettez en bouteilles.

Vous pouvez remettre encore le grain dans la cruche et verser dessus un ou deux litres d'eau-de-vie. Laissez reposer pendant trois ou quatre mois ; foulez le grain de temps en temps, passez au tamis, filtrez et ajoutez 170 grammes de sucre par litre de cassis. Dès que le sucre est fondu et bien mêlé au cassis, mettez en bouteilles.

Ce second cassis est beaucoup moins fort que le premier, mais il est quand même agréable et pendant l'été on peut le mêler à de l'eau, ce qui donne une boisson très rafraîchissante.

Curaçao. – Prenez l'écorce de 16 ou 18 mandarines et laissez-la sécher. Lorsqu'elle est un peu cassante, mettez-la dans un bocal et couvrez d'eau-de-vie brune. Vous pouvez pour cette quantité de peaux d'oranges mettre trois litres d'eau-de-vie brune. Laissez infuser pendant deux mois au moins et filtrez votre liqueur. Faites fondre ensuite sur le feu 750 grammes de sucre par litre d'eau-de-vie, arrosez d'un peu d'eau et laissez-le cuire jusqu'à ce qu'il soit en sirop ; écumez et laissez refroidir, puis mêlez au sucre l'eau-de-vie qui était sur l'écorce d'oranges. Faites ensuite avec trois morceaux de sucre un peu de caramel *(voy. caramel, page 283) ;* ajoutez-le à votre liqueur pour lui donner un peu de couleur et mettez en bouteilles.

Genièvre. – Faites infuser pendant un mois et demi 60 grammes de genièvre en grains dans deux litres d'eau-de-vie. Les grains doivent être très mûrs.

Lorsque le genièvre a assez infusé, filtrez-le et ajoutez à l'eau-de-vie une livre de sucre que vous ferez d'abord fondre sur le feu avec très peu d'eau. Laissez jeter trois ou quatre bouillons, écumez et mêlez à l'eau-de-vie. Faites refroidir et mettez en bouteilles.

Liqueur de fleurs d'oranger. – Prenez un quart de pétales de fleurs d'oranger, mettez-les dans un bocal, couvrez-les avec deux litres d'eau-de-vie, puis laissez infuser pendant six semaines. Au bout de ce temps, filtrez et faites fondre sur le feu avec un peu d'eau, 750 grammes de sucre par litre d'eau-de-vie ; laissez jeter quatre ou cinq bouillons ; écumez, retirez du feu et ajoutez l'eau-de-vie qui était sur les pétales. Remuez bien, laissez refroidir et mettez en bouteilles.

Anisette. – Prenez chez le pharmacien 90 grammes d'anis vert, 45 grammes de coriandre, 3 grammes de cannelle, 1 gramme et demi de macis. Mettez le tout dans un bocal ou dans une petite cruche avec trois litres d'eau-de-vie. Laissez infuser pendant un mois, puis filtrez. Faites fondre ensuite sur le feu trois livres de sucre avec un peu d'eau, laissez jeter quatre ou cinq bouillons, écumez ; retirez du feu et mêlez à l'eau-de-vie que vous avez filtrée. Laissez refroidir et mettez en bouteilles.

Liqueur de vanille. – Prenez quatre ou cinq belles gousses de vanille, fendez-les et coupez-les en morceaux. Mettez-les infuser dans deux litres d'eau-de-vie, ajoutez *une goutte* d'essence de rose que vous avez mêlée à l'avance à un demi-verre d'eau-de-vie. Au bout de six semaines, faites fondre sur le feu 3 livres de sucre arrosé d'un peu d'eau et laissez faire quatre ou cinq bouillons ; écumez ; retirez du feu et ajoutez l'eau-de-vie que vous avez d'abord filtrée. Remuez et mettez en bouteilles.

Crème d'angélique. – Prenez chez un confiseur une demi-livre de côtes d'angélique verte, mettez-les dans un bocal avec 2 grammes de cannelle, 4 clous de girofle et trois litres d'eau-de-vie. Laissez infuser le tout. Au bout d'un mois et demi, filtrez. Faites fondre ensuite sur le feu 3 livres et demie de sucre dans un litre d'eau, puis laissez faire quatre ou cinq bouillons et écumez ; retirez du feu et ajoutez l'eau-de-vie que vous avez filtrée. Enfin laissez refroidir et mettez en bouteilles.

Noyau. – Prenez des noyaux d'abricots, cassez-les et mettez le bois et les amandes dans un bocal que vous couvrez avec de l'eau-de-vie en finissant d'emplir le bocal. Laissez infuser un mois ou six semaines et remuez tous les huit jours, puis filtrez au bout de ce temps. Faites fondre alors sur le feu 250 grammes de sucre par litre d'eau-de-vie et arrosez d'un peu d'eau. Laissez faire quatre ou cinq bouillons et écumez ; retirez du feu et ajoutez-y votre liqueur que vous avez d'abord filtrée. Faites refroidir et mettez en bouteilles.

On peut ajouter aux noyaux d'abricots 7 ou 8 noyaux de pêches, ce qui donne un excellent parfum.

Brou de noix. – Mettez infuser dans l'eau quatre litres d'eau-de-vie, vingt noix cerneaux un peu grosscs, mais qui ne soient pas complètement formées, on doit pouvoir les traverser avec une épingle. Pelez-les, coupez-les en deux et laissez infuser deux mois en exposant le bocal au soleil, puis passez au tamis. Ajoutez deux livres et demie de sucre, un peu de cannelle et de macis, et laissez votre liqueur dans une cruche en remuant de temps en temps. Filtrez au bout d'un mois.

FRUITS À L'EAU-DE-VIE

Fruits à l'eau-de-vie. – Prenez quatre livres de framboises et deux livres de fraises. Coupez les queues de cerises à moitié ; épluchez les fraises et les framboises. Mettez ces fruits dans un bocal en alternant : une couche de cerises, une de fraises, une de framboises et entre chaque couche du sucre en poudre. Il faut une livre de sucre par livre de fruits. N'emplissez pas tout à fait le bocal et couvrez entièrement les fruits avec de l'eau-de-vie blanche. Mettez ensuite un bouchon ou un couvercle qui ferme hermétiquement et laissez infuser pendant un mois. Au bout de ce temps, vous pouvez manger les fruits qui ont un goût délicieux, accompagnez-les d'un peu de jus.

Cerises à l'eau-de-vie. – Prenez de belles cerises pas trop mûres et bien claires (la cerise de Montmorency est la meilleure). Coupez un peu les queues, puis mettez ces cerises dans un bocal que vous remplissez et ajoutez de l'eau-de-vie autant que le bocal en peut contenir. Laissez les cerises trois semaines dans l'eau-de-vie ; après ce temps, ajoutez une livre de sucre par litre d'eau-de-vie. Remuez bien. Au bout de deux mois, les cerises sont faites.

Prunes à l'eau-de-vie. – Achetez un kilo de prunes de reine-claudes confites et mettez-les dans un bocal. Ajoutez autant d'eau-de-vie que le bocal peut en contenir. Bouchez ; au bout de quinze jours, les prunes sont faites. N'ajoutez pas de sucre, les prunes sucreront le jus. Quelquefois même, après avoir pris des prunes, on peut remplir le bocal avec de l'eau-de-vie lorsqu'il n'est plus qu'aux trois quarts plein et le jus se trouve encore assez sucré.

Abricots, pêches, poires et marrons à l'eau-de-vie. – Se préparent de même que les prunes à l'eau-de-vie. *(Voy. ci-dessus).*

THÉ, CAFÉ, CHOCOLAT ET BOISSONS

Thé. – Le meilleur thé est le thé noir. Le vert a beaucoup plus de parfum, mais il énerve. On peut mettre moitié thé vert et moitié thé noir, mais nous conseillerons de ne consommer que du thé noir.

Pour faire le thé, il faut de préférence une théière en métal anglais. Mettez-y un peu d'eau bouillante ; lorsque la théière est suffisamment chaude, jetez l'eau et mettez la valeur d'une petite cuillerée de thé pour trois tasses d'eau. Ne versez l'eau sur le thé que lorsqu'elle *bout à gros bouillons* et mettez-la en plusieurs fois en ayant soin de toujours la tenir sur le feu pour qu'elle ne cesse pas de bouillir.

On sert avec le thé soit de la crème pas trop épaisse, soit du citron, soit du rhum, puis quelques gâteaux secs, une brioche *(voy. page 345)* ou un plum-cake *(voy. page 357).* Les petites galettes indiquées page 349 sont excellentes. On peut donner aussi quelques sandwichs. *(Voy. page 103).*

Punch pour soirée. – Mettez dans un grand saladier trois petites cuillerées de thé, le zeste d'un citron et ce citron débarrassé de sa peau blanche et de ses pépins et coupé en tranches, puis une livre de sucre. Versez sur le tout un litre d'eau bouillante, couvrez et laissez infuser une demi-heure. Passez à travers la fine passoire et ajoutez un litre de rhum ; remuez et mettez en bouteilles. On peut conserver ce punch longtemps. Lorsqu'on veut s'en servir, on le fait chauffer sans le laisser bouillir ; dès qu'il est très chaud, versez dans des verres à bordeaux et servez.

Vin chaud. – Faites chauffer dans une casserole un litre de vin auquel vous ajoutez 250 grammes de sucre et un petit morceau de cannelle. Lorsque vous voyez que le vin va bouillir, retirez-le et versez dans des verres à bordeaux un peu grands en ajoutant à chaque verre un rond de citron.

Limonade et orangeade. – Prenez un citron ou une orange que vous coupez par ronds ; enlevez les pépins et mettez ces ronds dans une soupière ou un saladier. Versez de l'eau froide dessus et un quart de sucre pour un litre d'eau. Laissez reposer deux heures ; au bout de ce temps, la limonade est prête.

Cette boisson, très rafraîchissante pendant l'été, est très bonne aussi pour combattre les maux de gorge.

Grog froid. – En pressant le jus d'une orange ou d'un citron dans un verre d'eau sucrée et en y ajoutant une ou deux cuillerées d'eau-de-vie, on obtient un très bon grog froid.

Punch à la russe. – Versez dans un bol d'argent ou de plaqué une ou deux bouteilles de champagne, un ananas frais épluché et coupé en tranches minces ; ajoutez une livre de sucre sur lequel vous versez un verre de kirsch ou de rhum ou de cognac. Mettez-y le feu et laissez brûler jusqu'à ce que le punch soit chaud. Versez ensuite dans les verres à punch ou à bordeaux en mettant dans chaque verre une petite tranche d'ananas.

Punch à l'américaine. – Se prépare comme le punch à la russe *(voy. ci-dessus),* seulement on ne le fait pas brûler et lorsque le sucre est fondu on y ajouter de la glace pilée. On sert comme le punch à la russe.

Grog chaud. – Si vous voulez faire plusieurs grogs, coupez un citron par ronds de l'épaisseur d'un demi-centimètre ; mettez un rond dans un verre ordinaire avec sucre et remplissez aux trois quarts d'eau bouillante, mettez dans chaque verre la valeur d'un petit verre à liqueur d'eau-de-vie ou de rhum, et servez vos grogs bouillants.

Café. – Il y a trois choses essentielles à observer si l'on veut avoir du bon café ; il faut d'abord une bonne qualité de grain ; qu'il soit brûlé à point, et enfin que l'infusion soit bien faite.

Prenez de préférence du moka et de la martinique. Ces deux espèces de café sont les meilleures pour être mélangées.

Pour faire brûler le café, servez-vous d'un brûloir fait exprès, mettez le café dans ce brûloir, avec un peu de sucre en poudre, placez d'abord le brûloir sur feux doux et ne cessez pas de tourner.

Augmentez la force du feu petit à petit et au bout de trois quarts d'heure à peu près, lorsque votre café a pris une teinte marron pas trop foncé, retirez-le du brûloir et étendez-le sur un linge pour le laisser sécher ; lorsqu'il est complètement froid vous pouvez le serrer dans une boîte de fer-blanc et mettre la boîte dans un endroit sec.

Café à l'eau. – Pour faire du bon café, ne moulez le grain qu'au moment de vous en servir, puis mettez dans un filtre fait exprès une cuillerée à bouche de café en poudre pour chaque tasse de café que vous voulez faire. Lorsque la poudre est dans le filtre, pressez-la avec le fouloir que l'on vend avec le filtre et versez dessus une tasse et demie d'eau bouillante, puis ensuite autant de tasses d'eau que vous voulez obtenir de tasses de café, seulement mettez l'eau petit à petit et tenez le filtre dans l'eau très chaude pour que votre café conserve sa chaleur pendant que vous le faites. Ne mettez jamais le filtre sur le feu pour faire chauffer le café, car celui-ci pourrait bouillir et alors ne vaudrait plus rien.

On doit faire le café presque au moment de s'en servir et par conséquent ne jamais en préparer pour le lendemain ; le café à l'eau perd tout son arôme s'il est mis en bouteille et réchauffé.

Café au lait. – Il ne faut pas croire que le café à l'eau peut servir pour être mêlé au lait ; on se sert pour le café au lait d'essence de café.

Pour faire de l'essence de café, il faut deux cuillerées à bouche de café en poudre et une demi-cuillerée de chicorée pour une tasse d'eau. Faites infuser comme pour le café à l'eau et servez-vous de cette essence de café pour mêler au lait. Une cuillerée à bouche suffit pour un verre de lait. Ce café peut être mis en flacon et conservé plusieurs jours. Vous pouvez remettre de l'eau bouillante une seconde fois sur le café qui a déjà infusé et cette eau vous servira la première fois que vous aurez du café au lait à faire, elle aura plus d'arôme que de l'eau ordinaire.

Chocolat. – Le chocolat se fait à l'eau et au lait. Le premier est plus léger, mais le second est plus onctueux.

Le chocolat se vend par livre ou demi-livre

presque toujours divisé en tablette. Une tablette suffit pour une tasse de chocolat. Si on faisait du chocolat pour une soirée, une tablette ferait deux tasses, attendu que pour les soirées on se sert de tasses plus petites, comme celles à thé.

Chocolat au lait. – Prenez de préférence une casserole émaillée, mettez-y une tablette de chocolat avec une ou deux cuillerées à bouche de lait par tasse, laissez fondre à feu doux, remuez avec une cuiller et écrasez le chocolat petit à petit ; lorsqu'il est complètement fondu et qu'il n'y a plus de grumeaux, ajoutez une ou plusieurs tasses de lait, laissez sur le feu jusqu'à ce qu'il bouille, remuez vivement et servez-le presque mousseux.

Chocolat à l'eau. – Se fait comme le chocolat au lait *(voy. ci-dessus),* mais on emploie de l'eau au lieu de lait.

NETTOYAGES

Nettoyage des casseroles, marmites. – Pour nettoyer l'intérieur de ces divers ustensiles lorsqu'ils sont étamés à l'intérieur, il suffit de les laver avec de l'eau de lessive et de les frotter avec un peu de paille de fer ; on les rince ensuite à l'eau froide et on les essuie avec un torchon bien sec.

Nettoyage des objets en cuivre. – Prenez un peu de blanc d'Espagne, réduisez-le en poudre, mettez-le dans un bol et versez dessus du vinaigre, un peu d'eau et ajoutez un petit morceau de carbonate. Laissez reposer le tout jusqu'à ce que le carbonate soit fondu. Prenez alors cette composition avec un petit chiffon, frottez-en l'objet que vous voulez nettoyer jusqu'à ce qu'il soit très clair ; on essuie ensuite avec un autre chiffon sec, puis avec une peau de daim.

Nettoyage des ustensiles en étain. – Prenez simplement du blanc d'Espagne avec un peu d'eau, frottez-en l'objet que vous voulez nettoyer, puis essuyez-le avec un torchon sec et frottez de nouveau avec du blanc d'Espagne sec. Finissez en essuyant avec une peau de daim.

Nettoyage des ustensiles en fer blanc. – Procédez comme pour les ustensiles en étain *(voy. ci-dessus),* mais après les avoir lavés dans de l'eau de chaux ; séchez-les bien pour les empêcher de se rouiller.

Nettoyage des plats, assiettes et différents objets de porcelaine. – Lavez-les dans de l'eau chaude à laquelle vous ajoutez du savon noir et du carbonate. Laissez-les égoutter et versez de l'eau froide dessus. Lorsque les objets sont presque secs, essuyez-les avec un linge doux.

Nettoyage des verres et cristaux. – On nettoie

les verres à l'eau froide, puis on les trempe ensuite dans de l'eau claire et on les fait sécher en les renversant ; lorsqu'ils sont secs, on les essuie avec un linge de toile.

Les carafes ou autres vases en cristal seront nettoyés avec de l'eau froide, du sel gris, des coquilles d'œufs écrasés ou des morceaux de pommes de terre.

Nettoyage des objets en fonte. – Les marmites en fer, les cocottes et coquelles seront nettoyées avec de la poudre de brique que vous faites vous-même en pulvérisant un morceau de brique. Frottez l'objet avec un bouchon ou un morceau de bois.

Nettoyage des objets émaillés. – On peut les rendre très propres en les nettoyant dans une eau de lessive ; on les rince ensuite à l'eau froide, puis on les laisse sécher.

Nettoyage de l'argenterie. – Passez l'argenterie dans une eau de savon ; frottez-la avec une brosse et trempez-la ensuite dans l'eau froide, puis essuyez-la d'abord avec un linge doux et après avec une peau de daim.

Nettoyage des fourneaux en fer ou en fonte. – Prenez une brosse imbibée d'eau et de mine de plomb, frottez le fourneau fortement, puis, lorsqu'il est sec, essuyez avec une seconde brosse sèche pour donner du brillant.

Nettoyage des théières en métal anglais. – On les frotte à l'extérieur avec un morceau de drap que l'on humecte avec un peu d'huile et de rouge d'Angleterre (on trouve cette poudre chez les marchands de couleurs). On frotte bien, puis on les passe après au blanc d'Espagne sec. On essuie ensuite avec une peau de daim.

Nettoyage des couteaux de table. – Prenez un morceau de pierre à couteau (on l'achète chez les marchands de couleurs), grattez-en un peu avec un vieux couteau, puis prenez de cette poudre avec un bouchon imbibé d'eau et frottez les couteaux avec ; passez-les ensuite à l'eau froide et essuyez-les avec un chiffon bien sec.

Nettoyage d'un baril. – Pour la choucroute, vous êtes obligé de prendre un baril ayant contenu du vin ou autre liquide. Il faut, pour le nettoyer, enlever le fond et frotter l'intérieur avec une brosse de chiendent que vous trempez dans de l'eau à laquelle vous avez ajouté une demi-livre de carbonate. Rincez ensuite à l'eau de puits et remettez le fond.

NOMENCLATURE DES VINS

BORDEAUX (rouges)

Médoc.
Saint-Emilion.
Château-Margaux.
Saint-Julien.
Cissac.
Saint-Estèphe.
Saint-Emilion-Pomerol.
Pauillac-Cazeaux.
Croizet-Bages.
Pontet-Canet.
Mouton d'Armailhacq.
Saint-Pierre.
Latour-Carnet.
Château-Lafite.
Château Giscours.
Lagrange.
Palmer.
Mouton-Rothschild.
Pichon-Longueville.
Léoville.
Clos-d'Estournel.
Château-Gruaud-Larose.
Sarget.
Château-Haut-Brion.
Château-Latour.
Château-Beychevelle.

BORDEAUX (blancs)

Graves.
Sauternes.
Bommes.
Latour-Blanche.
Preignac.
Barsac.
Château-Coutet.
Château-Yquem.
Crème.
Rieussec.
Filhol.
Château-Vigneau.

BOURGOGNE (rouges)

Mâcon.
Thorins.
Beaujolais.
Pommard.
Beaune.
Moulin-à-Vent.
Richebourg.
Romanée-Conti.
Fleurie.
Nuits.
Saint-Georges.
Volnay.
Corton.
Clos-Vougeot.
Chambertin.
Musigny.

BOURGOGNE (blancs)

Chablis.
Pouilly.
Meursault.
Montrachet.

CHAMPAGNE

Ay.
Bouzy.
Sillery.
Epernay.

TISANE DE CHAMPAGNE

VINS de LIQUEURS ou de DESSERT

Muscat.
Frontignan.
Chypre.
Calabre.
Lacryman-Christi.
Alicante.
Lunel.
Rivesaltes.

VINS ROUGES ET BLANCS DE PROVENANCES DIVERSES

Arbois (Est).
Molsheim (Alsace).
Guebwiller (Alsace).
Château-Grillet (Auvergne).
Hermitage (Rhône).
Banyuls (Roussillon).
Grenache (Roussillon).
Jurançon (Navarre).
Côte-Rôtie (Rhône).
Saint-Péray (Rhône)
Joué (Touraine).
Vouvray (Touraine).
Pouilly-sur-Loire (Nièvre).
Saint-Pourçain (Allier).
Châteauneuf-du-Pape (Vaucluse).
Saint-Georges (Hérault).
Vins d'Algérie.

VINS ÉTRANGERS

Johannisberg (vin du Rhin).
Steinberg (vin du Rhin).
Alicante (Espagne).
Malvoisie (îles Canaries).
Xérès (Espagne).
Malaga (Espagne).
Porto (Portugal).
Madère (île de Madère).
Marsala (Sicile).
Tokai (Hongrie).
Constance (cap de Bonne-Espérance).
Grenache (Espagne).
Valdepenas (Espagne).
Vins de la Moselle (Allemagne).
Vins de la Saar (Allemagne).
Vins du Main (Allemagne).
Lavaud (Suisse).

EAUX-DE-VIE

Cognac
Marmande.
Kirsch (eau-de-vie de cerise).
Questch (eau-de-vie de prune).
Genièvre, gin ou whisky.
Rhum et tafias (eaux-de-vie des colonies).
Eau-de-vie de Dantzig.
Armagnac.
Eau-de-vie de marc.

LIQUEURS

Chartreuse jaune.
Chartreuse verte.
Anisette.
Curaçao.
Kummel.
Crème de menthe.
Cassis.
Chcrry-Brandy.
Marasquin.
Crème de vanille.
Crème de cacao.
Angélique.

APÉRITIFS

Absinthe.
Bitter.
Vermouth.
Amers.

SERVICE DES VINS À TABLE

Avec les huîtres : Sauternes, Chablis, Mâcon.

Avec le potage : Madère, Xérès.

Pendant le 1er service : Saint-Julien, Saint-Emilion, Léoville, Château-Lafite.

A partir des rôtis : Volney, Pommard, Chambertin, Corton, Tokai.

A partir des entremets : Muscat, Frontignan, Lunel, Malaga, Alicante.

Le champagne peut être servi à partir du rôti et se continuer jusqu'au dessert, mais, dans ce cas, il doit être frappé.

500 MENUS

Correspondant aux mois avec productions de chaque mois et renvois aux pages où sont traités les plats indiqués.

MENUS DE JANVIER

Productions du mois : Toutes les viandes. – Choux, haricots secs, choux de Bruxelles, endives, champignons de couches, céleri, cardons, salsifis.

DÉJEUNERS GRAS

	Pages.
Pieds de mouton poulette	78
Biftecks aux pommes......	63
Champignons farcis	243
Dessert	

Omelette aux rognons.....	269
Poulet rôti.......................	112
Cervelle de bœuf frite.....	67
Dessert	

Rognons de mouton sautés	78
Côtelettes de mouton grillées	76
Purée de pommes de terre.............................	203
Dessert	

Petits vol-au-vent	334
Poulet sauté.....................	114
Veau rôti..........................	81
Salade de laitue...............	251
Gâteau de riz...................	292
Dessert	

	Pages.
Foie de veau à la poêle ...	87
Gigot rôti.........................	73
Haricots verts de conserves..................................	225
Croquettes de riz	292
Dessert	

Abattis de volaille au riz.	116
Entrecôte braisée............	64
Nouilles au beurre...........	318
Fromage	
Dessert	

Ecrevisses à la bordelaise	186
Pieds de mouton poulette	78
Terrine de foie gras.........	324
Salade de saison.............	251

Omelette à l'oignon	272
Côtelettes de veau en papillottes.....................	84
Jambon	98
Dessert	

	Pages.
Langue sauce piquante....	66
Rognons brochette	77
Mauviettes rôties............	143
Choux de Bruxelles au beurre..........................	212
Dessert	

Œufs farcis	267
Choucroute garnie...........	211
Châteaubriant aux pommes de terre	63
Œufs au lait.....................	275

Sardines grillées.............	176
Côtelettes de veau fines herbes..........................	83
Chicorée cuite au jus.......	254
Dessert	

Œufs brouillés au fromage	266
Abattis de dinde aux navets	118
Saumon en mayonnaise ..	194
Dessert	

	Pages
Jambon froid	98
Tête de veau vinaigrette..	88
Canard aux olives	122
Dessert	

Blanquette de volaille	110
Ecrevisses.......................	184
Charlotte russe	297
Dessert	

Coquilles de poisson.......	194
Rôti de porc frais	95
Cardons au jus................	256
Dessert	

Œufs à la poulette	265
Saucisses aux choux	102
Epaule de mouton farcie................................	76
Endives...........................	236
Dessert	

DÉJEUNERS MAIGRES

Œufs sur le plat..............	264
Morue au fromage...........	161
Soles frites......................	172
Choux-fleurs au beurre ...	213
Dessert	

Omelette au macaroni.....	271
Raie au beurre noir	159
Céleri au gratin	256
Salade d'œufs durs..........	265
Dessert	

Harengs marinés	167
Petits pâtés de poisson....	194
Fondue............................	270
Salsifis frits	221
Dessert	

Caviar avec citron...........	56
Tranches de brochet grillées maître d'hôtel	179
Eperlans frits..................	171
Crêpes au sucre..............	290

DINERS GRAS

Potage pot-au-feu............	33
Bœuf bouilli	59
Gigot rôti.........................	73
Haricots blancs................	228
Beignets de pommes	287
Dessert	

Potage purée de pois	40
Côtelettes de porc sauce piquante	95
Lièvre rôti	129
Cardons au jus................	256
Salade de saison.............	251
Dessert	

	Pages.
Potage vermicelle au gras	35
Matelote d'anguilles	183
Canard rôti	122
Champignons farcis	243
Soufflé au chocolat	293
Dessert	

Potage purée croûtons	41
Jambon aux épinards	98
Filet de bœuf au cresson	62
Salade de saison	251
Crème frite	288
Dessert	

Potage julienne	43
Soles aux fines herbes	172
Perdreaux rôtis	139
Navets au sucre	217
Plum-pudding	299
Dessert	

Potage tapioca au gras	36
Coquilles de volaille	123
Foie de veau à la broche	86
Choux-fleurs au fromage	213
Gâteau de riz	292
Dessert	

Potage Condé	42
Terrine de volaille	321
Perdreaux en salmis	141
Boulettes de pommes de terre	204
Dessert	

Potage au potiron	42
Coquilles de poisson	194
Bœuf à la mode	65
Salade de saison	251
Dessert	

	Pages.
Potage tapioca au gras	36
Bœuf bouilli au gratin	60
Poulet en fricassée	113
Macaroni	278
Tarte aux pommes	340
Dessert	

Potage paysanne	44
Tourte au hachis	72
Pigeons rôtis	119
Epinards	247
Compote de poires	364
Dessert	

Potage à la crème d'orge	47
Soles au gratin	173
Filets de bœuf aux olives	64
Petits pois de conserves	231
Omelette au sucre	273
Dessert	

Potage riz au gras	35
Cervelle en matelote	67
Cailles au chasseur	143
Pommes de terre en purée	203
Quatre-quarts	343
Dessert	

Soupe aux choux	37
Petit salé aux choux	102
Carré de veau rôti	81
Céleri au jus	255
Dessert	

Potage semoule au gras	36
Merlans au gratin	168
Porc frais à la broche	95
Epinards au sucre	248
Dessert	

	Pages.
Potage riz au gras	35
Tête de veau	88
Bécasses rôties	144
Salsifis frits	221
Salade de saison	251
Crème à la vanille	304
Dessert	

	Pages
Potage vermicelle à l'oignon	43
Epaule de mouton aux navets	75
Fricandeau à l'oseille	84
Topinambours à la crème	206
Gâteau de semoule	291
Dessert	

DINERS MAIGRES

Soupe maigre aux choux.	38
Moules à la poulette	188
Filets de soles	174
Pommes de terre en purée	203
Salade de saison	251
Dessert	

Potage julienne	43
Céleri au maigre	256
Bar grillé maître d'hôtel .	155
Lentilles au beurre	233
Gâteau d'amandes	351
Dessert	

Potage purée de haricots rouges	42
Thon mariné	155
Croquettes de morue	162
Navets au sucre	217
Croûtes au madère	289
Dessert	

Potage riz au lait	37
Champignons sautés aux fines herbes	243
Raie au beurre noir	159
Salsifis frits	221
Salade de saison	251
Dessert	

REPAS DE RÉCEPTION

DÉJEUNER

Hors-d'œuvre (crevettes, beurre, radis, saucisson)	55
Terrine de lièvre	323
Fricandeau à la chicorée .	84
Dinde rôtie	117
Salade	251
Flageolets de conserves ..	227
Pommes meringuées	284
Dessert	

DINER

Potage à la bisque d'écrevisses	44
Hors-d'œuvre	55
Champignons en coquilles	244
Filets aux olives	64
Faisan rôti	141
Salade de légumes	260
Pois de conserves	231
Diplomate au rhum	297
Dessert	

MENUS DE FÉVRIER

Productions du mois : Endives, champignons, choux-fleurs, cardons, topinambours, céleri, épinards, salsifis, choux de Bruxelles. – Gibier. – Poisson de mer, esturgeons, saumons, merlans, limandes, éperlans, homards, huîtres, moules. – Fruits : poires et pommes.

DÉJEUNERS GRAS

	Pages.
Omelette aux champignons	269
Rognons brochette	77
Biftecks aux pommes	63
Salade	251
Dessert	

	Pages.
Huîtres fraîches	190
Bitokes à la russe	70
Pigeons rôtis	119
Dessert	

	Pages.
Cervelles de mouton au beurre noir	78
Soles normandes	174
Coquilles de volaille	123
Dessert	

	Pages.
Pieds de mouton poulette	78
Foie de veau à la poêle	87
Pommes de terre maître d'hôtel	200
Salade	251
Dessert	

	Pages.
Tête de veau au naturel	88
Gras-double à la lyonnaise	68
Epinards	247
Dessert	

	Pages.
Jambon aux épinards	98
Lapin au père Douillet	137
Haricots blancs à l'huile	228
Omelette au sucre	273
Dessert	

	Pages.
Rognons de bœuf sautés	65
Pieds de cochon grillés	97
Mayonnaise de volaille	112
Dessert	

	Pages.
Saucisses crépinettes	102
Terrine de perdreaux	323
Veau rôti	81
Salade	251
Dessert	

	Pages.
Bœuf en hachis	60
Ragoût de mouton aux pommes de terre	76
Merlans frits	168
Salade	251
Dessert	

	Pages.
Moules à la marinière	189
Côtelettes de mouton Soubise	76
Champignons farcis	243
Navets au jus	217
Dessert	

	Pages.
Œufs brouillés aux truffes	266
Salmis de bécasses	144
Lentilles	233
Salade	251
Fromage	

Harengs de Dieppe marinés	167
Bœuf en miroton	59
Filets mignons de porc frais	96
Crème à la vanille	304
Dessert	

Veau roulé	91
Jambon	98
Gigot de mouton froid	73
Tarte aux pommes	340
Fromage	

	Pages
Boudin grillé	99
Fraise de veau	89
Poulet froid	112
Salade	251
Dessert	

Pommes de terre en robe de chambre	197
Carpe à la provençale	179
Civet de lièvre	129
Macaroni au jus	279
Dessert	

Œufs durs sauce blanche.	265
Jambon aux épinards	98
Cardons au jus	256
Pommes au beurre	286
Dessert	

DÉJEUNERS MAIGRES

Œufs sur le plat	264
Ecrevisses à la bordelaise	186
Saumon sauce hollandaise	153
Choux-fleurs au beurre	213
Fromage	

Moules en coquilles	189
Barbue	158
Koulibiac aux choux	338
Salade	251
Dessert	

Omelette à l'oignon	272
Timbale de macaroni	279
Céleri au maigre	256
Croquettes de riz	292
Fromage	

Morue aux pommes de terre	161
Soles frites	172
Haricots verts de conserves	225
Omelettes aux confitures	273
Dessert	

DÎNERS GRAS

Potage au potiron	42
Choucroute garnie	211
Canard sauvage	145
Salade	251
Pain perdu	290
Dessert	

Julienne languedocienne.	47
Rissoles de veau	92
Entrecôte braisée	64
Pois de conserves	231
Salade	251
Dessert	

	Pages
Soupe aux choux	37
Petit salé aux choux	102
Gigot rôti	73
Chicorée au jus de gigot	254
Œufs à l'eau	274
Dessert	

Soupe à l'oignon	42
Salmis de bécasses	144
Canard aux olives	122
Œufs à la neige	275
Dessert	

Soupe paysanne	44
Tourte d'entrée à la viande	332
Anguille de mer, sauce aux câpres	165
Choux-fleurs au fromage	213
Dessert	

Potage à la Conti	41
Pâtés chauds	332
Perdreaux rôtis	139
Haricots verts (conserves)	225
Salade	251
Dessert	

Potage riz au gras	35
Langue de bœuf au gratin	66
Lièvre rôti	129
Choux-fleurs frits	214
Pommes portugaises	286
Dessert	

Potage purée de légumes	44
Escalopes de veau	84
Aloyau rôti	62
Cardons au jus	256
Soufflé à la fécule	293
Dessert	

	Pages.
Potage Parmentier	41
Petits pâtés au macaroni	279
Bœuf à la mode	65
Salade	251
Dessert	

Potage vermicelle au gras	35
Coquilles Saint-Jacques	193
Epaule de mouton farcie	76
Choux de Bruxelles au beurre	212
Dessert	

Soupe à l'oseille	39
Merlans au gratin	168
Porc frais à la broche	95
Pommes de terre en purée	203
Salade	251
Dessert	

Potage Condé (purée de haricots rouges)	42
Cervelles de bœuf en matelote	67
Veau rôti	81
Epinards au jus de veau	247
Dessert	

Potage julienne	43
Champignons en coquilles	244
Poulet Marengo	115
Endives au jus	236
Dessert	

Potage tapioca au gras	36
Boulettes de hachis de bœuf	61
Lapin au père Douillet	137
Crème au café	305
Dessert	

	Pages.
Potage purée de pois	40
Pâté-terrine de cailles	324
Filet de bœuf rôti	62
Beignets soufflés	288
Dessert	

	Pages.
Potage à la Conti	41
Bitokes à la Russe	70
Filet de chevreuil rôti	127
Baba	347
Dessert	

DINERS MAIGRES

Potage vermicelle à l'oignon	43
Ecrevisses en buisson	185
Brochet à la maître d'hôtel	179
Navets au sucre	217
Salade	251
Dessert	

Soupe aux poireaux et aux pommes de terre	38
Soles aux fines herbes	172
Boulettes de pommes de terre	204
Pudding au pain	301
Dessert	

Riz au lait	37
Coquilles de macaroni	278
Anguille tartare	181
Chou à la crème *(légume)*	208
Salade	251
Dessert	

Tapioca au lait	37
Morue aux pommes de terre	161
Salsifis à la poulette	220
Gâteau de riz	292
Dessert	

REPAS DE RÉCEPTION

DÉJEUNER

Quatre hors-d'œuvre	55
Rissoles de volailles	337
Fricandeau à l'oseille	84
Dinde rôtie	117
Pâté de foie gras	330
Salade	251
Diplomate au rhum	297
Dessert	

DINER

Potage à la fécule au gras	36
Quatre hors-d'œuvre	55
Vol-au-vent	333
Poulet truffé	112
Petits pois de conserves	231
Salade	251
Gelée à l'anisette	309
Dessert	

MENUS DE MARS

Productions du mois : Champignons, choux-fleurs, cardons, céleri, épinards, salsifis. – Comme primeurs, les radis commencent, les artichauts du Midi, la laitue, l'oseille et les asperges. Ces dernières sont naturellement très chères. La chasse est fermée, par conséquent le gibier a disparu. Le carême commence et le poisson est envoyé en abondance sur les marchés.

Nota. – A cause du carême, nous donnons un plus grand nombre de menus maigres que dans les autres mois.

DÉJEUNERS GRAS

	Pages.
Omelette aux fines herbes	269
Pieds de veau à la vinaigrette	90
Côtelettes à la milanaise	79
Pommes de terre au lait	201
Dessert	

Œufs sur le plat	264
Ragoût de mouton	76
Champignons sautés aux fines herbes	243
Beignets de pommes	287
Dessert	

Rognons de cochon	97
Foie de veau en papillotes	87
Œufs durs en salade	264
Pudding au pain	301
Dessert	

Bœuf bouilli au gratin	60
Jambon aux épinards	98
Pommes de terre en salade	205
Crème au chocolat	305
Dessert	

	Pages.
Œufs brouillés au hareng saur	267
Tripes à la mode de Caen	69
Raie frite	160
Salade	251
Dessert	

Harengs frais sur le gril, sauce moutarde	166
Boulettes de tête de veau	93
Coquilles de volaille	123
Chicorée au jus	254
Dessert	

Tourte	332
Ragoût de veau	82
Raie au beurre blanc	160
Tôt-fait	294
Dessert	

Rognon de bœuf aux champignons	65
Terrine de volaille	321
Lapin à la Marengo	136
Salade	251
Dessert	

	Pages.
Hachis de bœuf à la purée de pommes de terre	61
Poulet sauté	114
Macaroni au gratin	278
Dame blanche	276
Dessert	

Œufs brouillés au fromage	266
Jambon au naturel	98
Haricots rouges	229
Pommes au riz................	285
Dessert	

Côtelettes de veau aux fines herbes..................	83
Poulet à la casserole........	112
Eperlans frits	171
Pommes de terre duchesse................................	204
Dessert	

Rissoles de volaille	123
Fromage de cochon.........	96
Lapin en gibelotte	135
Tarte à la bouillie	342
Dessert	

	Pages.
Escargots à la bourguignonne	187
Cervelle de bœuf frite	67
Poule au riz	116
Salade de laitue aux œufs	251
Dessert	

Moules en coquilles	189
Lapin de garenne sauté ...	132
Filets de soles au gratin ..	174
Salade de céleri	255
Dessert	

Bœuf bouilli aux navets ..	72
Galantine de volaille	110
Timbale de macaroni à la Bekendorf	279
Crème renversée	306
Dessert	

Omelette aux truffes........	269
Côtelettes de porc frais, sauce piquante	95
Epinards au jus...............	247
Dessert	

DINERS MAIGRES

Omelette au fromage.......	270
Maquereaux à l'italienne	165
Salsifis à la sauce blanche	220
Salade de pissenlit...........	255
Dessert	

Morue en croquettes	162
Maquereau maître d'hôtel	164
Macaroni à l'italienne	278
Pudding aux pommes......	302
Dessert	

Huîtres en coquilles	190
Pommes de terre à la parisienne.....................	200
Pâté de poisson	326
Artichauts crus à l'huile..	250
Dessert	

Escargots à la poulette	187
Matelote d'anguilles	183
Chou marin	214
Salade de homard...........	192
Dessert	

	Pages.
Œufs farcis	267
Rouget barbet sur le gril	171
Ecrevisses à la marinière	185
Céleri au gratin	256
Dessert	

Harengs saurs en hors-d'œuvre	168
Soles au gratin	173
Cuisses de grenouilles frites	186
Salade de scarole	255
Dessert	

	Pages.
Vol-au-vent de crevettes	193
Omelette aux truffes	269
Homard sauce mayonnaise	191
Haricots vers (conserves)	225
Dessert	

Moules à la poulette	188
Matelote de lamproies	184
Champignons à la russe	245
Pommes au beurre	286
Dessert	

DINERS GRAS

Pâtes d'Italie au gras	36
Grondins sauce aux câpres	156
Foie de veau à la broche	86
Chou farci	208
Salade	251
Dessert	

Potage riz à l'oseille	39
Rissoles de veau	92
Poulet aux olives	115
Artichauts frits	250
Omelette soufflée	274
Dessert	

Potage semoule au gras	36
Filets sautés aux champignons	64
Ris de veau à l'oseille	88
Epinards au sucre	248
Dessert	

Potage julienne	43
Raie au beurre noir	159
Canard rôti	122
Salade	251
Tarte aux pommes	340
Dessert	

Potage livonien	48
Croquettes de volaille	29
Veau à la casserole	82
Carottes au beurre	219
Beignets soufflés	288
Dessert	

Potage finlandais	48
Carrelets au gratin	159
Macreuse en salmis	145
Salade	251
Soufflé au riz	293
Dessert	

Potage aux choux, riz et fromage	49
Champignons à la provençale	244
Entrecôte sauce piquante	64
Haricots blancs à la bretonne	228
Mousse à la russe	303
Dessert	

	Pages.
Potage vermicelle à l'oseille	39
Pâtés au jus	335
Foie de veau à la bourgeoise	86
Pommes de terre farcies	202
Salade de laitue aux œufs	251
Dessert	

Potage à la crème d'orge	47
Epaule de mouton aux navets	75
Lapin de garenne rôti	132
Haricots flageolets (conserves)	227
Œufs au lait	275
Dessert	

Potage sagou au gras	36
Langue de bœuf à la sauce piquante	66
Oie rôtie	122
Choux de Bruxelles au jus	212
Salade de céleri	255
Dessert	

Potage vermicelle à l'oignon	43
Fricassée de poulet	113
Bœuf mariné (1er talon de collier)	63
Purée de navets	217
Dessert	

	Pages.
Potage maigre aux choux	38
Eglefin sauce aux câpres.	156
Pigeons aux pois (conserves)	120
Salsifis au beurre	220
Dessert	

Potage riz au maigre	37
Cervelle de bœuf frite	67
Chevreau rôti	80
Choux rouges aux pommes	209
Artichauts à la sauce	249
Dessert	

Pot-au-feu à l'anglaise	54
Bœuf bouilli	59
Côtelettes de veau en papillotes	84
Choux-fleurs à la sauce blanche	213
Crème au café	305
Dessert	

Soupe à la farine	51
Filets de merlans à la Orly	168
Lapin mariné	136
Carottes à la poulette	219
Omelette au rhum	273
Dessert	

Potage Parmentier	41
Entrecôte braisée	64
Pigeons rôtis	119
Salade	251
Dessert	

DINERS MAIGRES

Bouillon de champignons	49
Koulibiac aux choux à la russe	338
Turbot au gratin	158
Salade	251
Dessert	

Potage bouillabaisse	45
Poissons qui ont servi à la bouillabaisse	45
Champignons à la provençale	244
Omelette au sucre	273
Dessert	

Pages.	
Potage aux nouilles	53
Cabillaud sauce hollandaise	163
Mulet grillé maître d'hôtel	156
Salsifis frits	221
Dessert	

Potage panade	40
Petits pâtés de poisson	194
Matelote de lamproies	184
Boulettes de pommes de terre	204
Diplomate au rhum	297
Dessert	

Potage vermicelle au lait.	37
Truite sauce hollandaise	154
Pommes de terre soufflées	199
Champignons à la provençale	244
Salade	251
Dessert	

Pages.	
Potage purée de haricots blancs	41
Tourte au macaroni	280
Bar sauce maître d'hôtel.	155
Céleri au gratin	256
Tarte au riz	343
Dessert	

Potage au potiron	42
Morue au fromage	161
Brochet au court-bouillon	179
Oignons farcis	216
Dartois aux pommes	343
Dessert	

Soupe à l'oseille	39
Aspic au poisson	19
Saumon à la béchamel	153
Artich. cuits à l'huile	250
Pommes portugaises	286
Dessert	

REPAS DE RÉCEPTION

DÉJEUNER

Hors-d'œuvre	55
Truites à la genevoise	154
Fricassée de poulet	113
Filet de bœuf à la broche	62
Salade	251
Flageolets de conserves	227
Soufflé au riz	293
Croûtes au madère	289
Fromage	
Dessert	

DINER

Potage vermicelle au gras	35
Hors-d'œuvre	55
Entrecôte braisée	64
Salmis de bécasses	144
Dinde truffée	118
Petits pois au sucre (conserves)	230
Salade	251
Charlotte russe	297
Dessert	

MENUS D'AVRIL

Productions du mois : Oseille, romaine, laitue, choux-fleurs, radis, asperges, artichauts et petits pois du Midi, pommes de terre nouvelles. – En volaille, on voit les canetons et les pigeons nouveaux. – En poisson : l'alose et le maquereau ; les moules et les huîtres commencent à être moins bonnes.

Nota. – A cause du carême, nous donnons un plus grand nombre de menus maigres que dans les autres mois. Il y a aussi des menus de Vendredi saint.

DÉJEUNERS GRAS

	Pages.
Boulettes de hachis de bœuf	61
Mou de veau en matelote	89
Pommes de terre en soufflé	203
Salade de romaine	254
Dessert	

Maquereau à la flamande	165
Ragoût de veau aux oignons	82
Carottes au beurre	219
Omelette au rhum	273
Dessert	

Artichauts crus à l'huile	250
Côtelettes de porc frais grillées	95
Purée de pommes de terre	203
Tarte aux pommes	340
Dessert	

Œufs en matelote	266
Terrine de veau et jambon	323
Blanquette de volaille	110
Salade de pommes de terre	205
Dessert	

	Pages.
Omelette au rognon de veau	269
Terrine de lapin	322
Croûte aux champignons	242
Soufflé au riz	293
Dessert	

Œufs à l'oseille	265
Entrecôte au cresson	64
Macaroni en coquilles	278
Crème à la fleur d'oranger	304
Dessert	

Petits vol-au-vent	334
Omelette au jambon	272
Poulet froid sauce mayonnaise	123
Choux-fleurs au fromage	213
Dessert	

Harengs frais frits	167
Artichauts au jus	249
Veau en matelote	83
Oignons farcis	216
Dessert	

	Pages.
Coquilles de champignons	244
Canard aux navets	122
Boulettes de pommes de terre	204
Crème renversée	306
Dessert	

Bœuf bouilli sauce poulette	71
Abattis de dinde aux navets	118
Salade de homard	192
Dessert	

Escargots à la poulette	187
Rognons de mouton à la tartare	77
Haricots flageolets de conserves	227
Marmelade de pommes	283
Dessert	

Sardines à l'huile	56
Pommes de terre au lard	201
Gigot de mouton mariné	73
Salade	251
Dessert	

	Pages.
Petits pâtés au macaroni	335
Jambon à la poêle	98
Esturgeon sauce aux câpres	155
Choux-fleurs à l'huile	214
Dessert	

Maquereau au beurre noir	164
Blanquette de veau	92
Terrine de foie gras	324
Salade	251
Dessert	

Tête de veau au naturel	88
Filets de soles au gratin	174
Pigeons en compote	120
Salsifis frits	221
Dessert	

Omelette aux rognons	269
Veau rôti	81
Nouilles au beurre	318
Croquettes de riz	292
Dessert	

DÉJEUNERS MAIGRES

Petits pâtés de crevettes	335
Soles à l'anglaise	175
Pommes de terre frites dans le beurre	199
Dessert	

Œufs à l'oseille	265
Turbot au gratin	158
Macaroni à l'italienne	278
Cannelle-cake	359
Dessert	

Œufs à la sauce blanche	265
Anguille tartare	181
Maquereau grillé maître d'hôtel	164
Asperges à l'huile	222
Dessert	

Omelette aux truffes	269
Champignons sautés aux fines herbes	243
Saumon à la béchamel	153
Choux-fleurs frits	214
Dessert	

	Pages.
Pommes de terre en robe de chambre	197
Œufs au beurre noir	265
Terrine de poisson	326
Salade de haricots blancs	228
Dessert	

Omelette au macaroni	271
Coquilles de turbot	194
Salsifis frits	221
Choux-fleurs au fromage	213
Dessert	

	Pages.
Champignons à la provençale	244
Rouget barbet au court-bouillon	170
Ecrevisses en buisson	185
Salade de laitue aux œufs	251
Dessert	

Déjeuner de Vendredi saint

Riz à la créole	122
Merlans frits dans l'huile	168
Pommes de terre cuites à l'eau, sauce Périgueux	25
Homard en salade	192
Dessert	

DINERS GRAS

Bouillon aux œufs pochés	265
Alose à l'oseille	176
Foie de veau à la broche	86
Salsifis au beurre	220
Œufs à la neige	275
Dessert	

Potage julienne aux champignons	48
Gigot à la Brissac	80
Oie en daube	123
Pommes de terre au fromage	203
Croûtes au madère	289
Dessert	

Potage Condé	42
Petits pâtés de poisson	194
Gigot rôti	73
Chicorée au jus de gigot	254
Roussettes	290
Dessert	

Soupe pot-au-feu	33
Bœuf bouilli	59
Côtelettes de porc frais à la Courlandaise	103
Merlans frits	168
Choux à la crème	344
Dessert	

Potage maigre aux choux	38
Morue au beurre noir	162
Faux-filet à la broche	62
Choux de Bruxelles au beurre	212
Fromage à la crème	298
Dessert	

Potage purée de pois	40
Abattis de volaille aux navets	118
Eglefin	156
Truffes au naturel	207
Plum-pudding	299
Dessert	

	Pages.
Soupe à la farine	51
Truites frites	154
Veau à la casserole	82
Asperges à la parmesane	223
Crème à la fleur d'oranger	304
Dessert	

	Pages.
Potage au riz à l'oseille	39
Cervelles de bœuf en matelote	67
Foie de veau à la bourgeoise	86
Artichauts à la barigoule	249
Gelée au rhum	309
Dessert	

	Pages.
Potage semoule au gras	36
Coquilles Saint-Jacques	193
Canard aux pois	122
Alose au court-bouillon	176
Fromage glacé à la vanille	311
Dessert	

	Pages.
Potage julienne	43
Pâté au hachis de bœuf	72
Salmis de canard	124
Topinambours à la crème	206
Salade de romaine	254
Dessert	

	Pages.
Potage tapioca à l'oignon	43
Croquettes de volaille	29
Côtelettes de veau sur le gril	83
Oseille en purée	246
Crème au caramel	306
Dessert	

	Pages.
Soupe panade	40
Coquilles de poisson	194
Poulet sauté	114
Céleri au jus	255
Beignets soufflés	288
Dessert	

	Pages.
Potage vermicelle au gras	35
Bœuf bouilli	59
Cervelles de veau poulette	90
Mayonnaise de volaille	112
Crème Sambaglione	307
Dessert	

	Pages.
Soupe à l'oseille	39
Rissoles à la viande	337
Porc frais à la broche	95
Asperges sauce blanche	222
Gâteau de semoule	291
Dessert	

	Pages.
Potage à la purée de haricots blancs	41
Langue de bœuf sauce piquante	66
Quartier de chevreau rôti	80
Saumon mayonnaise	194
Gelée au kirsch	309
Dessert	

	Pages.
Potage à la Conti	41
Epaule de mouton aux navets	75
Pigeons rôtis	119
Salade	251
Crème frite	288
Fromage	
Dessert	

DINERS MAIGRES

	Pages.
Potage semoule au lait	37
Vol-au-vent de quenelles maigres	333
Matelote bourgeoise	177
Cuisses de grenouilles	186
Purée de haricots blancs	229
Dessert	

Potage à l'oignon	42
Morue à la bourguignote	162
Carrelet au gratin	159
Gâteau de pommes de terre	206
Salade de laitue à la crème	252
Dessert	

Soupe aux poireaux et aux pommes de terre	38
Croquettes de poisson	29
Soles normandes	174
Epinards au sucre	248
Crème frite	288
Dessert	

Potage Parmentier	41
Pommes de terre au lait	201
Raie à l'huile	160
Mayonnaise de langouste	191
Asperges à la sauce blanche	222
Dessert	

	Pages.
Potage purée de légumes	44
Timbale de macaroni	279
Filets de merlans aux truffes	169
Haricots verts à l'anglaise (conserves)	226
Pommes au beurre	286
Dessert	

Soupe à l'oignon et au lait	43
Œufs à la béchamel	264
Saumon salé à la purée de pois	153
Salade de romaine	254
Glace à la vanille	311
Dessert	

Soupe à l'oignon et au fromage	42
Mulet au court-bouillon	156
Saumon grillé sauce genevoise	152
Petits pois au sucre	230
Crème au café	305
Dessert	

Dîner de Vendredi saint.

Potage bouillabaisse	45
Bouillabaisse	45
Asperges à l'huile	222
Brandade de morue	163
Salade de pommes de terre	205
Dessert	

REPAS DE RÉCEPTION

DÉJEUNER	Pages.
Quatre Hors-d'œuvre (beurre, radis, crevettes, saucission)	56
Omelette aux truffes	269
Filets de soles à la Colbert	173
Gigot rôti	73
Champignons farcis	243
Gelée au citron	310
Dessert	

DINER	Pages.
Potage fécule au gras	36
Hors-d'œuvre	56
Petits pâtés au jus	335
Côtelettes de veau en papillotes	84
Dinde rôtie au cresson	117
Pommes de terre frites dans le beurre	199
Salade de légumes	260
Blanc-manger	307
Dessert	

MENUS DE MAI

Productions particulières du mois : Rhubarbe, épinards, oseille, romaine, laitues, asperges, concombres, petits pois, carottes, navets, artichauts du Midi, pommes de terre nouvelles, brocolis. – En volaille : les canetons et les pigeons nouveaux. – En poisson : l'alose, la dorade, les maquereaux ; les moules et les huîtres ne sont plus aussi bonnes. – En primeurs : les cerises, les fraises.

DÉJEUNERS GRAS

	Pages.
Œufs durs aux épinards	265
Entrecôte braisée	64
Levraut sauté	130
Macédoine de légumes	259
Dessert	

	Pages.
Omelette au naturel	268
Côtelettes de veau sur le gril	83
Jambon froid	98
Crêpes au sucre	290
Dessert	

Maquereau à la flamande	165
Côtelettes de mouton jardinière	76
Terrine de volaille	321
Tarte à la bouillie	342
Dessert	

Andouillettes purée de pois	100
Fricassée de poulet	113
Asperges à la sauce blanche	222
Salade	251
Dessert	

	Pages.
Artichauts crus à la vinaigrette	250
Œufs brouillés aux pointes d'asperges	267
Côtelettes de porc frais à la Courlandaise	103
Pommes de terre au fromage	203
Dessert	

Choux rouges aux pommes	209
Boudin grillé	99
Veau froid sauce mayonnaise	91
Salade de légumes	260
Dessert	

Tête de veau à l'huile	88
Pieds de mouton à la poulette	78
Macaroni au gratin	278
Omelette aux confitures	273
Dessert	

Œufs à la coque	263
Bœuf à la mode	65
Soles frites	172
Haricots verts (conserves)	225
Dessert	

Rissoles de volaille	337
Dorade maître d'hôtel	157
Cervelles de mouton en matelote	78
Carottes à la bourguignonne	218
Dessert	

Concombres à la crème	238
Côtelettes de porc frais sauce tomate	95
Asperges à l'huile	222
Galettes de sarrasin	291
Dessert	

	Pages.
Coquilles Saint-Jacques	193
Pommes de terre en matelote	202
Veau roulé	91
Salade de romaine	254
Dessert	

Maquereau au beurre noir	164
Porc frais à la broche	95
Pommes de terre frites dans le beurre	199
Baba	347
Dessert	

Œufs brouillés aux pointes d'asperges	267
Rognon de bœuf sauce Madère	65
Epinards au jus	247
Tarte aux pommes	340
Dessert	

Koulibiac aux choux	338
Tripes à la mode de Caen	69
Ragoût de veau aux pois	82
Salade de laitue à la crème	252
Dessert	

Maquereaux à l'italienne	165
Ragoût de mouton aux carottes	76
Croquettes ou boulettes de pommes de terre	204
Plum-cake	357
Dessert	

Jambon aux épinards	98
Biftecks aux pommes de terre	63
Merlans frits	168
Salade	251
Crème à la vanille	304
Dessert	

DÉJEUNERS MAIGRES

Pages.

Pâté de saumon 331
Pommes de terre au lait .. 201
Œufs brouillés aux truffes 266
Saint-Honoré 345
Dessert

———

Œufs farcis 267
Filets de soles à la Colbert 173
Lentilles à l'huile 233
Tarte à la rhubarbe 356
Dessert

Pages.

Petits pâtés au macaroni . 335
Morue à la bourguignote. 162
Brocolis à la sauce 215
Tarte au fromage 360
Dessert

———

Omelette mousseuse 271
Matelote de lamproies..... 184
Choux-fleurs frits 214
Salade de pissenlit........... 255
Dessert

DINERS GRAS

Potage à la Conti 41
Côtelettes de veau aux fines herbes 83
Gigot d'agneau................ 80
Asperges à l'huile 222
Crème renversée 306
Dessert

———

Potage julienne................ 43
Veau en blanquette 85
Poulet rôti 112
Petits pois à l'anglaise 232
Pudding au pain 301
Dessert

———

Potage à la crème d'orge... 47
Filets mignons au beurre d'anchois 96
Canard aux pois 122
Artichauts sauce blanche 249
Gelée au kirsch 309
Dessert

Potage pot-au-feu 33
Bœuf bouilli 59
Anguille tartare 181
Laitues au jus 252
Soufflé au riz.................. 293
Dessert

———

Jambon aux épinards....... 98
Veau à la casserole 82
Asperges à la parmesane 223
Diplomate au rhum 297
Dessert

———

Potage livonien 48
Terrine de pigeons........... 324
Dindonneau au cresson ... 118
Oseille au jus................... 246
Beignets de pommes 287
Dessert

	Pages.
Potage aux raviolis	50
Abattis de volaille aux navets	118
Carpe frite	178
Champignons à la russe	245
Fromage à la chantilly	296
Dessert	

Potage sagou au gras	36
Cervelle de bœuf frite	67
Poulet Marengo	115
Artichauts à la barigoule	249
Tarte au riz	343
Dessert	

Soupe aux poireaux et aux pommes de terre	38
Coquilles de macaroni	278
Aloyau rôti	62
Asperges en petits pois	222
Gâteau de madeleine	349
Dessert	

Potage fécule au gras	36
Biftecks au cresson	63
Pigeons rôtis	119
Champignons aux fines herbes	243
Croquettes de riz	292
Dessert	

Potage à la Condé	42
Côtelettes de mouton Soubise	76
Alose à l'oseille	176
Omelette soufflée	274
Dessert	

	Pages.
Potage tapioca au gras	36
Filets sautés aux olives	64
Epaule de mouton rôtie	75
Asperges à la sauce blanche	222
Diplomate à la crème	297
Dessert	

Potage finlandais	48
Rouget barbet au gratin	171
Lapin mariné	136
Pommes de terre en purée	203
Pudding aux pommes	302
Dessert	

Potage vermicelle	35
Langue de bœuf sauce piquante	66
Fricandeau à l'oseille	84
Œufs au lait	275
Dessert	

Potage purée aux croûtons	40
Lapin au père Douillet	137
Turbot sauce aux câpres	157
Artichauts frits	250
Beignets soufflés	288
Dessert	

Potage julienne aux champignons	48
Tourte d'entrée à la viande	332
Poulet sauté	114
Salade	251
Dessert	

DINERS MAIGRES

	Pages.
Potage bouillon de champignons	49
Œufs brouillés au fromage	266
Croquettes de poisson	29
Timbale de macaroni aux truffes	336
Dessert	

	Pages.
Potage riz au lait	37
Soles au gratin	173
Ecrevisses à la bordelaise	186
Brocolis	215
Pain perdu	290
Dessert	

	Pages.
Potage à la purée de haricots blancs	41
Croûte aux champignons	242
Merlans aux fines herbes	168
Pommes de terre en gâteau	206
Crème au caramel	306
Dessert	

	Pages.
Potage panade	40
Morue en croquettes	162
Maquereau au beurre noir	164
Nouilles au beurre	318
Salsifis frits	221
Dessert	

REPAS DE RÉCEPTION

DÉJEUNER

	Pages.
Deux hors-d'œuvre	55
Rognons de mouton à la brochette	77
Omelette aux pointes d'asperges	272
Poulet rôti	112
Pommes de terre frites dans le beurre	199
Salade	251
Brioche	345
Dessert	

DINER

	Pages.
Potage pâtes d'Italie au gras	36
Quatre hors-d'œuvre	55
Pot-au-feu à l'anglaise	54
Petits vol-au-vent de crevettes	334
Canard rôti	122
Pois au sucre	230
Salade	251
Bombe glacée	312
Dessert	

MENUS DE JUIN

Productions du mois : Aubergines, rhubarbe, brocolis, épinards, oseille, romaine, tomates, laitues, asperges, concombres, petits pois, haricots verts, fèves de marais, carottes, navets, pommes de terre, artichauts. – En volaille : chapons, poulardes, dindonneaux, pigeons. – En poisson : toutes les espèces, la truite commence à paraître sur les marchés. – En fruits : cerises, fraises, groseilles, amandes, melons.

DÉJEUNERS GRAS

	Pages.
Maquereaux grillés	164
Foie de veau en papillotes..................................	87
Pommes de terre frites	198
Dartois aux pommes	343
Dessert	

	Pages.
Hachis de bœuf à la purée de pommes de terre	61
Tomates farcies	234
Côtelettes de mouton à la milanaise.......................	79
Salade	251
Dessert	

	Pages.
Pommes de terre cuites au four	197
Fromage de cochon.........	96
Ragoût de veau aux pois	82
Asperges à l'huile	222
Dessert	

	Pages.
Œufs durs à la béchamel.	264
Rognons de mouton à la	77
brochette	72
Rosbif froid mayonnaise.	305
Crème au chocolat	
Dessert	

	Pages.
Omelette à l'oignon	272
Veau en capilotade	92
Bœuf en vinaigrette.........	60
Tarte aux cerises.............	341
Dessert	

	Pages.
Concombres en hors-d'œuvre	238
Saucisses aux choux	102
Côtelettes de veau sauce tomate	83
Artichauts à la sauce	249
Dessert	

Pages.

Tomates en hors-d'œuvre 235
Bœuf en miroton 59
Merlans frits 168
Salade 251
Dessert

Omelette au rognon de veau 269
Pieds de cochon grillés ... 97
Langue de bœuf au gratin 66
Aubergines frites 236
Dessert

Morue au fromage 161
Pigeons aux pois 120
Haricots verts au beurre .. 224
Croûte au madère 289
Dessert

Jambon froid 98
Epinards au jus 247
Canard rôti au cresson 122
Petits pois à l'anglaise 232
Dessert

Harengs marinés 167
Pieds de mouton poulette 78
Entrecôte aux pommes soufflées 64
Haricots verts en salade .. 225
Dessert

Pages.

Omelette au lard 272
Gigot mariné 73
Macaroni au gratin 278
Croquettes de riz 292
Dessert

Pâté de hachis de bœuf ... 335
Côtelettes de porc frais à la Courlandaise 103
Coquilles de macaroni 278
Choux-fleurs sauce tomate 213
Dessert

Pommes de terre à la parisienne 200
Cervelles de bœuf en matelote 67
Gigot de mouton braisé ... 74
Chou à la crème *(légume)* 208
Dessert

Omelette au jambon 272
Pois au lard 231
Bœuf bouilli sauce tomate 71
Salade 251
Dessert

Fromage de cochon 96
Gigot froid 73
Filets de soles au gratin .. 174
Crêpes au sucre 290
Dessert

DÉJEUNERS MAIGRES

Œufs brouillés aux pointes d'asperges 267
Coquilles de crevettes 193
Soles à l'anglaise 175
Tomates au gratin 234
Tôt-fait 294
Dessert

Escargots à la bourguignonne 187
Anguille de mer sauce blanche 165
Pommes de terre en matelote 202
Aubergines farcies 236
Dessert

	Pages.
Petits pâtés au macaroni	279
Cuisses de grenouilles à la poulette	186
Matelote bourgeoise	177
Salade	251
Dessert	

	Pages.
Sardines fraîches	176
Brochet à la villageoise	180
Navets au sucre	217
Omelette soufflée	274
Dessert	

DINERS GRAS

Potage purée de pois aux croûtons	40
Tomates farcies	234
Chevreau rôti	80
Fèves à la poulette	230
Glace à la fraise	311
Dessert	

Potage purée de haricots blancs et croûtons	41
Petits pâtés aux quenelles	335
Epaule de mouton farcie	76
Carottes à la bourguignonne	218
Gelée au kirsch	309
Dessert	

Potage riz au gras	35
Boulettes de hachis de bœuf frites	61
Poulet à la casserole	112
Choux-fleurs à l'huile	214
Tarte aux fraises	342
Dessert	

Bouillon gras aux raviolis	50
Foie de veau à la poêle	87
Pigeons en compote	120
Petits pois à l'anglaise	232
Soufflé à la fécule	293
Dessert	

Potage aux nouilles	54
Tête de veau vinaigrette	88
Gigot braisé	74
Eperlans frits	171
Tartelettes aux cerises	341
Dessert	

Potage aux choux, riz et fromage	49
Soles au gratin	173
Filet de bœuf à la broche	62
Champignons farcis	243
Fromage glacé	311
Dessert	

Potage à l'oignon	42
Petits vol-au-vent	334
Poulet au riz	116
Haricots verts à la poulette	225
Gâteau au rhum	352
Dessert	

Potage paysanne	44
Timbale au macaroni	336
Premier talon de collier mariné	63
Artichauts frits	250
Salade	251
Dessert	

	Pages.
Potage aux quenelles	53
Entrecôte aux pommes de terre frites	64
Canard rôti	122
Asperges à la sauce blanche	222
Tarte à la rhubarbe	356
Dessert	

Potage pâtes d'Italie au gras	36
Salmis de canard	124
Oie en daube	123
Truites frites	154
Crème à la vanille	304
Dessert	

Pot-au-feu à l'anglaise	54
Bœuf bouilli	59
Filets de soles au gratin	174
Foie de veau à la broche	86
Champignons à la russe	245
Dessert	

Potage tapioca à la tomate	46
Bœuf bouilli sauce piquante	71
Lapin mariné	136
Salade de romaine	254
Soupe aux cerises (entremets)	52
Dessert	

	Pages.
Potage julienne languedocienne	47
Cervelles de veau en matelote	90
Alose à l'oseille	176
Petits pois au sucre	230
Omelette soufflée	274
Dessert	

Risotto à la milanaise	50
Aubergines farcies	236
Maquereau sauce groseilles vertes	23
Poulet aux olives	115
Asperges en petits pois	222
Dessert	

Potage à la crème d'orge	47
Veau roulé	91
Porc frais à la broche	95
Pommes de terre en purée	203
Salade	251
Dessert	

Potage Parmentier	41
Coquilles Saint-Jacques	193
Bœuf à la mode	65
Pommes au beurre	286
Dessert	

DINERS MAIGRES

Potage tapioca au lait	37
Tomates en hors-d'œuvre	235
Koulibiac de saumon	339
Aubergines frites	236
Dame blanche	276
Dessert	

Potage purée de légumes	44
Raie au beurre noir	159
Merlans frits	168
Salade de légumes	260
Pain perdu	290
Dessert	

Pages.

Soupe à l'oignon et au lait ... 43
Morilles à la provençale . 244
Saumon à la béchamel 153
Pommes de terre au fromage ... 203
Asperges à l'huile ... 222
Dessert

Pages.

Potage julienne aux champignons ... 48
Coquilles de poisson ... 194
Truites sauce genevoise .. 154
Haricots verts sautés au beurre ... 224
Meringues ... 355
Dessert

REPAS DE RÉCEPTION

Hors-d'œuvre ... 55
Mulet grillé maître d'hôtel ... 156
Rosbif purée de pommes 62
de terre ... 251
Salade ...
Flageolets sautés au beurre 227
Beignets soufflés ... 288
Dessert

Potage à la crème d'orge. 47
Melon ... 257
Beurre, radis, crevettes, saucisson ... 55
Poulet sauté ... 114
Faisan rôti ... 141
Champignons farcis ... 243
Céleri au gratin ... 256
Pommes flambantes ... 286
Dessert

MENUS DE JUILLET

Productions du mois : Les légumes de toute espèce et en grande quantité ; tous les fruits, exceptés le raisin et les pêches. Le poisson abonde sur les marchés. La volaille comme dans le mois de juin.

DÉJEUNERS GRAS

Pages.

Harengs de Dieppe marinés 167
Œufs mollets à l'oseille .. 264
Gras-double à la lyonnaise 68
Choux-fleurs sauce tomate ... 213
Dessert

Pages.

Pommes de terre en ragoût ... 200
Blanquette de volaille ... 110
Asperges à la parmesane. 223
Beignets d'abricots ... 288
Dessert

Pages.

Tomates en hors-d'œuvre 235
Chaud-froid de volaille... 26
Filets sautés aux olives ... 64
Petits pois à l'anglaise 232
Dessert

Artichauts crus vinaigrette 250
Omelette au jambon........ 272
Rognon de bœuf aux champignons................ 65
Coquilles de macaroni 278
Dessert

Crevettes 56
Merlans au gratin 168
Fricandeau à l'oseille...... 84
Salade de chicorée 254
Dessert

Coquilles de champignons................ 244
Ragoût de veau aux pois. 82
Ecrevisse à la bordelaise. 186
Tomates farcies 234
Dessert

Bœuf bouilli en vinaigrette 60
Côtelettes de mouton, purée de pois 76
Jambon aux épinards....... 98
Pudding au pain 301
Dessert

Harengs frais frits 167
Rognons de mouton à la tartare........................... 77
Grondins sauce genevoise............................ 156
Salade............................ 251
Dessert

Pages.

Œufs brouillés aux champignons 267
Petits pâtés au hachis...... 335
Biftecks aux pommes de terre frites 63
Crêpes au sucre.............. 290
Dessert

Omelette au lard............. 272
Saucisses aux choux 102
Fraise de veau 89
Tarte aux fraises............. 342
Dessert

Maquereau au beurre noir............................... 164
Abattis d'oie................... 123
Volaille froide 123
Chicorée au jus 254
Dessert

Concombres en hors-d'œuvre........................ 238
Pois au lard 231
Langue de bœuf au gratin........................ 66
Aubergines frites............ 236
Dessert

Omelette au macaroni..... 271
Morue à la bourguignote. 162
Côtelettes de veau fines herbes........................... 83
Laitue au jus................... 252
Dessert

Anchois salés 175
Anguilles frites................ 183
Bœuf à la mode.............. 65
Tarte au fromage 360
Dessert

	Pages.
Œufs au beurre noir	265
Bœuf bouilli aux navets	72
Concombres à la crème	238
Salade de légumes	260
Dessert	

	Pages.
Pommes de terre cuites au four	197
Côtelettes de veau grillées	83
Chicorée cuite	254
Dessert	

REPAS DE RÉCEPTION

Omelette au naturel	268
Morue en croquettes	162
Salade de pommes de terre	205
Crème frite	288
Dessert	

Pommes de terre maître d'hôtel	200
Brochet à la villageoise	180
Carottes au beurre	219
Haricots verts à la poulette	225
Dessert	

Œufs à la coque	263
Carpe à la provençale	179
Macaroni à l'italienne, sauce tomate	278
Soupe aux abricots (entremets)	52
Dessert	

Sardines et beurre	55
Petits pâtés de saumon	194
Alose au court-bouillon	176
Pommes de terre frites dans le beurre	199
Dessert	

DINERS GRAS

Potage aux choux	37
Langue de bœuf, sauce piquante	66
Ris de veau	88
Navets au sucre	217
Salade	251
Dessert	

Potage semoule au gras	36
Pieds de veau à la vinaigrette	90
Epaule de mouton farcie	76
Chou à la crème	208
Pommes flambantes	286
Dessert	

Potage Julienne au gras	43
Raie au beurre blanc	160
Lapin rôti	136
Salade de langouste	192
Mousse à la russe	303
Dessert	

Soupe à l'oseille	39
Côtelettes de mouton à la milanaise	79
Dinde rôtie	117
Fèves des marais	229
Concombres frits	238
Dessert	

	Pages.
Potage à la purée de haricots blancs	41
Dorade sauce blanche	157
Filets mignons Soubise	96
Salade de haricots verts	225
Dessert	

Potage au tapioca à la tomate	46
Coquilles de poisson	194
Gigot rôti	73
Haricots blancs au beurre	228
Artichauts barigoule	249
Dessert	

Potage riz au gras	35
Lapin rôti	137
Poulet Marengo	115
Chou farci	208
Beignets de fraises	288
Dessert	

Soupe panade	40
Rognons de bœuf aux champignons	65
Gigot à la Brissac	80
Haricots verts à l'anglaise	226
Gelée au rhum	309
Dessert	

Potage Parmentier	41
Ragoût de mouton ou Navarin	76
Eglefin sauce aux câpres	156
Navets au jus	217
Kache	303
Dessert	

	Pages.
Potage purée de légumes	44
Côtelettes de porc frais à la Courlandaise	103
Truite sauce hollandaise	154
Timbale de macaroni	279
Gâteau nantais	350
Dessert	

Potage riz au lait	37
Pommes de terre farcies	202
Canard aux navets	122
Tomates au gratin	234
Salade	251
Dessert	

Bouillabaisse	45
Poissons de la bouillabaisse	45
Gigot de mouton mariné	73
Oseille au jus	246
Œufs au lait	275
Dessert	

Potage paysanne	44
Coquilles de poisson	194
Restes de bœuf rôti sauce Robert	72
Cardons au jus	256
Epinards au sucre	248
Dessert	

Potage finlandais	48
Omelette aux fines herbes	269
Foie de veau en papillotes	87
Petits pois au sucre	230
Savarin	348
Dessert	

Pages.	
Potage bisque	44
Pâtés chauds à la viande	332
Barbue	158
Aloyau rôti	62
Salade	251
Glace à la fraise	311
Dessert	

Pages.	
Potage livonien	48
Grondins sauce aux câpres	156
Poulet aux olives	115
Mousse à la russe	303
Dessert	

DINERS MAIGRES

Potage pâtes d'Italie au lait	37
Petits pâtés de macaroni	335
Cabillaud sauce hollandaise	163
Purée de navets	217
Beignets soufflés	288
Dessert	

Potage vermicelle à l'oseille	39
Terrine de poisson	326
Œufs durs à l'oseille	265
Saumon mayonnaise	194
Artichauts frits	250
Salade	251
Dessert	

Potage julienne aux champignons	48
Morue aux pommes de terre	161
Filets de soles à la Colbert	173
Boulettes de pommes de terre	204
Champignons farcis	243
Dessert	

Potage à la tomate	46
Raie frite	160
Filets de merlans à la Orly	168
Choux-fleurs sauce blanche	213
Salade de laitue à la crème	252
Dessert	

REPAS DE RÉCEPTION

DÉJEUNER

Deux hors-d'œuvre	55
Terrine de veau et jambon	323
Fricandeau à l'oseille	84
Eperlans frits	171
Asperges à l'huile	222
Tarte aux poires	342
Dessert	

DINER

Biftecks au cresson	63
Pigeons rôtis	119
Petits pois au beurre	232
Salade	251
Gelée aux framboises	310
Dessert	

MENUS D'AOÛT

Productions du mois : Le gibier commence à paraître sur les marchés, tous les légumes abondent. Il faut ajouter aux fruits du mois précédent : les pêches, le raisin, les melons, les amandes.

DÉJEUNERS GRAS

	Pages.
Chou marin	214
Bœuf bouilli sauce tomate	71
Côtelettes de porc frais sauce tartare	95
Artichauts au jus	249
Dessert	

Tomates en hors-d'œuvre	235
Boulettes de hachis de bœuf	61
Jambon aux épinards	98
Riz à la créole	122
Dessert	

Rognons de mouton sautés	78
Veau en matelote	83
Goujons frits	184
Salade	251
Dessert	

Homard mayonnaise	191
Quenelles sauce blanquette	28
Pigeons aux pois	120
Pommes de terre en boulettes	204
Dessert	

Beurre et anchois	55
Anguille à la poulette	182
Cailles rôties	142
Artichauts au jus	249
Dessert	

	Pages.
Œufs farcis	267
Rissoles à la viande	337
Terrine de lièvre	323
Tarte aux prunes	341
Dessert	

Cèpes à la provençale	241
Bœuf sauce piquante	71
Canard aux olives	122
Haricots verts à l'anglaise	226
Dessert	

Fèves en hors-d'œuvre	230
Tomates farcies	234
Ris de veau à l'oseille	88
Macaroni au gratin	278
Salade	251
Dessert	

Omelette au macaroni	271
Côtelettes de mouton purée de pommes	76
Fromage de cochon	96
Salade	251
Dessert	

Pieds de porc grillés	97
Mou de veau en matelote	89
Goujons frits	184
Macédoine de légumes	259
Dessert	

	Pages.
Pieds de mouton poulette	78
Mayonnaise de volaille	112
Salmis de bécasses	144
Croquettes de riz	292
Dessert	

Pommes de terre cuites à la vapeur	198
Paëlla	189
Bœuf aux choux	71
Melon au sucre	257
Dessert	

Tomates en hors-d'œuvre	235
Emincé de lièvre aux champignons	130
Soles frites	172
Petits pois au sucre	230
Dessert	

	Pages.
Artichauts crus vinaigrette	250
Gras-double à la lyonnaise	68
Perdrix aux choux	140
Salade de légumes	260
Dessert	

Pommes de terre au lard	201
Jambon à la poêle	98
Côtelettes de veau sur le gril	83
Haricots verts à la poulette	225
Dessert	

Foie de veau sauté	87
Œufs à l'oseille	265
Salade de homard	192
Crème au café	305
Fromage	
Dessert	

DÉJEUNERS MAIGRES

Œufs à l'ail	272
Saumon sur le gril	152
Epinards au sucre	248
Haricots mange-tout	225
Dessert	

Pommes de terre en matelote	202
Soles aux fines herbes	172
Choux-fleurs sauce tomate	213
Tarte aux pêches	341
Dessert	

Croquettes de poisson	29
Matelote de lamproies	184
Salsifis à la sauce blanche	220
Beignets de pêches	288
Dessert	

Vol-au-vent maigre	333
Melon	257
Cabillaud sauce hollandaise	163
Navets au sucre	217
Dessert	

DINERS GRAS

Potage sagou au gras	36
Bœuf bouilli aux navets	72
Lièvre rôti	129
Merlans frits	168
Fromage	
Dessert	

Potage aux tomates	46
Filets mignons sauce tartare	96
Filets de chevreuil	127
Carottes au beurre	219
Pudding au pain	301
Fromage	
Dessert	

	Pages.
Potage au riz à l'oseille...	39
Bitokes à la russe	70
Porc frais à la broche	95
Ecrevisses à la marinière	185
Salade	251
Fromage	
Dessert	

Pot-au-feu à l'anglaise	54
Bœuf bouilli	59
Perdreaux rôtis	139
Artichauts à la barigoule.	249
Croûtes aux pêches	287
Dessert	

Potage aux œufs pochés..	265
Filets de merlans à la Orly	168
Salmis de bécasses	144
Omelette au rhum	273
Biscuit de Savoie	351
Dessert	

Potage purée de lentilles.	41
Epaule de mouton farcie.	76
Poulet à l'estragon	114
Choux-fleurs à la sauce tomate	213
Dessert	

Potage à la Condé	42
Côtelettes de veau en papillotes	84
Lapin à la Marengo.........	136
Pommes de terre soufflées	199
Diplomate à la crème......	297
Dessert	

	Pages.
Soupe aux choux.............	37
Petit salé aux choux	102
Foie de veau à la broche.	86
Choux-fleurs frits	214
Glace à la vanille	311
Dessert	

Potage julienne aux champignons.................	48
Langue de bœuf sauce piquante	66
Veau à la casserole..........	82
Fondue.............................	270
Crème bachique	308
Dessert	

Potage printanier.............	44
Filets de soles au gratin ..	174
Lapin au père Douillet....	137
Epinards au jus................	247
Gâteau de Pithiviers........	353
Dessert	

Potage pâtes d'Italie au gras	36
Bœuf à la mode...............	65
Macaroni à la financière.	279
Champignons en coquilles	244
Fromage bavarois à la vanille	294
Dessert	

Potage aux quenelles.......	53
Cervelle de bœuf frite.....	67
Foie de veau en papillotes	87
Dame banche...................	276
Dessert	

Pages.	
Potage tapioca à la tomate	46
Côtelettes de mouton milanaise	79
Bécassines rôties	145
Pommes de terre duchesse	204
Omelette au rhum	273

Dessert

Potage choux, riz et fromage	49
Côtelettes de veau en papillotes	84
Bécasses rôties	144
Champignons sautés	243
Salade	251

Dessert

Pages.	
Potage purée de légumes	44
Petits pâtés au jus	335
Poulet aux olives	115
Soles frites	172
Œufs à la neige	275

Dessert

Potage vermicelle à l'oignon	43
Filet sauté aux olives	64
Veau à la casserole	82
Concombres à la crème	237
Salade	251

Dessert

DINERS MAIGRES

Potage semoule à l'oignon	43
Terrine de poisson	326
Salmis de macreuse	145
Riz à la créole	122
Charlotte de pommes	284

Dessert

Potage aux nouilles	53
Omelette au fromage	270
Macaroni en coquilles	278
Salade	251
Pain perdu	290

Dessert

Potage riz au lait	37
Maquereau à la flamande	165
Carpe à la provençale	178
Haricots blancs maître d'hôtel	228
Gelée aux fraises	310

Dessert

Potage bouillon de champignons	49
Rouget barbet sur le gril	171
Salade de langouste	192
Soufflé au chocolat	293
Tarte aux pêches	341

Dessert

REPAS DE RÉCEPTION

DÉJEUNER

Deux hors-d'œuvre	55
Homard mayonnaise	191
Tomates au gratin	234
Poulet à l'estragon	114
Haricots verts au beurre	224
Kache	303

Dessert

DINER

Potage livonien	48
Rissoles	337
Filet de bœuf	62
Poulet à la casserole	112
Petits pois au beurre	232
Glace à la vanille	311

Dessert

MENUS DE SEPTEMBRE

Productions du mois : Les légumes de toute espèce se trouvent sur les marchés. Les truffes commencent à venir. – Le gibier arrive en abondance. – Les huîtres recommencent à être bonnes ainsi que les moules. On trouve tous les fruits, auxquels on peut ajouter les noix, les marrons et les pommes.

DÉJEUNERS GRAS

	Pages.
Pieds de mouton poulette	78
Côtelettes de mouton grillées	76
Terrine de gibier.............	323
Dessert	

Omelette au jambon........	272
Poulet sauté.....................	114
Purée de pommes de terre..............................	203
Dessert	

Jambon à la poêle	98
Foie de veau sauté...........	87
Cervelles de bœuf frites..	67
Dessert	

Langue au gratin	66
Entrecôte au cresson	64
Choux de Bruxelles.........	212
Dessert	332

	Pages.
Tourte à la viande...........	
Biftecks aux pommes de	63
terre..............................	224
Haricots verts au beurre..	341
Tarte aux prunes.............	
Dessert	

	269
Omelette aux fines herbes	
Champignons à la pro-	244
vençale..........................	95
Porc frais rôti	251
Salade	
Dessert	

	267
Œufs farcis	
Côtelettes de veau en	84
papillotes	243
Champignons farcis	
Dessert	

	185
Ecrevisses en buisson	
Abattis de volaille aux	118
navets	73
Gigot rôti	226
Haricots flageolets	
Dessert	

	Pages.
Coquilles de poisson	194
Blanquette de volaille	110
Saumon grillé sauce au beurre	152
Petits pois à l'anglaise	232
Dessert	

Saucisses aux choux	102
Tête de veau vinaigrette	88
Mauviettes rôties	143
Salade de légumes	260
Gâteau nantais	350
Dessert	

Sardines fraîches avec beurre	176
Rognons à la brochette	77
Perdrix au chou	140
Choux-fleurs au beurre	213
Dessert	

	Pages.
Œufs brouillés aux truffes	266
Epaule de mouton rôtie	75
Cardons au jus	256
Dessert	

Jambon froid au naturel	98
Châteaubriant aux pommes de terre	63
Canard aux pois	122
Dessert	

Merlans au gratin	168
Bitokes à la russe	70
Chicorée au jus	254
Dessert	

Coquilles de volaille	123
Gigot à la Brissac	80
Veau rôti	81
Salade	251
Dessert	

DINERS MAIGRES

Œufs brouillés au fromage	266
Raie au beurre noir	159
Eperlans frits	171
Pommes au beurre	286
Dessert	

Omelette mousseuse	271
Morue au fromage	161
Fondue à la ménagère	270
Petits pois au sucre	230
Dessert	

Soles au vin blanc	172
Bar grillé sauce genevoise	155
Macaroni au gratin	278
Pudding au rhum	299
Dessert	

Croquettes de poisson	29
Moules à la poulette	188
Pommes de terre au lait	201
Navets au sucre	217
Dessert	

DINERS GRAS

Potage purée de pois	40
Matelote d'anguille	183
Gigot de chevreuil	126
Boulettes de pommes de terre	204
Compote de poires	364
Dessert	

Potage Condé	42
Terrine de gibier	323
Poulet rôti	112
Salade	251
Crème frite	288
Dessert	

Pages.

Soupe aux poireaux et aux pommes de terre 38
Boulettes de hachis de bœuf 61
Lapin mariné 136
Merlans frits 168
Saint-Honoré 345
Dessert

Potage tapioca au gras 36
Langue de bœuf sauce piquante 66
Poulet truffé 112
Chicorée au jus 254
Tarte aux pêches 341
Dessert

Potage riz au gras 35
Soles au gratin 173
Oie rôtie 122
Riz à la créole 122
Gâteau au rhum 352
Dessert

Potage paysanne 44
Civet de lièvre 129
Filet de bœuf au cresson. 62
Epinards au jus 247
Crème à la vanille 304
Dessert

Potage julienne languedocienne 47
Huîtres en coquilles 190
Perdreaux rôtis 139
Macédoine de légumes ... 259
Beignets de fraises 288
Dessert

Pages.

Potage Conti 41
Bœuf salé à l'anglaise 69
Canard rôti 122
Salsifis frits 221
Charlotte de pommes meringuées 284
Dessert

Potage risotto à la milanaise 50
Veau roulé 91
Poule au riz 116
Choux-fleurs sauce tomate 213
Tôt-fait 294
Dessert

Soupe à l'oignon 42
Civet de chevreuil 127
Veau à la casserole 82
Haricots blancs en purée. 229
Crème à la fleur d'oranger 304
Dessert

Potage au potiron 42
Côtelettes de veau aux fines herbes 83
Filet de chevreuil 127
Concombres à la crème... 238
Artichauts frits 250
Dessert

Potage Crécy au gras 35
Bar sauce aux câpres 155
Dindonneau rôti 117
Timbale de macaroni 336
Gelée au rhum 309
Dessert

	Pages.
Potage à l'oseille	39
Cervelles à la poulette	90
Fricandeau à la chicorée	84
Flageolets au beurre	227
Charlotte russe	297
Dessert	

	Pages.
Bouillabaisse	45
Cervelles de mouton	78
Pigeons aux pois	120
Croquettes de pommes de terre	204
Soufflé au chocolat	293
Dessert	

Potage aux choux	38
Salmis de bécasses	144
Porc frais à la broche	95
Aubergines farcies	236
Omelette aux confitures	273
Dessert	

Potage purée de légumes	44
Raie frite	160
Bécasses rôties	144
Salade	251
Roussettes	290
Dessert	

DINERS MAIGRES

Potage tapioca à la tomate	46
Rissoles au poisson	337
Anguille tartare	181
Purée de pommes de terre	203
Gelée aux fruits	310
Dessert	

Soupe à la farine	51
Morue aux pommes de terre	161
Soles normandes	174
Salade de saison	251
Beignets de pommes	287
Dessert	

Potage crème d'orge	47
Filets de merlans à la Orly	168
Aspic au poisson	19
Croûte aux champignons	242
Epinards au sucre	248
Dessert	

Potage riz purée	40
Coquilles de poisson	194
Barbue sauce hollandaise	158
Œufs aux épinards	265
Beignets soufflés	288
Dessert	

DINERS MAIGRES

DÉJEUNER

Huîtres et citron	190
Petits vol-au-vent	334
Quenelles maigres sauce blanche	29
Aloyau rôti	62
Choux-fleurs frits	214
Salade	251
Savarin	348
Dessert	

DINER

Potage livonien	48
Hors-d'œuvre	55
Vol-au-vent de saumon	333
Salmis de perdreaux	141
Truffes au vin	208
Truites frites	154
Bombe au café	312
Dessert	

MENUS D'OCTOBRE

Productions particulières du mois : En légumes : céleri, cardons, épinards, chicorée ; on peut encore avoir des pois mais ils sont chers et n'ont plus aussi bon goût. – Le gibier et le poisson abondent. – La volaille augmente de prix. Les fruits ne sont pas chers ; il y a des poires de toute espèce, du raisin, des figues, des noix et des pommes. Les melons disparaissent.

DÉJEUNERS GRAS

	Pages.
Huîtres portugaises	190
Rognons à la brochette	77
Pigeons rôtis	119
Salade	251
Dessert	

Tête de veau au naturel	88
Bitokes à la russe	70
Haricots blancs à l'huile	228
Dessert	

Moules à la poulette	188
Ragoût de mouton aux pommes de terre	76
Champignons aux fines herbes	243
Dessert	

Bœuf en hachis	60
Pieds de cochon grillés	97
Coquilles de volaille	123
Salade	251
Dessert	

Jambon au naturel	98
Biftecks aux pommes de terre	63
Crème à la vanille	304
Dessert	

	Pages.
Saucisses aux choux	102
Soles normandes	174
Veau rôti	81
Salade	251
Dessert	

Omelette aux rognons	269
Foie de veau à la poêle	87
Perdreau rôti	139
Salade	251
Tarte au riz	343
Dessert	

Mayonnaise de homard	191
Lapin en gibelotte	135
Epinards	247
Cannelle-Cake	359
Dessert	

Œufs à la béchamel	264
Terrine de cailles	324
Navets au jus	217
Cardons au jus	256
Dessert	

	Pages.
Andouilles grillées	100
Filets mignons de porc frais	96
Eperlans frits	171
Dessert	
Hachis purée de pommes de terre	61
Fraise de veau	89
Gigot froid sauce mayonnaise	73
Dessert	
Harengs frais	166
Veau roulé	91
Lentilles au beurre	233
Dessert	
Cervelles au beurre noir	90
Gras-double à la lyonnaise	68
Saumon grillé	152
Omelette au sucre	273
Dessert	
Pommes de terre à la vapeur	198
Champignons farcis	243
Entrecôte braisée	64
Chicorée cuite	254
Dessert	
Rognons de bœuf sauce madère	65
Foie de veau à la bourgeoise	86
Haricots rouges	229
Dessert	
Boudin grillé	99
Abattis de volaille	118
Céleri au jus	255
Quiche	349
Dessert	

DINERS MAIGRES

Hors-d'œuvre	55
Barbue sauce aux câpres	158
Salade	251
Croquettes de riz	292
Dessert	
Omelette au pain	270
Friture de Seine	184
Brochet sur le gril	179
Crème au chocolat	305
Dessert	
Œufs à la coque	263
Coquilles de poisson	194
Tourte au macaroni	280
Salade de céleri	255
Dessert	
Koulibiac aux choux	338
Morue au fromage	161
Tomates farcies	234
Gâteau de semoule	291
Dessert	

DINERS GRAS

Potage vermicelle au gras	35
Choucroute garnie	211
Gigot rôti	73
Haricots maître d'hôtel	228
Soufflé à la fécule	293
Dessert	
Soupe à l'oseille	39
Cervelles de bœuf frites	67
Lièvre rôti	129
Choux-fleurs sauce tomate	213
Pudding au pain	301
Dessert	

Pages.

Soupe paysanne.............. 44
Salmis de perdreaux........ 141
Canard rôti 122
Macaroni à la financière . 279
Charlotte russe 297
Dessert

———

Potage au potiron 42
Croquettes de volaille 29
Filet de bœuf rôti 62
Pommes de terre cuites à l'eau 197
Roussettes 290
Dessert

———

Potage finlandais............ 48
Langue de bœuf sauce piquante 66
Chevreuil rôti 127
Salade............................. 251
Dessert

———

Potage aux choux, riz et fromage......................... 49
Rissoles à la viande......... 337
Epaule de mouton farcie. 76
Artichauts frits 250
Dessert

———

Potage au riz à l'oseille... 39
Raie au beurre noir 159
Canard sauvage............... 145
Navets au sucre.............. 217
Dessert

Pages.

Potage aux quenelles....... 53
Cervelle de bœuf en matelote 67
Ris de veau au jus 88
Haricots flageolets (conserve) 227
Dessert

———

Potage pâtes d'Italie au gras 36
Petits pâtés chauds 335
Bœuf à la mode.............. 65
Tarte à la bouillie 342
Dessert

———

Soupe aux poireaux et aux pommes de terre 38
Côtelettes de mouton panées 76
Lapin de garenne............ 132
Pommes de terre en soufflé................................ 203
Dessert

———

Potage semoule à l'oignon 43
Coquilles St-Jacques 193
Poulet Marengo.............. 115
Pommes portugaises 286
Dessert

———

Soupe maigre aux choux. 38
Blanquette de volaille 110
Lièvre rôti 129
Choux rouges aux pommes 209
Gâteau de madeleine....... 349
Dessert

Menu	Pages.
Potage à la purée de haricots blancs	41
Carrelet au gratin	159
Côtelettes de chevreuil	128
Concombres frits	238
Dessert	

Menu	Pages.
Potage aux raviolis	50
Jambon aux épinards	98
Poule au riz	116
Quiche	349
Dessert	

Menu	Pages.
Potage vermicelle à l'oseille	39
Boulettes de hachis	61
Pigeons en compote	120
Salade	251
Dessert	

Menu	Pages.
Potage Crécy	35
Petits vol-au-vent	334
Gigot braisé	74
Salade	251
Dessert	

DINERS MAIGRES

Menu	Pages.
Potage semoule au lait	37
Raie à l'huile	160
Anguille tartare	181
Epinards au sucre	248
Dessert	

Menu	Pages.
Potage julienne maigre	43
Ecrevisse à la bordelaise	186
Carpe sauce genevoise	177
Tarte aux poires	342
Dessert	

Menu	Pages.
Potage vermicelle à l'oignon	43
Croquettes de morue	162
Bisette en salmis	145
Salade	251
Dessert	

Menu	Pages.
Potage au potiron	42
Petits pâtés de poisson	194
Matelote bourgeoise	177
Céleri au maigre	256
Mousse à la russe	303
Dessert	

REPAS DE RÉCEPTION

DÉJEUNER

Menu	Pages.
Deux hors-d'œuvre	55
Huîtres de Marennes	190
Côtelettes de veau en papillotes	84
Perdreaux truffés	139
Haricots verts (conserves)	225
Crème renversée	306
Dessert	

DINER

Menu	Pages.
Potage livonien	48
Quatre hors-d'œuvre	55
Huîtres en coquilles	190
Cochon de lait	104
Bécassines rôties	145
Salsifis frits	221
Gelée au kirsch	309
Dessert	

MENUS DE NOVEMBRE

Productions particulières du mois : Les légumes sont en moins grande abondance, on ne trouve plus ni pois ni haricots, il faut prendre ceux de conserves : les salades deviennent rares, cependant on peut voir encore des chicorées et des romaines. – Le gibier donne comme le mois précédent. – Le poisson arrive en moins grande abondance, excepté les moules, les huîtres et les harengs frais. – Les fruits disparaissent ; on trouve cependant des pommes de Calville, des rainettes du Canada et des pommes d'api, du chasselas gardé en sacs et des oranges d'Espagne et d'Algérie.

DÉJEUNERS GRAS

	Pages.
Harengs frais grillés sauce au beurre	166
Pieds de veau à la vinaigrette	90
Tripes à la mode de Caen	69
Salade	251
Dessert	

	Pages.
Saucisses à la purée de pois	103
Ragoût de mouton aux navets	76
Œufs brouillés au fromage	266
Dessert	

Rognons de mouton sautés	78
Ragoût de veau aux oignons	82
Tôt-fait	294
Dessert	

Pommes de terre duchesse	204
Entrecôte au cresson	64
Terrine de gibier	323
Dessert	

	Pages.
Omelette aux champignons	269
Lapin à la Marengo	136
Céleri au jus	255
Dessert	

Jambon froid	98
Terrine de volaille	321
Macaroni financière	279
Dessert	

Œufs farcis	267
Matelote bourgeoise	177
Côtelettes de porc frais sauce tomate	95
Salade	251
Dessert	

Tourte au macaroni	280
Raie au beurre noir	159
Pigeons en compote	120
Dessert	

Huîtres	190
Omelette aux truffes	269
Poulet aux olives	115
Salade	251
Dessert	

Boulettes de hachis de bœuf	61
Poitrine de mouton grillée	79
Haricots blancs en salade	228
Dessert	

	Pages.
Cervelle de veau à la poulette	90
Lièvre en civet	129
Chicorée cuite	254
Tarte aux pommes	340
Dessert	

Thon mariné	155
Côtelettes de mouton Soubise	76
Cailles rôties	142
Salade	251
Dessert	

Hors-d'œuvre	55
Croquettes de volaille	29
Foie de veau à la bourgeoise	86
Fondue	270
Dessert	

Moules à la marinière	189
Aloyau rôti au cresson	62
Navets au jus	217
Soufflé au chocolat	293
Dessert	

Omelette au lard	272
Tête de veau vinaigrette	88
Porc frais à la broche	95
Salade	251
Dessert	

Pieds de veau à l'huile	90
Poitrine de mouton grillée	79
Pommes de terre en salade	205
Beignets soufflés	288
Dessert	

DÉJEUNERS MAIGRES

Pages.	
Escargots à la bourguignonne	187
Ecrevisses en buisson	185
Soles au gratin	173
Pommes portugaises	286
Dessert	

Huîtres avec citron	190
Pommes de terre frites au beurre	199
Terrine de poisson	326
Compote de poires	364
Dessert	

Pages.	
Harengs saurs en hors-d'œuvre	168
Matelote de lamproies	184
Céleri au gratin	256
Choux à la crème	344
Dessert	

Macaroni en coquilles	278
Saumon à la béchamel	153
Macédoine de légumes	259
Œufs à la neige	275
Dessert	

DINERS GRAS

Potage julienne aux champignons	48
Grondins sauce genevoise	156
Biftecks au beurre d'anchois	63
Omelette soufflée	274
Dessert	

Potage semoule au gras	36
Langue de bœuf sauce tomate	66
Navarin aux pommes de terre	76
Salade	251
Dessert	

Potage livonien	48
Merlans au gratin	168
Foie de veau à la broche	86
Soufflé au riz	293
Dessert	

Potage vermicelle à l'oignon	43
Ris de veau à l'oseille	88
Bécasses rôties	144
Gâteau de Pithiviers	353
Dessert	

Potage aux nouilles	53
Abattis de dinde aux navets	118
Lièvre mariné	129
Timbale de macaroni	336
Meringues	355
Dessert	

Potage sagou au gras	36
Foie de veau en papillotes	87
Salmis de perdreaux	141
Topinambours	206
Dessert	

	Pages.
Potage printanier	44
Côtelettes de mouton milanaise	79
Bœuf à la mode	65
Salade	251
Dessert	

Potage poireaux et pommes de terre	38
Cabillaud sauce hollandaise	163
Canard aux navets	122
Omelette aux confitures	273
Dessert	

Potage à la Conti	41
Boulettes de hachis de bœuf	61
Filets sautés aux champignons	64
Goujons frits	184
Dessert	

Potage aux quenelles	53
Petits vol-au-vent	334
Filets de soles à la Colbert	173
Canard sauvage	145
Salade	251
Dessert	

Potage à la crème d'orge	47
Truites de rivière sauce genevoise	154
Côtelettes de chevreuil	128
Boulettes de pommes de terre	204
Dessert	

	Pages.
Potage semoule au gras	36
Emincé de lièvre aux champignons	130
Carré de veau rôti	81
Epinards au jus de veau	247
Dessert	

Soupe à l'oignon	42
Cailles au chasseur	143
Lapin à la Marengo	136
Mayonnaise de volaille	112
Dessert	

Pot-au-feu à l'anglaise	54
Bœuf bouilli	59
Pigeons rôtis	119
Champignons à la provençale	244
Beignets de pommes	287
Dessert	

Potage semoule à l'oignon	43
Bœuf bouilli sauce au kari	59
Foie de veau à la broche	86
Salsifis au beurre	220
Tarte aux poires	342
Dessert	

Potage bouillon aux œufs pochés	265
Anguille à la poulette	182
Civet de lièvre	129
Pigeons rôtis	119
Salade	251
Dessert	

	Pages.
Panade	40
Pommes de terre au lait	201
Anguille de mer sauce blanche	165
Navets en purée	217
Mousse au chocolat	277
Dessert	

Potage maigre aux choux	38
Maquereau à la flamande	165
Champignons en coquilles	244
Macaroni au gratin	278
Dessert	

	Pages.
Potage vermicelle au lait.	37
Filets de merlans à la Orly	168
Nouilles au beurre	318
Salsifis frits	221
Dessert	

Potage au potiron	42
Ecrevisses à la bordelaise	186
Carpe grillée	178
Truffes au vin	208
Salade	251
Dessert	

REPAS DE RÉCEPTION

DÉJEUNER

Hors-d'œuvre	55
Maquereaux à l'italienne	165
Salmis de faisan	146
Poularde à la broche	112
Haricots flageolets de conserves	227
Salade	251
Nougat	354
Dessert	

DINER

Potage tapioca au gras	36
Petits pâtés aux crevettes	335
Homard sauce mayonnaise	191
Cuissot de chevreuil rôti	126
Choux-fleurs frits	214
Salade	251
Bombe au chocolat	312
Dessert	

MENUS DE DÉCEMBRE

Productions particulières du mois : Les mêmes que le mois précédent.

DÉJEUNERS GRAS

	Pages.
Harengs marinés	167
Cervelle de bœuf frite	67
Entrecôte grillée sauce Soubise	64
Boulettes de pommes de terre	204
Dessert	

	Pages.
Pieds de mouton poulette	78
Lapin mariné	136
Pommes de terre en soufflé	203
Fromage	
Dessert	

Boulettes de hachis de bœuf	61
Gras-double à la lyonnaise	68
Jambon froid	98
Salade de pommes de terre	205
Dessert	

Œufs à l'oseille (conserves)	265
Côtelettes de mouton purée de pois	76
Choux-fleurs en salade	214
Fromage	
Dessert	

Moules à la marinière	189
Biftecks aux pommes de terre	63
Choux-fleurs au fromage	213
Dessert	

Omelette au jambon	272
Epaule de mouton farcie	76
Epinards aux croûtons	247
Fromage	
Dessert	

Tête de veau vinaigrette	88
Ragoût de mouton ou Navarin	76
Haricots rouges	229
Salade	251
Dessert	

Boulettes de tête de veau	93
Bœuf bouilli aux navets	72
Œufs en matelote	266
Fromage	
Dessert	

Pages.

Pieds de cochon grillés ... 97
Escalopes de veau sauce tomate ... 84
Haricots blancs en purée. 229
Salade ... 251
Dessert

Langue de bœuf au gratin 66
Tripes à la mode de Caen 69
Haricots blancs à la bretonne ... 228
Dessert

Pommes de terre en robe de chambre ... 197
Harengs frais à la maître d'hôtel ... 166
Côtelettes de porc frais sauce piquante ... 95
Salade ... 251
Dessert

Fromage de cochon ... 96
Lièvre haché en terrine ... 323
Veau froid ... 91
Œufs durs en salade ... 265
Dessert

Pages.

Omelette au rognon de veau ... 269
Escargots à la poulette ... 187
Mayonnaise de volaille ... 112
Dessert

Coquilles de macaroni ... 278
Bœuf à la mode ... 65
Tanches frites ... 183
Lentilles en salade ... 233
Dessert

Hachis de bœuf à la purée de pommes de terre ... 61
Filets mignons de porc sauce tartare ... 96
Poulet rôti ... 112
Salade ... 251
Dessert

Œufs à la poulette ... 265
Rognons de mouton à la brochette ... 77
Porc frais à la broche ... 95
Dessert

DÉJEUNERS MAIGRES

Œufs sur le plat ... 264
Morue en croquettes ... 162
Raie au beurre noir ... 159
Lentilles au beurre ... 233
Dessert

Omelette aux fines herbes 269
Pâté de poisson ... 326
Carottes à la bourguignonne ... 218
Salade de scarole ... 255
Dessert

Pommes de terre en matelote ... 202
Œufs à la béchamel ... 264
Brochet au court-bouillon 179
Oignons farcis ... 216
Dessert

Œufs brouillés au hareng saur ... 267
Timbale à la Bekendorf .. 279
Ecrevisses à la marinière 185
Pommes de terre en salade ... 205
Dessert

DINERS GRAS

	Pages.
Potage aux raviolis	50
Merlans au gratin	168
Bitokes à la russe	70
Chou farci	208
Dessert	
Potage purée croûtons	40
Rognon de bœuf sauce madère	65
Canard rôti	122
Navets au jus	217
Dessert	
Potage Parmentier	41
Ragoût de veau aux oignons	82
Gigot rôti	73
Haricots blancs	228
Dessert	
Soupe aux choux	37
Petit salé aux choux	102
Rissoles à la viande hachée	337
Salade	251
Dessert	
Potage à la Conti	41
Cervelles au beurre noir	66
Côtelettes de veau en papillotes	84
Croquettes de riz	292
Dessert	
Potage purée de légumes	44
Mou de veau en matelote	89
Salmis de bécasses	144
Salsifis au beurre	220
Dessert	

	Pages.
Potage à la Condé	42
Escargots à la bourguignonne	187
Entrecôte braisée	64
Purée de haricots blancs	229
Dessert	
Potage pâtes d'Italie au gras	36
Pieds de veau vinaigrette	90
Porc frais à la broche	95
Pommes de terre en purée	203
Dessert	
Potage julienne aux champignons	48
Boulettes de tête de veau	93
Filets de sanglier mariné sauce poivrade	126
Choux-fleurs sauce tomate (conserves)	213
Dessert	
Potage aux nouilles	53
Foie de veau en papillotes	87
Lapin à la Marengo	136
Cervelles de mouton frites	78
Dessert	
Pot-au-feu	33
Bœuf bouilli	59
Perdreaux rôtis	139
Carottes à la bourguignonne	218
Salade	251
Dessert	
Potage sagou au gras	36
Salmis de perdreaux	141
Foie de veau à la broche	86
Chicorée cuite	254
Dessert	

	Pages.
Potage julienne	43
Veau en blanquette	85
Côtelettes de porc frais à la Courlandaise	
Petits pois au sucre	103
(conserves)	230
Croûtes au madère	289
Dessert	

	Pages.
Potage au potiron	42
Côtelettes de mouton à la milanaise	79
Carré de veau à la casserole	82
Pommes de terre soufflées	199
Gâteau d'amandes	351
Dessert	

Potage paysanne	44
Bœuf bouilli sauce piquante	71
Filets sautés aux olives	64
Soles frites	172
Pudding aux pommes	302
Dessert	

Soupe à la farine	51
Abattis d'oie	123
Epaule de mouton rôtie	75
Pommes de terre maître d'hôtel	200
Salade	251
Dessert	

DINERS MAIGRES

Soupe poireaux et pommes de terre	38
Rissoles au poisson	337
Carpes au court-bouillon.	177
Haricots blancs en salade	228
Brioche	345
Dessert	

Potage tapioca au lait	37
Koulibiac aux choux	338
Soles à l'anglaise	175
Céleri au gratin	256
Omelette au rhum	273
Dessert	

Potage bouillie	37
Omelette au macaroni	271
Matelote d'anguilles	183
Croquettes de pommes de terre	204
Crème à la vanille	304
Dessert	

Potage à l'oignon et au lait	43
Maquereau à la maître d'hôtel	164
Carrelet au gratin	159
Choux-fleurs au fromage	213
Pudding au pain	301
Dessert	

SOUPERS DE NOEL

	Pages.
Huîtres et citron	190
Andouilles grillées à la purée de pois	100
Poulet truffé	112
Salade	251
Petits pois au sucre (conserves)	230
Pommes flambantes	286
Dessert	

	Pages.
Hors-d'œuvre	55
Boudin grillé, sauce moutarde	99
Oie aux marrons	122
Truffes au naturel	207
Soupe d'amandes (entremets)	51
Dessert	

REPAS DE RÉCEPTION

DÉJEUNER

Quatre hors-d'œuvre (beurre, olives, caviar, saucisson)	55
Pieds de mouton poulette	78
Levraut sauté	130
Rosbif aux champignons farcis	62
Salade	251
Dartois aux pommes	343
Dessert	

DINER

Potage bisque	44
Quatre hors-d'œuvre	55
Vol-au-vent de quenelles	333
Saumon au court-bouillon, sauce genevoise	152
Dinde truffée	118
Choux-fleurs frits	214
Salade	251
Blanc-manger	307
Dessert	

TABLE DES MATIÈRES

PAR ORDRE ALPHABÉTIQUE

A

B

C

D

E

F

G

H

J

K

L

M

N

O

P

Q

R

S

T

V

FIN

Achevé d'imprimer sur rotative par l'imprimerie Darantiere à Dijon-Quetigny en juillet 1997
Dépôt légal : 3e trimestre 1997 - N° d'impression : 97-0545